課税訴訟における要件事実論
〔4訂版〕

今村　　隆
加藤友佳　著

公益社団法人　日本租税研究協会

はしがき

公益社団法人日本租税研究協会では，民間の立場から我が国の財政・税制・税務をめぐる諸問題に対する調査・研究を行い，租税に関する重要な情報の提供に努めております。

その中でも近年では，経済活動の多様化に伴う税務の複雑化により，課税訴訟の発生件数が増加していることからも，訴訟における要件事実が重要な論点として注目されています。

とりわけ，更正処分の取消訴訟を中心とする課税訴訟における要件事実論は，事案の争点や立証すべき事実を明確にするという要点整理機能として非常に有益となっています。また，それにのみならず要件事実に基づく事件の設計図を書いて事件を分析することにより，問題となっている課税要件と課税の根拠との関係性を明らかにするなど，課税要件等の解釈にあたっての基本的なツールという機能も持ちあわせております。本書では，長年にわたって課税訴訟に携わってこられた今村隆教授が，こうした課税訴訟における要件事実論について第１編を基礎編，第２編を応用編とすることで幅広い読者層にご参照される構成となっており，その内容は課税訴訟に留まらず，民事訴訟における要件事実の意義にはじまり，所得税や法人税など税目別に詳細に論じられております。

本書は，平成23年７月初版を刊行後，多くの読者の皆様に読まれ好評を博してきましたが，平成24年11月に著作部門での租税資料館賞を受賞され，実務で広く用いられてきました。その後も，平成25年７月に改訂版を出版し，令和４年３月に３訂版を出版しましたが，この度４訂版を出版させていただく運びとなりました。４訂版では，共著者に加藤友佳准教授を加え，実質所得者課税についての東京高裁平成３年６月６日判決，相続税における「価額」についての最高裁令和４年４月19日判決など多数の新しい判例を論じられております。今回の改訂は，フレッシュな共著者を迎えての改訂といった内容で，皆様の理解をより深めて頂ける一冊となりました。

３訂版同様４訂版も，租税法に関係する研究者，行政の担当者，実務家，企業の実務関係者には貴重な文献となっていると思います。本書が皆様にご愛読頂けることを願っております。

令和６年４月吉日

公益社団法人　日本租税研究協会

（目　次）

凡　例

【法令等】

＊法令は，令和６年１月現在である。

略称	正式名称
憲法	日本国憲法
行審法	行政不服審査法
行訴法	行政事件訴訟法
通則法	国税通則法
通則令	国税通則法施行令
措置法	租税特別措置法
民訴法	民事訴訟法
旧商法	平成17年法律86号による改正前の商法

【文献】

略称	文献
（租税法）	
金子・租税法第24版	金子宏『租税法第24版』（弘文堂，令和３年）
泉・審理第３版	泉徳治ほか『租税訴訟の審理について第３版』（法曹会，平成30年）
今村・濫用法理	今村隆『租税回避と濫用法理』（大蔵財務協会，平成27年）
今村・租税回避否認規定編	今村隆『現代税制の現状と課題 租税回避否認規定編』（新日本法規，平成29年）
（要件事実論）	
司法研修所・改訂新問題研究	司法研修所編『改訂新問題研究要件事実』（法曹会，令和５年）
司法研修所・問題研究改訂版	司法研修所編『問題研究要件事実改訂版』（法曹会，平成18年）
司法研修所・要件事実第１巻増補版	司法研修所編『民事訴訟における要件事実第１巻増補版』（法曹会，平成10年）
伊藤滋夫・要件事実の基礎新版	伊藤滋夫『要件事実の基礎新版』（有斐閣，平成27年）
伊藤滋夫・要件事実講義	伊藤滋夫『要件事実講義』（商事法務，平成20年）
村田＝山野目・30講第４版	村田渉＝山野目章夫編著『要件事実30講第３版』（弘文堂，平成30年）
（民事訴訟法）	
伊藤・民事訴訟法第８版	伊藤眞『民事訴訟法第８版』（有斐閣，令和５年）

【判例集】

略称	正式名称
民集	最高裁判所民事判例集
刑集	最高裁判所刑事判例集
訟月	訟務月報
判時	判例時報
判タ	判例タイムズ
行集	行政事件裁判例集
税資	税務訴訟資料

【判例解説】

略称	正式名称
最判解民事	最高裁判所判例解説民事篇（法曹会）
最判解刑事	最高裁判所判例解説刑事篇（法曹会）

◆ はじめに

1　租税法における要件事実論の意義

⑴　ある事件が争われている場合，その事件についての双方の言い分を要件事実で整理して，それぞれの言い分を構造図で表すと，その構造図は，その事件の設計図となる。この構造図のことを，要件事実論においては，「ブロック・ダイアグラム」という。要件事実論は，民事訴訟において，このような事件の設計図を書いて，事件を的確に解決するために考え出されたものである。そのため，要件事実は，訴訟における言語であり，法律学における論理学ともいわれているのである。

このような要件事実論は，元々は，民事訴訟の解決のために考え出されたものであるが，更正処分の取消訴訟を中心とする課税訴訟においても，課税要件に基づいて事件の設計図を書くことができることから，課税訴訟においても要件事実論は，納税者と税務署長双方の言い分を明確にし，事件の争点や立証すべき事実が何であるのかが明確となり非常に役に立つこととなる。要件事実論は，このように事件の争点を明らかにすることにより事件の解決にも役に立つことを第一義的な目的としている。これを「要件事実の争点整理機能」というとすると，要件事実論は，これだけにとどまらず，課税要件等の解釈にも役に立つものである。というのは，要件事実に基づく事件の設計図を書いて，事件を分析することにより，そこで問題となっている課税要件が，課税の根拠との関係で，どのような意味をもっているかが明らかになるからであり，要件事実論は，課税要件等の解釈に当たっての基本的なツールとしても役に立つものである。これを「要件事実の解釈ツール機能」ということとする。

⑵　筆者のうちの今村は，このように要件事実は，争点整理機能だけでなく，解釈ツール機能をも有しているとの考えに基づき，課税訴訟における要件事実論についていくつかの論文（注1）を表してきたが，要件事実論は，元々は，法律家を養成することを目指している司法研修所で教えているものであり，国税職員や企業の担当者には，民法や民事訴訟法についての理解を前提としていることから難解であり，取っつきにくいものとなっている。

しかしながら筆者らとしては，課税訴訟における要件事実論は，訴訟に携わる裁判官や弁護士だけでなく，事件の調査に携わる国税の担当者や企業の担当者にも役に立つものであり，国税職員や企業の担当者にも広く知ってもらいたいと考えている。そのような考えから，本書では，読者として，国税職員や企業の担当者を想定して，専門用語もできるだけかみ砕いて平易な表現に置き換えるなどして，課税訴訟における要件事実論の醍醐味を具体的事例に基づいて分かりやすく論じることとした。

注1　①今村隆「課税訴訟における要件事実論の意義」税大ジャーナル４号（平成18年）１頁，②同「移転価格税制における独立企業間価格の要件事実」税大ジャーナル12号（平成21年）11頁，③同「税法における『価格』の証明責任」山田二郎先生喜寿記念（信山社，平成19年）305頁，④同「不確定概念に係る要件事実論」伊藤滋夫・岩﨑政明 編『租税訴訟における要件事実論の展開』（青林書院，平成28年）225頁

2　4訂版の改訂の方針

本書は，元々は，税務大学校での研修の教材として用いるために執筆をしたものであるが，平成23年７月に出版した初版が租税資料館賞で受賞されたばかりか，「レンタルオフィス事件」と呼ばれている東京高裁平成25年５月29日判決（裁判所 HP）において，タックス・ヘイブン対策税制における管理支配基準の立証責任が問題となったが，本書（初版）を引用して，「実務では，国に外国子会社合算税制の適用除外要件を充足していないことの主張立証責任を課していることが明らかである。」と判示され，実務上も評価されている。

筆者のうち今村は，長年にわたり，税務大学校での研修の教材として本書の初版，改訂版及び３訂版を用いてきたが，４訂版では，新進気鋭の加藤友佳准教授を共著者に迎え，新しい判例を付け加えて改訂をしたものである。加藤准教授は，令和４年度から税務大学校の研修も担当しており，正に本書の執筆にふさわしい研究者である。

本書では，筆者らがこれまで多くの著書や論文で述べていたことを整理して論じているもので，筆者らの考える「租税法」を明らかにしたものであり，筆者らの考えをくみ取っていただければ幸いである。

第 1 編

基　礎　編

第1章　要件事実論の基礎

第1節　民事訴訟と要件事実

第1　民事訴訟の意義

そもそも裁判とは何であるかが問題となる。我が国の憲法上は，裁判は，裁判所のみが行い，これを「司法権」という（憲法76条1項）。我が国の憲法上は，「司法権」は，具体的な事件を解決するためにのみ行使することができ，いわゆる法令自体の合憲性を抽象的に審査をすることは認められていない。このような具体的事件であることを前提とする司法権は，アメリカ憲法の考え方の影響を受けているものであり，裁判所法3条は，憲法76条1項の「司法権」を更に「法律上の争訟」と表現している。そこで，憲法76条1項の「司法権」＝裁判所法3条の「法律上の争訟」ということになるが，この「法律上の争訟」の意義については，「当事者間の具体的な権利義務ないし法律関係の存否に関する紛争であって，かつ，それが法令の適用により終局的に解決することができるもの」とするのが判例である（注2）。

民事訴訟は，このような「法律上の争訟」の一つであり，民事訴訟に限定して，民事訴訟とは何かを定義すると，「私人間の権利義務の存否について紛争がある場合に，当該私人の一方の申立てにより，その権利義務が存在するか否かについて，裁判所が法律を適用して終局的に判断して解決を図ること」ということになる。

民事訴訟の目的が何であるかについては，私人の権利保護であるとか，紛争の解決であるとか見解が分かれているが（注3），筆者は，民事訴訟の目的は，紛争解決であると考えており（注4），上記の定義は，民事訴訟とは，紛争解決であることを目的とするとの考え方に基づくものである。この点は他の考え方もあるとは思うが（注5），そのことの議論はさておき，筆者が上記の定義を採用しているのは，この定義の中に民事訴訟の本質が表現されていると考えるからである。

すなわち，まず，訴訟物という考え方がここに表されている。訴訟物とは，審判の対象すなわち訴訟の対象のことであるが，訴訟の対象は，当事者の一方が申し立てた紛争の対象となっている権利義務のことであり，これが訴訟の対象になるのである。次に，弁論主義という考え方

注2　最判昭56・4・7民集35巻3号443頁等

注3　伊藤・民事訴訟法第8版19頁以下

注4　通説である。兼子一『新修民事訴訟法体系増補版』（酒井書店，昭和40年）26頁，三ヶ月章『民事訴訟法』（有斐閣，昭和34年）6頁，伊藤・民事訴訟法第8版21頁

注5　例えば，注目すべき見解として，民事訴訟の目的は，憲法上で制定された司法権の役割から出発すべきであり，また，現代社会では紛争解決という指標だけでは基本理念となり得ないとして，憲法を頂点とする実体法規範によって認められた実質権の保護にあるとする見解（新権利保護説，竹下守夫「民事訴訟の目的と司法の役割」民事訴訟法雑誌40巻（平成6年）19頁）がある。

も表されている。弁論主義とは，当事者が弁論で主張しない事実については，裁判所は判決で取り上げてはいけないとの原則のことである。なぜそうなるかというと，上記の定義で下線を付したとおり，民事訴訟というのは，あくまでも当事者間に紛争がある場合に，これを解決するための制度であり，当事者間に紛争がない事実については，裁判所は取り上げる必要がないばかりか，取り上げてはいけないというのが弁論主義である。取り上げてはいけないのは，国家が私人間の紛争に介入しすぎることとなるからである。このように民事訴訟の重要な考え方である「訴訟物」や「弁論主義」は，民事訴訟が私人間の権利義務の存否についての紛争の解決を図るものであるとの基本的なことから由来するものであり，民事訴訟の基礎をなすものである。

第2　要件事実の意義

1　要件事実と主要事実との関係

要件事実は，第1で述べた訴訟物や弁論主義とも深く関係しており，これらと相まって民事訴訟の基礎をなすものである。そこで要件事実とは，何かを考えていくこととする。

そもそも要件事実とは，一定の法律効果を生じさせる要件に該当する具体的事実である。一方，民事訴訟では，「当事者の主張しない主要事実は，判決の基礎とすることができない」との弁論主義が妥当し，ここでは，「主要事実」が問題とされる。弁論主義とは，第1でも述べたとおり，当事者間に紛争がない事実については，裁判所は取り上げる必要がないばかりか，取り上げてはいけないという原則であり，具体的には，①主要事実は，当事者が主張しない限り判決の基礎とし得ないこと，②当事者間に争いのない事実については，証拠によって認定する必要がないのみならず，これに反する認定をし得ないこと（民訴法179条，自白の拘束力），③職権で当事者が申し出ない証拠を取り調べることは許されないこと（職権証拠調べの禁止）がその内容である（注6）。このように弁論主義では，主要事実が問題となるのである。そこでまずこの「主要事実」と「要件事実」の関係から論ずることとする。

主要事実とは，弁論主義の下で意味をもち，主要事実とは，上記のとおり，当事者の主張がなければ，判決の基礎とすることができない事実のことであるが，間接事実すなわち主要事実の存否を推認させる事実については，当事者の主張がなくても，裁判所はこれを判決の基礎として認定をすることが許される。弁論主義は，第1でも述べたとおり，民事訴訟が，当事者間の権利の存否についての争いの判断を裁判所に求めるに当たり，あくまでも私的自治を尊重し，当事者の争いのある事実についてのみ裁判をすれば足りるとの考え方に基づいているのである。一方，間接事実については，当事者の一方が既に主要事実を主張しているのであるから，あとは裁判所の自由心証の問題（民訴法247条）であり，間接事実についてまで当事者の主張に委ねる必要はないと考えられるからである。例えば，下記の事例で主要事実は何かを考えてみることとする。

（事例1）

Xは，下図のとおり，Yに対して，平成18年4月1日に締結した甲地の売買契約に基づいて代金1,000万円の支払いを請求する訴えを提起した。

この場合，Xは何を主張・立証すべきか。

代金支払請求
X ────────→ Y
売買契約

注6　伊藤・民事訴訟法第8版332～333頁

この場合，Ｘは，裁判所に対し，この売買契約に基づく1,000万円の代金支払請求権があるか否かの裁判を求めているのである。このように審判の対象すなわち訴訟の対象あるいはテーマのことを「訴訟物」というが，この場合の訴訟物は，売買契約に基づく代金支払請求権ということになる。次に，この売買契約に基づく代金支払請求権という権利を発生させる要件は何かと考えると，民法555条に売買契約の成立要件が規定されていて，ここから，「ある財産権を移転し，それに対して代金を支払うとの合意」をすることが要件であることが分かる。これが売買契約であるが，上記の例の場合，主要事実は，「Ｘは，Ｙとの間で，平成18年４月１日，甲地を代金1,000万円で売ることを合意した。」こととなる（注7）。このように主要事実とは，あくまでも当該具体的事案に即して，民法555条の要件に直接該当する事実ということになる。一方，間接事実とは，例えば，Ｙがこのような売買契約を合意していないとして争った場合，①ＸとＹとが平成18年４月１日Ｘ宅で会って話をした事実，②Ｙが，Ａに対し，甲地が欲しいと話していた事実などがこれに当たり，Ｘの主張する内容の売買契約の成立を推認させる事実ということになる。

このように主要事実とは，あくまでも弁論主義の下で意味をもつが，何が主要事実であり，何が間接事実であるかは，上記の例でみられるとおり，民事訴訟の訴訟対象が，請求権といった実体法上の権利であることから，その権利の発生要件や消滅要件そのものに係る事実か否かで決せざるを得ず，ここに主要事実とは，実体法上の請求権等の分析の結果抽出される要件事実と一致することになる。

他方，要件事実については，それぞれの要件に該当する抽象的・類型的事実とする見解（注8）もあり，この見解によると，主要事実と要件事実とは違うこととなる。しかし，要件事実をこのように考えると，これは，評価を含む法的な概念となり，厳密な意味で立証の対象となる「事実」とは違うこととなる。したがって，要件事実も，一定の法律効果を生じさせる要件に直接該当する具体的事実と考えざるを得ず，結局は，要件事実と主要事実とは同じであると考えるべきである（注9）。

このように要件事実論は，下図のとおり，民事訴訟法における「主要事実」という概念と，民法等の実体法上の「要件事実」という概念が一致するというところに出発点があり，要件事実論が，訴訟の言語であり，法律学における論理学とされるのは，正にここにその由来があるのである。

主要事実＝要件事実

※主要事実（民事訴訟上の概念）
要件事実（実体法上の概念）

2　権利の存否と要件との関係

要件事実とは，一定の法律効果を生じさせる要件に該当する具体的事実であり，実体法上の法律要件に該当する具体的事実のことである。法律要件とは，あくまでも権利との関係での要件であり，①権利を発生させる要件，②権利の発生の障害となる要件，③いったん発生した権利を消滅させる要件，④権利の行使を阻止する要件の４種類がある。上記のうち権利を発生さ

注7　司法研修所・改訂新問題研究９ないし12頁。なお，同書では「ＸとＹとの間で売買契約を締結したこと」を表すのに「Ｘは，Ｙに対し…売った。」と表現するとしている（12頁）が，本稿では，契約ということを明確にする表現で「ＸとＹとの間で売ることを合意した。」とあえて表現することもある。

注8　山木戸克己「自由心証と挙証責任」民事訴訟法論集（有斐閣，平成２年）49頁，坂本慶一『新要件事実論』（悠々社，平成23年）35頁

注9　司法研修所・改訂新問題研究５頁

せる要件のことを「発生要件」といい，権利の発生の障害となる要件を「障害要件」，権利を消滅させる要件を「消滅要件」，権利の行使を阻止する要件を「阻止要件」という。

このような権利の存否と要件との関係を図示すると，下図のとおりとなる(注10)。

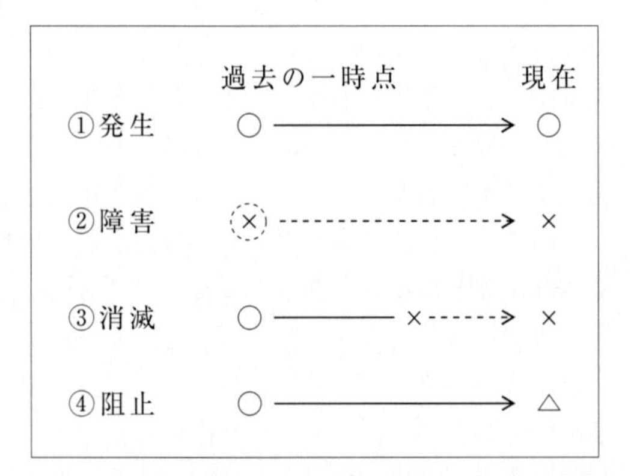

この図は，要件事実論の出発点ともいえる基本的でかつ重要な図である。この図を更に説明すると，裁判所は，権利の存否を現在すなわち当該裁判の口頭弁論終結日に権利が存在すると認められるか否かを判断することとなるが，過去の一時点でいったん権利が発生していると，障害，消滅あるいは阻止のいずれかの要件を満たす事実がないことには，権利は，現在も存在していると考えられる(注11)。このことを前提にして，権利が発生しているように見えるが実は障害があって有効に発生していない場合が「障害要件」であり，権利がいったん有効に発生したが，その後消滅した場合が「消滅要件」であり，権利は有効に発生しているが，その行使ができない場合が「阻止要件」ということになる。例えば，①の発生要件としては，売買契約（民法555条），消費貸借契約（同法587条）等があり，②の障害要件としては，虚偽表示（同法94条１項），錯誤（同法95条）等があり，③の消滅要件としては，弁済，消滅時効（同法166条１項）等があり，④の阻止要件としては，同時履行の抗弁（同法533条），期限の定め（同法135条１項）等がある。

例えば，**（事例１）**を更に発展させた事例で，発生要件や障害要件等について考えてみる。

（事例２）

Ｘは，下図のとおり，Ｙに対して，平成18年４月１日に締結した甲地（１番地）の売買契約に基づいて代金1,000万円の支払いを請求する訴えを提起した。これに対し，Ｙは，錯誤無効を主張して代金の支払を拒んだものの，さらに，Ｘにおいて Ｙに重大な過失があったと主張した。

この場合，ＸとＹは何を主張・立証すべきか。

代金支払請求
Ｘ ――――→ Ｙ
売買契約

この場合，Ｘは，裁判所に対し，1,000万円の代金の支払いを請求しているのであるが，前記１で論じたとおり，訴訟物は，売買契約に基づく代金支払請求権であり，この代金支払請求権の発生要件は，売買契約ということになり，「Ｘが，Ｙとの間で，平成18年４月１日，甲地を代金1,000万円で売ることを合意した。」ことが発生要件の要件事実ということになる。

これに対し，Ｙが，確かに，売買契約では，甲地（１番地）ということで申し込んだが，実

注10　司法研修所・改訂新問題研究６頁

注11　ある権利が発生した場合，その権利の消滅要件に該当する事実がない限り，その後も権利が存続していると扱われるべきであるとする原則を「権利関係不変の公理」と表現するものがある（村田＝山野目・30講第４版５頁）が，公理というような性質のものではなく，大げさな表現であり，単に「権利の継続性」といえば足りよう。

は，自分としては，Ｘが所有している甲地の隣のやはりＸ所有の乙地（２番地）のつもりで，甲地と申し込んだもので錯誤があり，売買契約は無効であるとの理由で代金の支払を拒んだとする。Ｙの主張は，売買契約に基づく代金支払請求権が，発生しているようにみえるが，実は，Ｙの申込みの意思表示に錯誤があり，売買契約は無効であるとするものであり，障害要件についての主張である。

具体的には，民法95条の錯誤の主張であるが，同条は，「意思表示は，法律行為の要素に錯誤があったときは，無効とする。」と規定しており，①意思表示に錯誤あること，②その錯誤が法律行為の要素であることの要件を満たす必要があり，これが障害要件となるのである。そして，障害要件の要件事実は，本件の具体的事実関係に即して考えると，①Ｙは，甲地（１番地）を表示したが，欲しかったのは乙地（２番地）であった（錯誤），②Ｙは，乙地でなければ契約はしていなかった（要素）ということになる。

さらに，民法95条をみると，但書で，「ただし，表意者に重大な過失があったときは，表意者は，自らその無効を主張することができない。」と規定している。そこで，Ｘの方としては，「Ｙが現地調査をしていれば，容易に甲地（１番地）と乙地（２番地）を区別できたはずなのに，現地調査をしなかった。」のであり，Ｙに落ち度があると主張できることとなる。この場合には，民法95条の但書が，本文の障害要件に対して，障害要件となっているのである。このように障害要件の障害要件というようにつながっていくのであり，実体法上の要件は，このように要件がツリー構造をなしていると考えられるのである（注12）。

第２節　要件事実と立証責任

第１　要件事実と立証責任の分配

１　証明の意義

証明とは，裁判の基礎として認定すべき事項の存否について，裁判官が真実であると確信する程度に，五感によって感得し得る証拠などによって裏付けられた状態，又は，この状態に達するように証拠を提出して裁判官に働きかける当事者の行為をいう。

このように証明とは，裁判官に確信を抱かせる程度に立証することであるが，ある事実について，証拠等によって真実であるとの裏付けをどの程度得たときに，裁判官が確信を抱いてよいか，あるいは，抱くべきかが問題となる。この程度を「証明度」という。この証明度は，民事訴訟においては，刑事訴訟で要求される合理的な疑いを容れない程度までの高度の証明度は要求されず，高度の蓋然性で足りると考えられている。

「ルンバール事件」と呼ばれている最高裁昭和50年10月24日判決（民集29巻９号1417頁）は，「訴訟上の因果関係の立証は，一点の疑義も許されない自然科学的証明ではなく，経験則に照らして全証拠を総合検討し，特定の事実が特定の結果発生を招来した関係を是認しうる高度の蓋然性を証明することであり，その判定は，通常人が疑いを差し挟まない程度に真実性の確信を持ちうるものであることを必要とし，かつ，それで足りるものである。」（下線筆者）と判示しているが，これはその趣旨である。この事件は，化膿性髄膜炎に罹患している患者が「ルンバール」という施術を受けた際に死亡した場合の因果関係が問題となった事案であり，科学的

注12　このような民法の規定のツリー構造については，吉川愼一「要件事実論序説」司法研修所論集110号（平成15年）137頁以下を参照されたい。

に100％間違いない証明まで要求されるものではなく，訴訟上の「証明」は，高度の蓋然性で足りるとしたものである。

一方，疎明とは，高度の蓋然性にまで達しない場合であり，一応確からしいとの推測を裁判官が行ってよい状態，又は，そのような状態に達するように証拠を提出する当事者の行為をいう。

そして，当事者の立証活動は，どの程度の立証が必要であるか否かにより，本証と反証とに分かれる。本証とは，立証責任を負う者が裁判官に確信を抱かせる程度まで立証することであり，反証とは，立証責任を負う相手方が裁判官の確信を揺るがせる程度に立証することである。

2　立証責任

立証責任とは，訴訟上，法令適用の前提として必要な事実（要件事実）の存在が真偽不明（ノン・リケット）に終わったために当該法律効果の発生が認められないという不利益又は危険である(注13)。

すなわち，当該要件事実の存否について真偽不明の場合には，当該要件事実の立証責任を負う者の不利益に扱われることとなり，このような意味での立証責任は，訴訟の立証状況で左右されるものではなく，客観的に定まっていることから，「客観的立証責任」ともいう。客観的立証責任を図示すると，下**図1**及び**2**のとおりとなる。いずれも立証責任を負う者がその事実

（図1・立証責任を負う者が本証に失敗した場合）

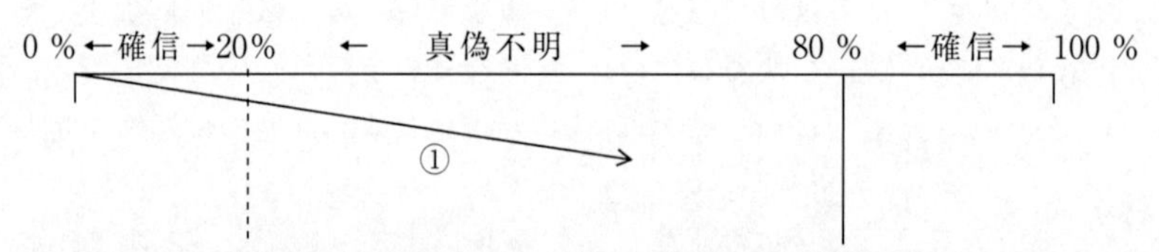

※裁判官がその事実があると確信を抱く程度（証明度）を80％と考え，
逆にその事実から確信を抱く程度を20％と考えた場合の図である。以下同じ。

（図2・立証責任を負う者が本証に成功したが，相手方が反証に成功した場合）

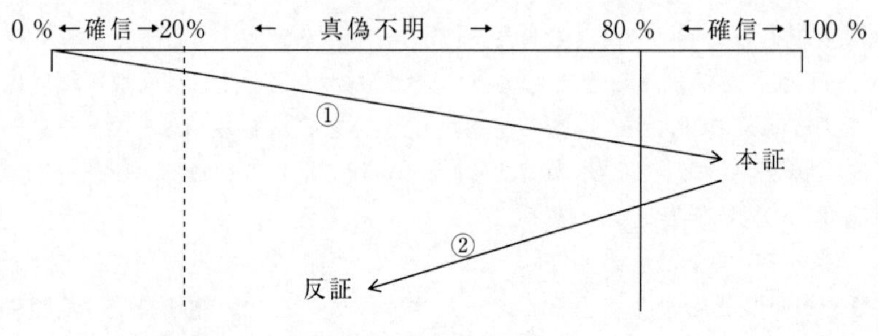

①立証責任を負う者が本証に成功。
②相手方が本証を揺るがせ反証に成功。

注13　司法研修所・要件事実第１巻増補版５頁

の存在について裁判官に確信を動かす程度の立証に失敗しており，その事実は存在しないとして判決されることとなる。

一方，立証責任は，上記のような客観的立証責任のほかに，訴訟の進展に伴う立証の現実的な必要性を意味することもある。これを「主観的立証責任」という。すなわち，客観的立証責任を負う者が，当該要件の存否について本証の程度まで立証した場合に，相手方の反証により確信を抱く程度にまで達しない状態になったときには，客観的立証責任を負う者に立証の必要が生じることとなる。このような立証の必要性のことを「主観的立証責任」というのである。主観的立証責任を図示すると，下**図３**のとおりとなる。

このような主観的立証責任は，客観的立証責任の所在により決まるのであり，主観的立証責任が客観的立証責任とは独自の別の基準で決まるのではない。したがって，主観的立証責任といってもそれほど意味があるわけではない。

３　立証責任の分配

客観的立証責任の分配については，下記の見解がある。

Ａ説）古典的法律要件分類説

客観的立証責任は，当該法律効果の発生によって利益を受ける者にあり，当事者のどちらが当該法律効果によって利益を受けるかは，法規の定め方に基づき，当該法律効果が，権利の発生・障害・消滅・阻止のいずれに当たるかにより決まり，権利の発生の場合は，これを主張する者に立証責任があり，権利の障害・消滅・阻止の場合には，権利を否定し又は阻止しようとする者に立証責任があるとする見解（注14）。

具体的には，下記のとおりとなる。

① 原告は，請求原因として，請求原因から生じる法律効果に対する根拠事実を主張立証する。

② 被告は，抗弁として，請求原因から生じる法律効果に対する障害事実，消滅事

（図3・立証責任を負う者が本証をする必要がある場合）

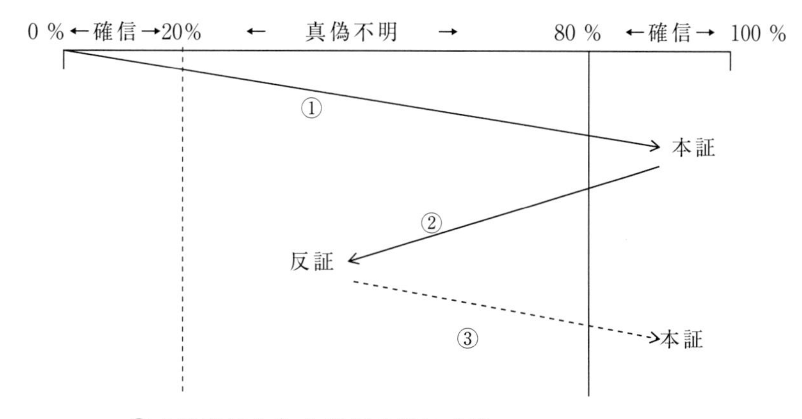

①立証責任を負う者が本証に成功。
②相手方が本証を揺るがせ，立証責任を負う者が証明の必要が生じる。
③立証責任を負う者が，再度裁判官が確信を抱く程度に立証する必要が生じ，本証をする必要が生じる。

注14　倉田卓次監修『要件事実の立証責任（債権総論）』（西神田編集室，昭和61年）２頁

実又は阻止事実を主張立証する。

③　原告は，再抗弁として，抗弁から生じる法律効果に対する障害事実，消滅事実又は阻止事実を主張立証する。

④　被告は，再々抗弁として，再抗弁から生じる法律効果に対する障害事実，消滅事実又は阻止事実を主張立証する。

（以下，障害，消滅及び阻止の再々々抗弁，障害，消滅及び阻止の再々々々抗弁…と続く。）

例えば，第1節の第2の2で論じた事例2でいうと，売買契約をしたことが発生要件となり，Xが立証責任を負い，錯誤が障害要件であるのでYが立証責任を負うが，Yの重過失についてどちらが立証責任を負うかが問題となる。立証の難易度を考えるとYの主観的な状態であるのでYに負わせるべきであるようにも考えられるが，法律要件分類説は，重過失が錯誤の障害要件でXにとって有効な法律効果をもたらす事実であるので，Xに立証責任があるとするのである。

B説）要証事実分類説

要証事実の客観的性状，例えば，それが内心的事実か外界的事実か，積極的事実か消極的事実かなどの区別を基準として立証責任を分配すべきであるとする見解。

C説）修正法律要件分類説

A説と同様，客観的立証責任は，当該法律効果の発生によって利益を受ける者にあり，当事者のどちらが当該法律効果によって利益を受けるかは，基本的には，法規の定め方に基づき，当該法律効果が，権利の発生・障害・消滅・阻止のいずれに当たるかにより決まるものの，併せて立証責任の負担の面での公平・妥当性の確保をも考慮すべきであり，法の目的，類似又は関連する法規との体系的整合性，当該要件の一般性・特別性又は原則性・例外性及びその要件によって要証事実となるべきものの事実的態様とその立証の難易などを総合的に考慮すべきとする見解（注15）。

D説）裁判規範としての民法説

民法等の実体法規の規定の形式を基本とするのではなく，実体法規における当該規定の制度趣旨に基づきいったん決定される規範構造が立証の困難を考慮してもなお維持できるかを検討し，最終的な裁判規範としての実体法規の規範構造を確定し，これにより要件事実や立証責任が導き出されるとする見解（注16）。

A説は，法規の構造から立証責任が決定されるとするものであり，基準が明確であり，多くの人の納得を得ることができる。これに対して，B説は，立証の対象となる事実の性質によって立証責任分配を実質的に決定しようとする立場であるが，立証が困難といっても，その判断は容易ではなく，基準が不明確であり，問題である。

ここで問題としている立証責任は，前記2のとおり，訴訟上，当該事実の存否が不明に終わった場合にどちらの当事者を不利益に扱うかの客観的立証責任であり，法規の規範構造から決定するのが望ましく，基本的にはA説に立つべきである。しかしながら，A説に立つと，法規の定め方だけで形式的に決定することとなるが，そうするとどうしても不合理な場合もあり，そのような場合には修正を加えるべきである。したがって，C説が相当と考える。

他方，D説は，C説が一部を修正するとするが，弥縫策にすぎずその基準や根拠が不明であ

注15　司法研修所・要件事実第1巻増補版10,11頁
注16　伊藤滋夫・要件事実講義248頁以下

るとして，裁判規範の構造を制度趣旨に基づき立証の困難性をも考慮に入れて決定した結果の裁判規範がそのように修正されていると考えるべきとするものである。D説は，C説を鋭く批判するもので，非常に魅力的な見解である。殊に，実体法規の規範構造を当該規定の制度趣旨を重視して決定するとする点は，示唆に富んでいる。しかしながら，D説には，そもそも法規の規範構造のとらえ方など法律の解釈方法論についての根本的な問題を検討する必要があり，論者によっては異論のあり得る問題である。したがって，D説に立つには慎重な検討が必要であって，軽々にこの説に立つことはできず，本書においては，通説であるC説の立場に立って論じることとする。

4　ブロック・ダイアグラム

以上要件事実の意義や立証責任の分配について述べてきたので，ここで実際の事案で，どのように要件事実を確定し，立証責任の分配をするのかを示すこととしたい。実務上は，ブロック・ダイアグラムという攻撃防御方法の構造図を書いて明らかにしているのである。ここで，ブロック・ダイアグラムを書くに当たっての略語を説明すると，下記のとおりとなる。

Kg：Klagegrund（請求原因），E：Einrede（抗弁），R：Replik（再抗弁），D：Duplik（再々抗弁），T：Triplik（再々再抗弁） ○：認，×：否認，△：不知，顕：顕著な事実（民訴法179条）

前記（**事例2**）の場合で，ブロック・ダイアグラムを書くと，次図のとおりとなる。

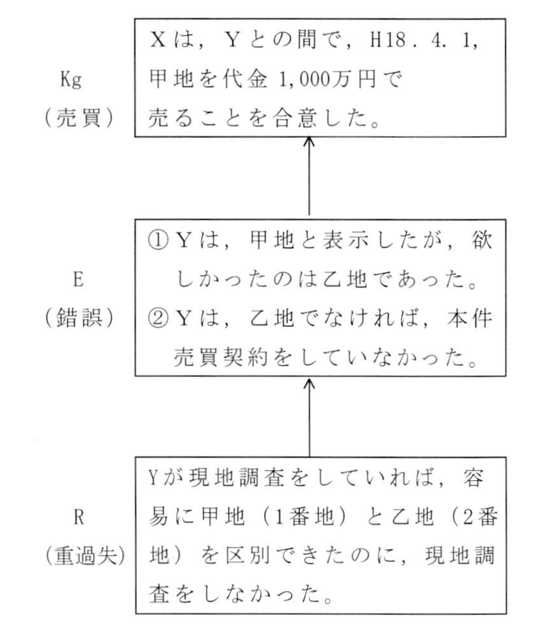

5　抗弁と否認

ここで抗弁というのは，「請求を否定する効果をもたらす請求原因と両立し得る別個の事実で，自らが立証責任を負う事実の主張」のことであり，否認とは，「請求原因と両立し得ない相手方が立証責任を負う事実を否定する主張」のことである。

例えば，消費貸借契約に基づく貸金返還請求訴訟において，被告である借主が「借りたが返した。」との主張をした場合と「借りたのではなくもらった。」との主張をした場合で抗弁か否認かを検討してみよう。

この場合の請求原因事実は，民法587条を基礎として，①返還約束，②金員交付，③弁済期の合意，④弁済期の到来の4つと考えられるが（注17），「借りたが返した。」との主張は，借主において，これらの請求原因事実をすべて認めた上で，弁済の主張をしていると考えられるが，消費貸借契約をしたこととそれを後日返済

注17　消費貸借契約の請求原因事実については，本文記載の4つであることは争いがないものの，そもそも消費貸借契約において，民法587条から導き出される①返還約束と②金員交付に加えて，弁済期の合意も成立要件であるのかが争いがある。「貸借型理論」と呼ばれているが，貸借型の契約類型においては，弁済期の合意は契約の本

したこととは，社会的事実として両立し得る別個の事実であり，抗弁となる。

これに対し，「借りたのではなくもらった。」との主張は，借主において，金員交付を認めた上で，上記①の返還約束や③の期限の定めの合意を否認していると考えられ，同一の金員が返還すべき金員であるのか，もらいきりの金員であるかは，社会的事実として両立し得ない事実であり，否認となる。

このように抗弁であるか否認であるかは，社会的事実として，両立し得るか，両立し得ないかにより決せられるのである。

第２　法律上の推定と事実上の推定

１　法律上の推定と事実上の推定の意義

法律上の事実推定は，ある法律効果の発生を容易にする目的で，証明困難な事実乙事実（推定事実）の代わりに証明の容易な前提事実甲事実（前提事実）を証明すれば足りるとすることが法律に規定されている場合である。

例えば，民法186条２項，同法619条１項，手形法20条２項，破産法15条２項，58条がこの例である。法律上の事実推定の場合，これを争う者は，前提事実の不存在を主張するか，あるいは，推定事実の不存在を主張立証することにより覆ることとなるが，後者の場合には，乙事実の不存在の立証は，本証でなければならず，客観的立証責任が転換されていることになる。なお，擬制（例えば，民法31条，753条）は，乙事実の不存在を立証しても，覆らない点で推定とは異なる。一方，事実上の推定は，ある法律効果の発生を，間接事実から経験則による推認によって立証することであり，客観的立証責任が転換されるのではなく，乙事実の不存在の主張は否認にすぎない。

以上を整理すると，下図のとおりとなる。

規定等の種類	効果
みなし	甲　→　乙 甲の不存在により覆る。 乙不存在の立証不可。
法律上の事実推定	甲　→　乙 甲の不存在又は乙の不存在（本証）により覆る。
事実上の推定	甲　→　乙 甲の不存在又は乙の不存在（反証）により覆る。

結局，法律上の事実推定と事実上の推定の違いは，法律上の事実推定は，これを争うときは，本証として不存在の立証をしなければならないのに対し，事実上の推定は，反証で足りるということである。

２　具 体 例

法律上の擬制，法律上の推定及び事実上の推定の違いの具体例として，書類の送達に関する規定についてみていくこととする。

国税通則法12条２項は，通常の郵便に関する送達について，「通常の取扱いによる郵便又は信書便によって前項の送達をした場合には，その郵便物又は民間事業者による信書の送達に関する法律第２条第３項（定義）に規定する信書便物（…）は，通常送達すべきであった時に送達があったものと推定する。」と規定しているが，これは法律上の推定である。一方，民訴法

質的要素であり，これも成立要件であるとするのが伝統的な考え方である（司法研修所・問題研究改訂版45頁）。これに対し，新たな考え方として，冒頭規定である民法587条を重視して，成立要件は，①返還約束，②金員交付の２つであり，③期限の定めの合意，④の期限到来とは，成立要件ではなく，返還請求権の発生要件にすぎないとの見解（司法研修所・改訂新問題研究46頁）も表れている。いずれの見解も請求原因事実は同じとなり，理論的な対立にとどまるが，筆者は，弁済期の合意が貸借型の契約の本質的要素であるとする見解に賛成であり，４つが成立要件であると考える。

107条３項は，法律上の擬制であり，国税通則法77条１項括弧書きも法律上の擬制である。これに対し，行訴法14条１項の訴え提起（訴状の裁判所への提出）は，事実上の推定である。

これらの違いは，法律上の擬制の場合には，現実には知らなかったとの立証が許されないのに対し，法律上の推定や事実上の推定の場合には，現実には知らなかったとの立証が許される点が違っている。さらに，法律上の推定と事実上の推定の違いは，前者が，知らなかったことを裁判官に確信を抱かす程度に立証しなければならないのに対し，後者が知らなかったことを裁判官に疑念を抱かせる程度の立証で足りるということである。すなわち，前者の場合には，本証の程度の立証が必要であり，言い換えると立証責任が転換されていることとなる。

第３節　規範的要件の要件事実

第１　規範的要件の意義

規範的要件とは，規範的評価の成立が法律効果の発生要件となっているものである（注18）。例えば，不法行為における「過失」（民法709条），表見代理の「正当な理由」（同法110条）や借家契約の更新拒絶の「正当の事由」（借地借家法28条）がこれに当たる。第１節の第２の２の（**事例２**）で論じた錯誤の場合の「重過失」（民法95条）もこれに当たる。また，実体法上の明文はないものの，賃借権の無断譲渡の場合に問題となる「背信行為と認めるに足りる特段の事情」も規範的要件である。これに対し，事実の存在が法律効果の発生要件となっているものを「事実的要件」という。

なお，規範的要件は，「過失」のように規範的要素を含むものと，そこまでの要素はなく法的評価にとどまるものもある。実務上は，後者も「規範的要件」と呼ばれているが，前者は，後者の一種であり，法的評価にとどまるものも対象となっていることを明確にするために，後者を「評価的要件」という論者もいる（注19）。

ただ，通常は，このような評価的要件も含めて，「規範的要件」との用語が用いられており，本稿もこの用語例に従い，「規範的要件」との用語を用いることとする。

このような規範的要件は，不確定概念であるが，不確定概念のすべてが規範的要件となるのではない。

不確定概念の場合には，特定概念よりは，法的当てはめが困難とはなるが，法的当てはめ自体に異なるところはない。規範的要件は，例えば，「過失」の場合には，具体的事実が確定された場合に，これを法的価値判断として過失として扱うというかどうかの判断（規範的評価あるいは法的評価）が必要とされる点に特徴がある（注20）。

第２　規範的要件の要件事実

１　評価根拠事実と評価障害事実

(1)　主要事実説

規範的要件について，当該法的評価自体が要件事実であり，このような評価を基礎づける事実や妨げる事実は間接事実であるとする見解（間接事実説）がかつては有力であった。しかし，現在は，評価は立証の対象となる事実ではないとして，法的評価の成立を基礎づける事実（評価根拠事実）が要件事実であると考えられている（主要事実説）（注21）。

注18　司法研修所・要件事実第１巻増補版30頁
注19　伊藤滋夫・要件事実の基礎新版302頁
注20　吉川・前掲司法研修所論集110号162頁
注21　司法研修所・要件事実第１巻増補版33頁

規範的要件には，当該評価の成立を基礎づける事実とは逆に評価の成立を妨げる事実もある。このような事実を「評価障害事実」というが，この評価障害事実は，評価根拠事実と両立する事実であって，当該評価の成立を妨げる事実であることから抗弁と考えられている(注22)。

この評価障害事実の立証責任は，評価の成立を争う者に移るが，これは，評価障害事実を要件事実であると考えるからであり，そうすると，自己に有利な法律効果をもたらす法規について立証責任を負うとする法律要件分類説における考え方に基づき，評価の成立を争う者が，自己に有利な法的効果をもたらす事実である評価障害事実について立証責任を負うことになるのである。

(2)　間接反証類推説に対する批判

これに対し，上記間接事実の立場からは，評価障害事実に相当する事実を間接反証に類する事実であるとする見解（間接反証類推説）が有力である(注23)。

ここで間接反証について説明すると，間接反証とは，主要事実について立証責任を負う当事者が間接事実をもって証明した場合に，相手方がこの間接事実とは別個の，しかも両立し得る間接事実を証明することにより主要事実の証明を妨げる立証である。

直接反証は，一応証明された間接事実に反する証拠を提出することにより，この間接事実の存否を不明ならしめるだけで足りるが，間接反証は，一応証明された間接事実を別個の間接事実の存在をもって主要事実の存否を不明ならしめようとするものであるから，間接反証事実については完全な証明に成功して初めて反証としての目的を達することになる。すなわち，間接反証であれば，間接反証事実について立証責任を負うことになるが，主張責任はない点で主要事実とは異なる。

このような間接反証は，事実上の推定を導き出すところの経験則を想定し，その適用を排除すべき例外的事情，いわゆる特段の事情なるものを探し出し，これを証明することと言い換えることもできる。

上記間接反証類推説は，評価障害事実を間接反証に類するとして，これらの事実の立証責任を転換するものではあるが，当事者が主張責任を負わない点で評価障害事実とは異なっており，弁論主義の観点から問題があり相当ではないと考える。

(3)　判例による採用

このような主要事実説に基づく規範的要件事実論は，最高裁平成30年6月1日判決（民集72巻2号88頁）が，有期契約労働者と無期契約労働者との労働条件の相違について，旧労働契約法20条(注24)の「不合理と認められるもの」であってはならいと規定していたところ，「…両者の労働条件の相違が不合理であるか否かの判断は規範的評価を伴うものであるから，当該相違が不合理であるとの評価を基礎付ける事実については当該相違が同条に違反することを主張する者が，当該相違が不合理であるとの評価を妨げる事実については当該相違が同条に違反することを争う者が，それぞれ主張立証責任を負うものと解される。」と判示し，主要事実説を是認した。

このように主要事実説に基づく規範的要件事実論は，現在では最高裁判例でも採用されている考え方である。

注22　司法研修所・要件事実第1巻増補版34ないし36頁

注23　司法研修所・要件事実第1巻増補版35頁

注24　本文掲記の判例で問題となった旧労働契約法20条は，令和2年の同法の改正で，「短期労働者及び有期雇用労働者の雇用管理の改善等に関する法律」（パート有限法）8条ないし10条でより詳細に規定されたことから現在は削除されている。

2　規範的要件の判断の特質

規範的要件は，要件事実としては，評価根拠事実と評価障害事実に分かれるが，法律要件としては不可分であり，全体的な規範的評価が不可欠であることから，他の要件事実とは異なる扱いを受ける。

第１に，要件事実は，本来は，法律効果が同じ範囲内で必要最小限の事実のみを考慮すべきであるが，評価根拠事実と評価障害事実については，裁判所による総合的評価の対象となる事実であるから，必要最小限度の事実に限定する必要はなく，過剰主張も許される[注25]。第２に，規範的要件は，評価根拠事実と評価障害事実の総合判断によってその評価の成否が決まるのである。

言い換えると，規範的要件は，単なる不確定概念や価値的評価を要する要件と異なり，評価根拠事実のほかに評価障害事実を観念することができ，評価根拠事実と評価障害事実の総合判断によってその評価の成否が決まる要件ということもできる[注26]。

なお，規範的要件が総合判断といっても，評価根拠事実と評価障害事実とでは，前者が論理的に先行する関係にあり，評価根拠事実に基づけば当該規範的評価が成立するとの判断が先行しなければならず，この評価の成立を前提として，評価障害事実が問題となるのである[注27]。

第３　規範的要件の具体例

具体例として，賃貸人Ｘが賃借人Ｙに対し，期間満了による更新を拒絶して建物の明渡しを請求している次の事例で考えてみることとする[注28]。

（事例３）

Ｘは，下図のとおり，Ｙに対して，平成12年12月25日，期間同日から５年間，賃料月額10万円との約束で，Ｘ所有の甲建物を賃貸した。

ところが，その後，Ｘは，Ｘの娘から孫の面倒をみて欲しいと頼まれたところ，甲建物が娘の住んでいるマンションに近いので，Ｘ夫婦で甲建物に移り住んで，孫の面倒をみる必要があり，平成17年５月１日，更新を拒絶する旨の通知をした。

これに対し，Ｙは，難病の妻をかかえていて，近くに専門の病院があるので，甲建物から引っ越すわけにはいかないとして，立ち退きを拒否した。

この場合，ＸとＹは何を主張・立証すべきか。

建物明渡請求
Ｘ ──────→ Ｙ
賃貸借契約

この場合，訴訟物は，賃貸借契約終了に基づく目的物返還請求権としての建物明渡請求権であり，請求原因事実は，①賃貸借契約を締結したこと，②建物を引き渡したこと，③賃貸借契約が期間満了で終了したこと，④期間満了の１年前から６か月までの間に，賃貸人が賃借人に更新拒絶の意思表示をしたこと（借地借家法26条１項），⑤更新拒絶に「正当の事由」があること（同法28条）となる。⑤の「正当の事由」が，規範的要件である。

注25　吉川・前掲司法研修所論集110号167頁
注26　吉川・前掲司法研修所論集110号167頁注（33）
注27　司法研修所・要件事実第１巻増補版36頁
注28　村田・30講第４版249頁の第16講事例を参考にした。

上記事例のブロック・ダイアグラムを書くと，下図のとおりとなる。すなわち，「正当の事由」は，評価であり，これそのものが要件事実となるのではなく，その評価を成り立たしめる事実（評価根拠事実）やこれを否定する事実（評価障害事実）が要件事実となるのである。本件でいうと，Xが自己使用を必要とする事情が評価根拠事実となり，Yが使用を必要とする事情が評価障害事実となるのである。

上記「正当の事由」の判断は，まず，請求原因の⑤の事実と，抗弁事実が認められるかを判断し，両事実ともに認められる場合には，両事実を総合的に考慮して，どちらの必要性が高いかの比較衡量により，最終的に決せられるのである。

Kg

①Xは，Yとの間で，H12.12.25，甲建物を，賃貸借期間同日から5年間月額10万円との約束で賃貸するとの合意をした。（賃貸借契約）	○
②Xは，Yに対し，同日，上記賃貸借契づき，甲建物を引き渡した。（引渡し）	○
③H17.12.25は経過した。（期間満了）	○
④Xは，Yに対し，H17.5.1，賃貸借契約を更新しないとの通知をした。（更新拒絶の通知）	○
⑤Xは，娘から孫の面倒をみてくれと頼まれているが，甲建物が娘のマンションの近くにある。（「正当の事由」の評価根拠事実）	△

↑

E（「正当の事由」の評価障害事実）

Yの妻が難病で，甲建物の近くの専門の病院で診てもらっている。	△

このような規範的要件は，課税訴訟においても決して無縁なことではなく，例えば，第2編・第1章・第9節の同族会社行為計算否認規定についての東京地裁平成9年4月25日判決（事例24，95頁）や第2編・第2章。第9節の組織再編税制における最高裁平成28年2月29日判決（事例36，149頁）でも，所得税法157条1項の「不当」や法人税法132条の2第1項の「不当」について規範的要件と考えられているのである。

第2章　課税訴訟における要件事実論の基礎

第1節　課税訴訟の基本構造

第1　課税訴訟の意義

課税訴訟とは，租税訴訟のうちの更正処分等の賦課処分の取消訴訟等の行政訴訟をいう。租税訴訟は，このほかに徴収訴訟がある。

課税訴訟は，具体的には，下記の訴訟類型のものがある。抗告訴訟とは，「行政庁の公権力の行使に関する不服の訴訟」（行訴法3条1項）であり，すなわち，行政事件訴訟法が，行政庁による公権力の行使自体を争うことを認めた特別な訴訟類型である。一方，当事者訴訟というのは，「公法上の法律関係に関する確認の訴えその他の公法上の法律関係に関する訴訟」（行訴法4条後段）であり，一般の民事訴訟と同じ，給付訴訟や確認訴訟といった訴訟類型である。

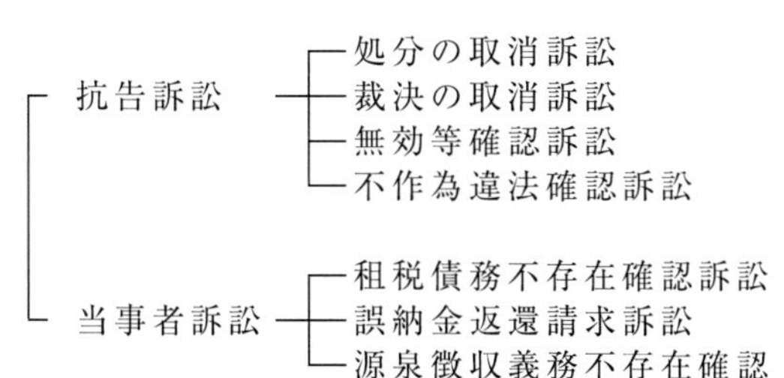

上記の課税訴訟の中で最も代表的なものは，更正処分の取消訴訟であり，本稿においても，この取消訴訟を中心に論じることとする。

第2　課税訴訟における訴えの利益

課税処分等取消訴訟における広義の訴えの利益の問題は，①訴えの対象が判決で取り消すに適するものであるか（訴えの対象），②原告適格，③狭義の訴えの利益（訴えを提起ないし維持する必要性）の三つの問題に分けられる。

ここで問題とするのは，①の訴えの対象の適格性であり，具体的には，課税関係においては，税額を確定するための行為として，申告行為を初めとして，賦課決定，増額更正，減額更正，修正申告，更正の請求等が重複して行われる場合が多く，その場合，何を対象として不服申立てあるいは訴訟提起をすればよいかが問題となる。

また，所得税や法人税の更正処分の取消訴訟が裁判で争われている段階で，税務署長がその争われている年度について増額再更正処分をした場合，当初の更正処分が訴えの対象としての適格性があるのかも問題となる。なぜなら，仮に当初の更正処分が取り消されても，増額再更正処分がなされているのであれば，納税者は，結局，その再更正処分により納税しなければならないこととなり，そうすると，当初の更正処分が訴訟の対象の適格性を失っているのではないかが問題となるからである。

1　更正と増額再更正との関係

更正処分がされた後に更にこれを増額する再更正処分がされた場合における当初の更正処分の取消しを求める訴えの利益については，(A)消滅説（当初の更正処分は，増額更正処分により取り消されて消滅するとして訴えの利益はないとする見解），(B)吸収説（当初の更正処分は，増額更正処分によりその外形は消滅するがその効果は増額更正処分により吸収されて存続するとして訴えの利益はないとする見解）（注29），(C)併存説（当初の更正処分と増額更正処分は，併存し両者で一個の納税義務を確定するとして訴えの利益があるとする見解）（注30）が対立している。

具体的には，次のような事例で問題となる。

（事例４）

Ｘは，平成20年分の所得税につき，納付税額100万円として申告したが，これに対し，Ｙ税務署長は，納付税額160万円の更正処分をしたので，Ｘはこの更正処分の取消訴訟を提起した。その訴訟係属中に，Ｙ税務署長が，納付税額200万とする再更正処分をした。

この場合，Ｘは，当初の更正処分の取消訴訟を維持する訴えの利益があるか。

(1)　消滅説の問題点

Ａの消滅説に立つと，再更正処分は，当初の160万円の更正処分を全額撤回して，０円からやり直した処分であると考えるものであり，行政処分の他の処分と比較しても素直な見方であり，最も論理的な見解である。しかしながらこの消滅説には，税の執行上致命的な欠点がある。なぜなら，消滅説に立つと，当初の160万円の更正処分に基づき滞納処分を行っていた場合，再更正処分により，当初の更正処分が全額撤回されたとすると，この滞納処分が効力を失うこととなり，200万円の再更正処分に基づき滞納処分をやり直さなければならないこととなる。そうなると，煩雑というだけでなく，滞納処分のやり直しを有効に行うことができないこととなるおそれもある。

それでは税の執行上問題が生じることから，昭和37年の国税通則法制定の際に，29条１項で，「第24条（更正）又は第26条（再更正）の規定による更正（…）で既に確定した納付すべき税額を増加させるものは，既に確定した納付すべき税額に係る部分の国税についての納税義務に影響を及ぼさない。」（下線筆者）と規定し，立法的な解決を図ったのである。すなわち，上記の事例の場合，再更正処分は，当初の160万円の更正処分で確定した部分の国税すなわち160万円には影響を及ぼさず，160万円の更正処分を前提として，その上に40万円を加えて，200万円とする処分であるとしたのである。比喩的にいうと，再更正処分は，当初の更正処分で確定された160万円の処分に積み木のように上乗せする処分ということになる。これがＢの併存説の考え方であり，税の執行上の問題点は解決されたのである。

(2)　併存説の問題点

しかし，このような併存説に立つと訴訟上の問題が生じることとなる。というのは，併存説に立つと，当初の160万円の税額を確定する更正処分とこれに40万円を上乗せした増額再更正処分は，２個の別個の処分であると考えることから，それぞれの取消訴訟を別の裁判所で審理できることとなる。そうすると，例えば，当初の160万円の更正処分の取消訴訟が甲裁判所に係属し，40万円を上乗せする再更正処分が乙裁判所に係属したとすると，甲裁判所が，原告勝訴判決を出すと，当初の160万円の更正処分が取り消され，税額は申告額の100万円ということになるが，乙裁判所が，Ｙ税務署長勝訴としたとすると，160万円の上乗せ部分の40万円の税額が確定されることなり，「中抜き」の状態となってしまう。

このような「中抜き」の場合，単純に100万円＋40万円＝140万円となるとは限らず，Ｙ税務署長が最終的に課税する税額を確定すること

注29　泉・審理第３版47頁
注30　金子・租税法第24版982頁

ができずに執行不能の判決ということになってしまうおそれがある。併存説に立つと，このような中抜き判決の出現を阻止することができず(注31)，Ｙ税務署長が執行不能となってしまうとの致命的な欠点がある。

(3)　吸収説の意義

そこで，消滅説と併存説のそれぞれの欠点を解消する考え方として提唱されたのが吸収説である。すなわち，まず，消滅説の欠点は，上記のとおり，当初の更正処分が再更正処分により消滅し，これに基づく滞納処分が効力を失うことにあるのであるから，当初の更正処分は消滅しないと考える。次に，併存説の欠点は，当初の更正処分と再更正処分を２個の処分と考えることにあったのであるから，両処分を１個と考えるとする。そうすると両方の欠点を解消する論理として，当初の更正処分は，再更正処分に吸収され，再更正処分の中で生きていると考えることとなる。

このように考えると，当初の更正処分は，再更正処分に吸収され一体となっているのであるから１個の処分ということになり，当初の更正処分は，外形だけしか残存していないこととなるので，訴えの利益はなくなるが，別訴を起こす必要はなく，再更正処分に吸収されて１個となるのであるから，当初の更正処分の取消訴訟の中で訴訟物を再更正処分に訴えの変更（民訴法143条１項）をすることができることなり，不都合は生じないこととなる。逆に別訴は許されないこととなり，中抜き判決も生じないこととなる。これが吸収説の考え方である。吸収説は，技巧的な考え方であるが，消滅説や併存説の欠点を解消する見事な論理であり，この見解によるべきと考える。判例も吸収説に立っていると考えられる(注32)。

具体的にいうと，吸収説に立つと，上記事例４の場合，下図のとおり，増額再更正における斜線部分が訴えの対象となる。

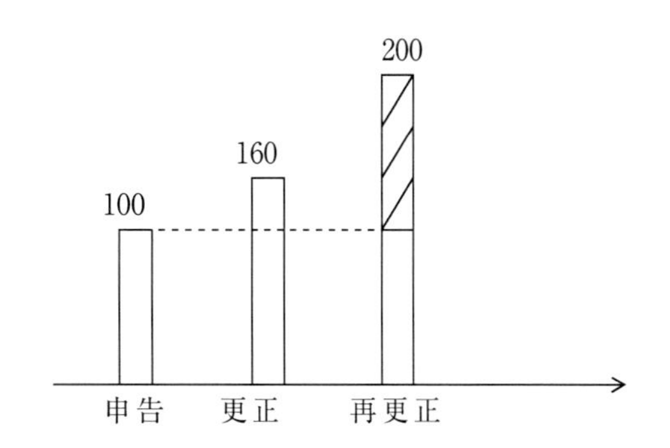

なお，吸収説に立った場合，上記国税通則法29条１項との関係をどう考えるかが問題となる。「吸収」といっても，国税通則法29条１項が当初の更正処分と再更正処分との関係を上乗せの別個の処分とするとの考え方を前提にしていることを無視できず，また，国税の徴収権の時効中断や停止の範囲も国税通則法29条１項を受けて再更正処分の増差税額部分だけとされている（同法73条１項１号）ことなどからみても，あくまでも訴訟上の場面において，「吸収」されると考えるべきである（訴訟上吸収説）(注33)。言い換えると，「吸収」というのは，あくまでも訴訟上の場面での話しであり，実体法上は，国税通則法29条１項の趣旨を尊重して，併存説で考えざるを得ない。このように「吸収」の意味を問題とするのは，更正処分後に修正申告をした場合に，延滞税の関係で更正処分の取消訴訟を提起する訴えの利益があるかなどの関係で議論する実益がある(注34)。

注31　堺澤良『課税・救済手続法精説』（財経詳報社，平成11年）140頁
注32　最判昭32・９・19（民集11巻９号1608頁），最判昭55・11・20（判時1001号31頁）
注33　大野重國ほか『租税争訟実務講座改訂版』（ぎょうせい，平成17年）178頁
注34　東京高判平11・８・30（訟月47巻６号1616頁）参照，大野・前掲実務講座改訂版182頁以下

2　更正と減額再更正との関係

当初の更正処分がなされた後これを減額する再更正処分がされた場合において，減額再更正処分の取消しを求める訴えについては，更正と増額再更正との関係と同様と考えるか否かが問題となる。

（事例5）

Xは，平成20年分の所得税につき，納付税額100万円として申告したが，これに対し，Y税務署長は，納付税額200万円の更正処分をし，後に納付税額160万円と40万円減額する再更正処分をした。

Xは，当初の更正処分や再更正処分を争う訴えの利益があるか。

前記1の吸収説に立つと，当初の更正処分は，再更正処分に吸収されるようにも思える。しかしながら，当初の更正処分が200万円であるのに対し，再更正処分が160万円と少ない金額であるので，吸収することができない。そうすると，このような減額再更正処分の場合には，吸収説は妥当せず，再更正処分を当初の更正処分の訂正処分と考えざるを得ない。最高裁昭和56年4月24日判決（民集35巻3号672頁）も，「申告にかかる税額につき更正処分がされたのち，いわゆる減額更正がされた場合，右再更正処分は，それにより減少した税額に係る部分についてのみ法的効果を及ぼすものであり（通則法29条2項），それ自体は，再更正処分の理由のいかんにかかわらず，当初の更正処分とは別個独立の課税処分ではなく，その実質は，当初の更正処分の変更であり，それによって，税額の一部取消しという納税者に有利な効果をもたらす処分と解するのを相当とする。そうすると，納税者は，右の再更正処分に対してその救済を求める訴えの利益はなく，専ら減額された当初の更正処分の取消しを訴求することをもって足りるというべきである。」（下線筆者）としている。

すなわち，下図のとおり，本件で訴訟の対象となるのは，増額更正処分が後の減額更正処分で訂正された後の斜線部分となる。

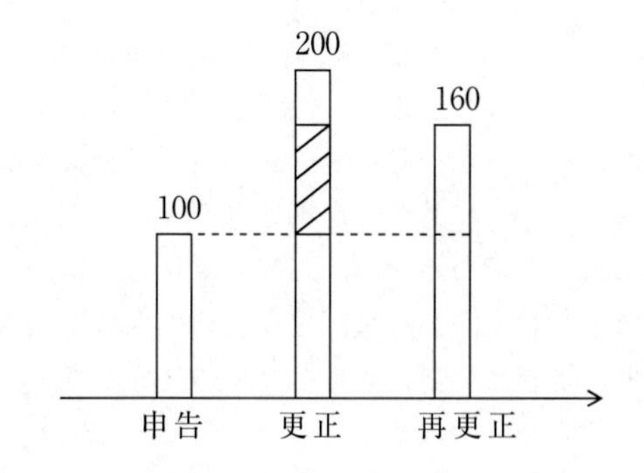

3　申告と増額更正との関係

次に，申告額を下回る税額の部分についてまで更正処分の取消しを求める訴えの利益があるかについて検討することとする。

納税者は，過大に申告した場合には，法定の期間内に更正請求をすることにより是正すべきであり（通則法23条），申告後に増額更正処分があったことを奇貨として，その取消しを求める訴訟において，申告額を下回る部分の取消しを求めることは，法の定める手続きを欠くのに，実質的には更正の請求手続きを採った場合と同様の効果を認めることになり不当である。したがって，訴えの利益はないと考える（注35）。

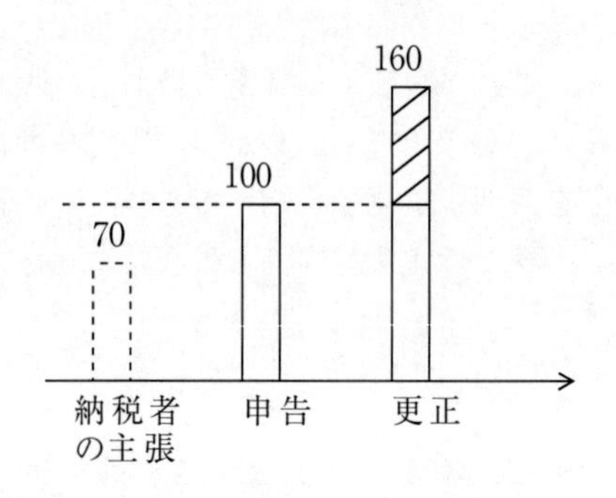

注35　神戸地判昭54・11・9判時963号28頁，泉・審理第3版51～52頁

例えば，100万円の申告に対し，160万円の増額更正をしたが，納税者が申告額を下回る70万円が正当な税額であると主張している場合を図示すると，前図のとおり，増額更正の斜線部分が訴えの対象となる。

第３　課税訴訟の訴訟物

１　訴訟物の意義

⑴　民事訴訟の訴訟物

訴訟物とは，審判の対象すなわち訴訟の対象であり，民事訴訟の場合には，第１章第１節の第１（３頁）で述べたとおり，原告が訴えの対象とした権利・義務のことである。具体的には，原告が裁判所に対し，どのような内容の判決を求めるかにより，給付訴訟，確認訴訟及び形成訴訟と分かれ，それぞれの訴訟物は下図のとおりとなる。

給付訴訟	→	請求権
確認訴訟	→	支配権又は法律関係
形成訴訟	→	形成権

ここで給付訴訟の対象となる権利は，物権や債権ではなく，請求権である。物権と債権との区別は，何人にも主張できるのが物権で，特定の相手方にしか主張できないのが債権であるが，民事訴訟は，原告が被告に対する判決を求めるものであり，物権の場合も被告に対する権利という形で問題となることから，物権の典型の所有権も「所有権に基づく引渡請求権」というように請求権としてとらえられるのである（注36）。

⑵　行政訴訟の訴訟物

一方，行政訴訟においては行政処分の取消訴訟が最も多く使われる訴訟類型であるが，この場合の訴訟物は「行政処分の違法性一般」となる。更正処分の取消訴訟は，このような行政処分の取消訴訟の一つであり，更正処分取消訴訟の訴訟物は，他の行政処分のそれと同じく，更正処分の違法性一般（処分の主体，内容，手続，方式等すべての面における違法）である（注37）。

民事訴訟の場合には，上記のとおり，訴訟物は請求権等の権利である。これに対し，更正処分の取消訴訟の訴訟物は，「更正処分の違法性一般」となるのは，不思議な感じをもたれるかもしれない。というのは，課税訴訟においては，究極的には租税債権の存否が争いとなっているのであるから，租税債権が訴訟物と考えてもよさそうにも思えるからである。しかし，ここが行訴法が，取消訴訟という特別な訴訟類型を認めたことにつながってくるのである。

租税債権の存否自体を訴訟物とするのは，納税者側から提起する租税債務不存在確認訴訟であり，実質的当事者訴訟（行訴法４条後段）である。民事訴訟における売買契約に基づく代金支払請求と対比すると，次図のとおり，租税債務不存在確認訴訟は，被告側から提起した売買代金不存在確認訴訟と同じである。

代金支払請求
X ――――――→ Y
売買契約

租税債務不存在
X ――――――→ Y
（納税者）　更正処分　（税務署長）

実はこの租税債務不存在確認訴訟という訴訟類型が民事訴訟法の一般的な考え方に基づく訴訟物の構成であるが，行訴法が特に「処分の取

注36　請求権（Anspruch）というのは，元々ドイツのヴィントシャイトがローマ法のactioから考え出したものであり（奥田昌道『請求権概念の生成と展開』（創文社，昭和54年）207頁），物権や債権が実体法上の観点からの権利の区分であるのに対し，請求権というのは，訴訟法的な観点からの概念である。

注37　最判昭62・５・28訟月34巻１号156頁

消訴訟」という訴訟類型を認めたのは，公法上の債権や公法上の法律関係の原因となる行政処分自体の取消しを認めることにより，紛争の直接的かつ抜本的な解決を図ろうとした趣旨であり，課税訴訟の場合でいうと，租税債権を具体的に確定するのが更正処分であるので，租税債権の原因となる更正処分の取消しを求めるべきであり，また，それで足りるということになるのである。そうすると，取消訴訟の訴訟物は，租税債権の発生原因である「更正処分」ということになり，更正処分が違法であれば，租税債権が発生しないのであるから，取消訴訟の訴訟物は，更正処分を違法ならしめるすべての事由すなわち更正処分の違法一般ということになるのである。

なお，更正処分の取消訴訟を租税債務不存在確認訴訟と比較した場合，当該更正処分が当該租税債権の原因となっていることで類似しているが，租税債務不存在確認訴訟と更正分の取消訴訟は，厳密にいうと，訴訟物が異なり既判力の対象も異なっている。租税債務不存在確認訴訟は，訴訟物は，原告の主張している税額以上の租税債務が存在しないことであり，勝訴判決の場合，原告の主張した税額以上の租税債務がないことが確定され，税額についても既判力が生じる。

これに対し，更正処分の取消訴訟は，当該更正処分の違法事由の有無が訴訟物であり，税額自体は，訴訟物にはなっていない。税額で特定される当該更正処分の違法性の有無が訴訟物である。したがって，更正処分の取消訴訟は，原告が勝訴した場合にも，当該更正処分が違法であることについて既判力が生じるだけであって，当該更正処分に基づく税額以上の租税債務がないことまで，既判力は生じないこととなる。

2　総額主義と争点主義

更正処分の訴訟物について，このような考え方に立っても，なお更正処分の同一性をどうとらえるかによって課税処分の訴訟物が異なってくる。そもそも租税債務を確定するには，処分理由が存しなければならないが，この処分理由について，処分時に客観的に存在した理由というとらえ方と税務署長が現実に認定した理由というとらえ方の二つがあり得る。

総額主義は，前者の考え方に立ち，課税処分の同一性を客観的処分理由により確定される税額の適否であるとするのに対し，争点主義は，後者の考え方に立ち，課税処分の同一性を税務署長が現実に認定した処分理由との関係における税額の適否であるとする(注38)。

総額主義に立つと，訴訟の段階で，行政庁が処分の理由を差し替えることができる代わりに，課税処分取消訴訟が確定すれば，訴訟で主張しなかった新たな処分理由をもってしても，課税処分取消訴訟で確定した税額を超える課税処分を行なうことが既判力により遮断されることになる。

一方，争点主義に立つと，訴訟の段階で行政庁が処分の理由を差し替えることが許されなくなる代わりに，課税処分取消訴訟が確定しても，訴訟で主張しなかった新たな理由により税務署長が再更正処分をすることができることになる。判例は，一貫して総額主義の立場を採ってきている(注39)のに対し，通説は，争点主義の立場を採っている(注40)。

注38　泉・審理第3版98～100頁

注39　最判平4・2・18（民集46巻2号77頁）は，「課税処分の取消訴訟における実体法上の審判の対象は，当該課税処分によって確定された税額の適否であり，課税処分における税務署長の所得の源泉の認定等に誤りがあっても，これにより確定された税額が総額において租税法規によって客観的に定まっている税額を上回らなければ，当該課税処分は適法というべきである。」とし，総額主義の立場を採ることを明らかにしている。

注40　金子・租税法第24版1100頁

3　具体例

総額主義と争点主義について，下記（事例6）で検討することとしよう。

争点主義に立つと，処分の同一性は，処分理由により画されることとなるから，200万円の更正処分は，丙が認められないということを処分理由とするものと，同じ税額であっても，Eが認められるとする処分理由とでは，別個の処分であると考えることとなる。一方，総額主義に立つと，処分の同一性は，税額で画されることとなるから，この事例の場合，処分理由は異なるが，税額は同一であるので，同じ処分ということになる。総額主義に立つと，処分が異なるのは，税額が異なる場合ということになるので，200万円の更正処分は，１円でも税額が異なり，例えば，200万１円の更正処分であれば，別個の処分ということになる。

そうすると，争点主義に立つと，この更正処分の取消訴訟の訴訟物は，丙が認められないとした200万円の更正処分における税額適否であり，たとえ，別にEという益金の発生事由が認められたとしても，それは処分としては，別個であるので，訴訟物となっておらず，更正処分を取り消すべきということになる。これに対し，総額主義に立つと，この更正処分の取消訴訟の訴訟物は，200万円の更正処分における税額の適否であり，Eという益金の発生事由であっても，税額に変動がない限り，同一の処分であり，訴訟物となっているとみることができ，更正処分が確定した200万円の税額が認められるのであるから，更正処分は適法であり，原告の請求を棄却すべきこととなる。

（事例6）

X社は，下図のとおり，益金の発生事由がＡないしＤの４つあり，損金の発生事由が甲ないし丙の３つあるとして，所得がアであるとして，法人税額を100万円と申告した。これに対し，Y税務署長は，X社の申告のうち，損金の発生事由の丙が認められないとして，所得がイとなり，法人税額が200万円であるとして，更正処分をした。X社は，これを不服として，更正処分の取消訴訟を起こしたが，裁判所は，丙が認められないとの税務署長の処分理由は認められないと判断したものの，他方で，益金として，Eという発生事由が認められ，結局，所得としては，ウが認められ，法人税額は，200万円になると判断した。

この場合，裁判所は，丙が認められないとした税務署長の判断が誤りであるとして，更正処分を取り消すべきか，それとも，更正処分を適法とすべきか。

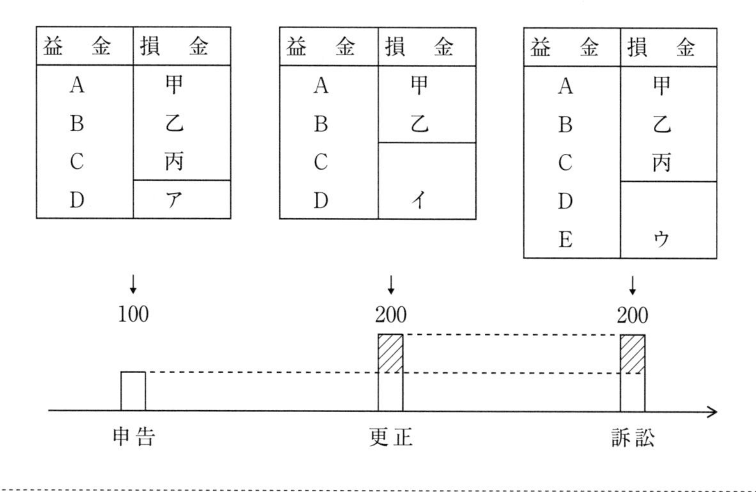

総額主義は，客観的に存在する処分理由により確定された税額が訴訟物とするのであるが，これは，言い換えると，訴訟物は，本来成立している抽象的租税債権であるとするのに対し，争点主義は，当該更正処分により確定された具体的租税債権であるということもできよう。

実定法の解釈としては，明文規定がないことから，まずは国税通則法がどのような立場を採っているかが問題となる。国税通則法24条ないし29条等の規定からすれば，更正処分等の課税処分は当該年分または年度分の課税標準等または税額等を数額的に確定する処分であり，それが数額的に過少又は過大である場合にのみ行なうものであって，数額算定の根拠事実が異なる場合に行なうものではないと考えられる。そうすると，具体的処分理由によって処分の同一性が異なるという争点主義の立場とは相容れないこととなる。

他方，所得税法や法人税法で，青色申告の場合には，更正処分をするときには理由付記をすることを要するとされており（所得税法155条2項，法人税法130条2項），その他の更正処分についても異議申立棄却決定に理由付記が要求されている（通則法84条4項）。

このように更正処分に税務署長の処分理由の付記を要求している趣旨を重視すると，実定法の解釈として，争点主義も採れなくはない。このように争点主義は，理由付記の趣旨を重視して，訴訟における理由の差替えを認めない立場である。確かに，手続の適正は，重要な問題であるが，理由の差替えを認めるか否かは，別途考えるべき問題であり，既判力の範囲を確定する訴訟物を考えるときは，判決による終局的解決を図れるか否かを考えるべきであり，そうすると，紛争の一回的解決を目指す総額主義の立場が相当と考える。

第2節　課税訴訟における立証責任

第1　課税訴訟における立証責任の分配の基本的な考え方

1　問題の所在

納税者は，更正処分の取消訴訟を提起した場合，①当該更正処分存在，②当該更正処分が違法であることを争うとの主張で足りる（注41）。当該更正処分の適法性は，税務署長が立証責任を負うこととなる。これは，下図で説明すると，次のとおりとなる。

租税債務不存在
X ――――――――――→ Y
（納税者）　更正処分　（税務署長）

第1節の第3の1(2)（21頁）で更正処分の取消訴訟の訴訟物について検討したとおり，更正処分の取消訴訟の訴訟物は，当該更正処分の違法一般であり，厳密にいうと第1節の第3の1で述べたとおり既判力の対象等の違いはあるが，上図のとおり，租税債務の原因である更正処分の取消しを求めるものであり，租税債務不存在確認訴訟と類似している。そのように考えると，買主が売主に対して提起した売買代金債務不存在確認訴訟と比較すると，債権の発生原因は，原告が買主にはなっているものの，債権の発生原因については，どちらが原告となるかには左右されず，権利の発生要件であり，売主に有利な法的効果を生しめる要件であるので，被告である売主に立証責任があるのである。

これと比較すると，更正処分の取消訴訟は，原告が債務者である納税者になっているものの，債権の発生原因である更正処分の適法性は，租税債権の発生要件であり，Y税務署長に有利

注41　厳密にいうと，具体的事実があるとの陳述ではないので「主張」ではなく，民法177条の対抗要件の立証責任などの際にいわれている「権利抗弁」と同じ性質のものである。原告の方で，当該行政処分の違法性を争うとの陳述をしないと，被告の抗弁が出てきようがないので，請求原因で，原告がこのような陳述をする必要があるのである。

な法的効果を生ぜしめる要件であるので，Y税務署長に立証責任があると説明することができる。これは，更正処分が租税債権の発生要件であることからの説明であり，法律要件分類説の考え方を前提にするものである。

これに対し，もう一つの説明がある。それは，法律による行政の原理からの説明である。すなわち，法律による行政の原理に基づくと，国民の権利を制限し義務を課す場合には，法律の根拠が必要であるということになる（注42）。

更正処分は，国民に対し，一方的に納税義務を課すものであり，法律による行政の原理の対象となるが，法律の根拠がなければ，国民に一方的に納税義務を課すことは許されないのであるから，そのような法律の根拠があることについて，Y税務署長に立証責任があるとする説明である。

2　見解の対立

課税訴訟は，行政訴訟の一つであるが，そもそも行政処分の取消訴訟一般の立証責任の分配の基準については，次のような見解があるとされている（注43）。

A説（法律要件分類説）

行政処分の権利発生事実は行政庁が立証責任を負い，権利障害及び消滅事実は，国民が立証責任を負うとする見解

B説（侵害処分・授益処分説）

基本的人権の尊重及び法治主義という憲法上の原則から，国民の権利を制限する侵害的行政処分は，被告行政庁が立証責任を負い，国民の側から権利の拡張を求める授益的行政処分は原告が立証責任を負うとする見解

C説（個別具体説）

適用すべき法規の立法趣旨，行政行為の特性，当事者間の公平，事案の性質，事物に関する立証の難易等によって具体的事案についていずれの当事者の不利益に判断するかを決定する，あるいは，公益と私益の調整を図り，正義と公平を実現しようとする行政法規及びこれが定める行政法関係の特殊性を考え，行政法規の具体的実現としての行政行為の特質にかんがみ，立証の難易を考え併せ，正義公平の要請に合するよう分配するとする見解

このように見解が分かれるのは，民事訴訟においては，根拠となる民法等の法規が裁判規範としての意味も有し，立証責任まで意識して要件が立法されていることを前提としているのに対し，行政法規は行政庁に対する行為規範を定めた規定が多く，裁判規範としての意味はもたされていないため，法律要件分類説がなじみにくいからである。そのため，行政処分の取消訴訟についてはB説の考え方を基本として，A説やC説の考え方も取り入れて，立証責任の分配を決定していくとの見解が有力である（注44）。

一方，課税訴訟においては，課税訴訟が租税債権の成立やその範囲を問題とするものであり，民事訴訟における債務不存在確認請求訴訟と類似した側面をもち，民事訴訟における立証責任分配の基準が比較的なじみやすい分野であるとして，裁判例では，必ずしもいずれの説によるものか明言しないものの，A説によるものが多いといわれている。そこで，課税訴訟においては，A説を基本として，B説やC説の考え方をも取り入れていくべきであるとする見解（注45）も提唱されているものの，他方で，課税

注42　法律による行政の原理が，国民の権利を制限し義務を課す場合にのみ問題となるとする伝統的な侵害留保説に基づく考え方である。これに対し，法律による行政の原理が妥当するのは，上記の場合に限られないとする見解もある（塩野宏『行政法Ⅰ第６版』（有斐閣，平成27年）86頁）。

注43　中込秀樹ほか『行政事件訴訟の一般的問題に関する実務的研究改訂版』（法曹会，平成12年）170ないし172頁

注44　中込・前掲実務的研究改訂版172頁

注45　加藤就一「立証責任⑴」『裁判実務大系20巻』（青林書院，昭和63年）53頁

訴訟においては，A説が一定限度の有用性をもつとしながらも，A説に対する上記批判や民事訴訟における法律要件分類説に対する近時の反省も考慮すると，同様にB説を基本とし，A説及びC説の方法論も取り入れて，立証責任の分配を決定していくべきであるとする見解も有力である（注46）。

前記1の例でいうと，更正処分が租税債権の発生要件であることからの説明が，A説に対応し，法律による行政の原理からの説明がB説に対応する。

3　私　見

このようにA説とB説とのいずれを基本とするかについて争いがあるが，前記2のうちB説を基本とするとの前者の見解は，課税処分取消訴訟においては，A説を基本とするとの後者の見解と実際上の結論にはほとんど差をもたらさないとも考えられる。しかしながら，そもそも租税法規は，一般の行政法規とは異なり，単純な権力関係ではなく，国民の側からみると国民の義務としての面もあり（注47），権力関係を前提にした古典的な「法律による行政の原理」だけで考えるべきではない。

課税訴訟において，法律要件分類説を重視するか否かは，抽象的な議論をしても結論の出ない問題であり，具体的には，租税法規が租税債権の発生要件や消滅要件など法律要件分類説になじむような形で課税要件を規定しているか否かの問題であり，租税法規を個々の規定を検証していくほかない。

このような観点で考えると，一般的にいうと，一般の行政法規において法律要件分類説がなじみにくいのは，一般の行政法規は，行政庁が権限を行使できるか否かの処分要件を規定しているところ，「白地要件規定」といって墓地法の経営許可（同法10条）のように，処分要件が規定されていないものもあり，このような場合には，許可をするか否かが行政庁の裁量に委ねられているのであり，それぞれの法律の目的から抽象的な要件を読み取らざるを得ず，そのほかにも不確定概念を多く用いているばかりか，要件裁量や効果裁量もある。このようなことから一般の行政法規には，法律要件分類説がなじみにくく，B説が有力であるとされているのである。しかしながら，租税法規は，租税法律主義の要請が強く働き，不確定概念が少なく，裁量はほとんどないばかりか，租税法規は，単に処分をするか否かの権限行使・不行使の規定ではなく，租税債権の発生・消滅要件の規定であり，少なくとも要件についてはすべて記述し，完備していることから法律要件分類説になじむ前提がある。

さらに，後に第2編・第4章・第1節の第2の消費税のところで検討する東京地裁平成11年3月30日判決（事例42，181頁）は，後に詳述するとおり，消費税法が立証責任を意識して課税要件を立法していることに気づかせてくれたものであり，課税訴訟における法律要件分類説の再生ともいうべき画期的な判決であり，この判決が示唆していることを考えると，租税法規は，法律要件分類説がなじむ分野と考えるべきである。

筆者も，従前は，B説の考え方を基本としてA説やC説の考え方を取り入れるとする見解に立っていたが，この東京地裁判決の示唆するところを考えると，租税法規には，立証責任を意識して立法されているとみれる規定が存在し（注48），課税訴訟においては，租税法規の課税要件の構造から立証責任の分配をすべきとする法律要件分類説がかなり妥当するのではないかと考えられる。したがって，筆者は，現在は，A説を基調とし，B説やC説の考え方をも取

注46　泉・審理第3版175頁
注47　金子・租税法第18版25頁
注48　所得税法施行令15条1項1号，措置法66条の4第7項等

り入れていくべきと考えている。

なお，金子教授も筆者とは別のアプローチではあるが，課税処分を行うには課税要件事実の認定が必要であるとし，原則として法律要件分類説に立ちつつ，課税要件事実に関する証拠との距離を考慮に入れて，この原則には利益状況に応じて修正を加える必要があるとする（注49）。金子教授の見解は，A説を基本としつつ，C説の考え方を取り入れていくとの見解と思われるが，法律要件分類説を原則とする点では筆者の見解と同じである。

第２　課税要件の意義

本稿では，このように課税訴訟の立証責任の分配については法律要件分類説を原則とすべきとの考え方に基づき，今後，具体的場合を検討していくこととするが，ここで「課税要件」の意義について確認しておくこととする。

課税要件は，まず租税法律主義の対象となる要件は何かとの観点で問題となり，この意味での課税要件とは，納税義務の成立要件のことであり，①納税義務者，②課税物件，③課税物件の帰属，④課税標準，⑤税率の５つであるとされる（注50）。これを「広義の課税要件」という。

これに対し，課税訴訟における立証責任で問題としている「課税要件」は，上記のような広義の課税要件ではなく，更正処分を租税債権の発生原因と考えた場合，租税債権の発生・障害・消滅・阻止の各要件のことである（注51）。そうすると上記５つの要件のうちの⑤の税率は税額を計算する上での基準にすぎないことから，⑤の税率を除いた４つがこれに当たることとなる。これを「狭義の課税要件」ということとする。

本稿で問題とするのは，狭義の課税要件であり，法律要件分類説の考え方に基づくものである。

第３　実額課税

１　所得税，法人税の更正処分における要件事実

課税訴訟は，前記のとおり，行政訴訟の一つである。課税訴訟の典型である更正処分の取消訴訟の場合で，その要件事実を検討することとする。更正処分の取消訴訟は，行訴法３条２項の取消訴訟であるが，これは，行政処分である更正処分を遡及的になかったとの法律関係の形成を求める訴訟であり，形成訴訟である。

取消訴訟の訴訟物は，更正処分の違法性一般であり，原告である納税者の請求原因は，①更正処分が存在すること，②それが違法であることである。

これに対し，被告である国は，抗弁として，更正処分が適法であるとの具体的事実を主張・立証することが必要となる。所得税の更正処分取消訴訟の場合を例にとると，更正処分が税額で画されることから，訴訟物は，税額で画された当該更正処分の違法性一般ということになるが，税額は，課税総所得金額に税率を乗じた金額で計算され（所得税法21条１項４号），課税総所得金額は，総収入から必要経費を控除して総所得金額を算出した上，所得控除をするなどして算出される（同項２，３号）こととなっていることから，更正処分の取消訴訟において，主要事実を上記計算過程のどの段階でとらえるのかが問題となる。これについては，以下の３つの見解がある。

A説（所得説）

所得税法22条１項の課税標準の規定等を根拠として，「総所得金額又は課税所得金額」を主要事実とする見解

B説（収入・経費説）

注49　金子・租税法第24版1136頁

注50　金子・租税法第24版156頁

注51　阻止の要件としては，相互協議の申立てをした場合の納税猶予（租税特別措置法66条４の２）等がある。

各種の所得金額は，収入金額から必要経費を控除して算定されるものであることを理由に，「各種の所得の収入金額と必要経費の額」を主要事実とする見解

Ｃ説（具体的事実説）

課税標準たる所得金額は，計算の結果算定される抽象的なもので具体的事実ではなく，所得金額の算定に必要な所得発生原因事実を主要事実とする見解

上記のように見解の対立があるが，そもそも主要事実は直接証拠により証明し得る「事実」をいい，「所得金額」，「収入金額」・「経費額」というのは計算上算出される金額であって，直接証拠による証明ができる具体的な事実ではない。Ａ説やＢ説は実額課税と推計課税とで主要事実を統一的にとらえようとする発想で提唱された考え方であり，その意味で評価に値する。しかし，少なくとも，「所得金額」は，事実そのものではなく，計算上算定される抽象的なものであるので，実額課税においては，所得の発生原因に該当する具体的事実を主要事実と考えるべきであり，Ｃ説が相当と考える。そのような理由から，課税訴訟の実務においても，現在では，Ｃ説の考え方で主張・立証が行われている（注52，注53）。

２　具 体 例

課税訴訟おいては，納税者である原告は，行政訴訟として，税務署長のした更正処分の取消しの裁判を求めていることから（行訴法３条２項），当該更正処分が違法であるか否かが訴訟物である。そうすると，所得税や法人税の更正処分の場合，必ずしも１個の取引の存否が問題となるのではなく，税務署長が複数個の取引を是認したり否認したりして処分をする場合もあり，このような是否認の根拠となった個々の取引を発生又は消滅させる要件に直接該当する具体的事実が更正処分の要件事実ということになる。以下，具体例で検討することとする。

（事例７）

Ｘ社は，下図のとおり，法人税において，所得金額ア（Ａ＋Ｂ＋Ｃ＋Ｄ－甲－乙－丙）であるとして，100万円の申告をしたのに対し，Ｙ税務署長において，新たにＥという益金を認めるとともに，丙という損金が交際費に当たるということで否認し税額で200万円とする更正処分をした。

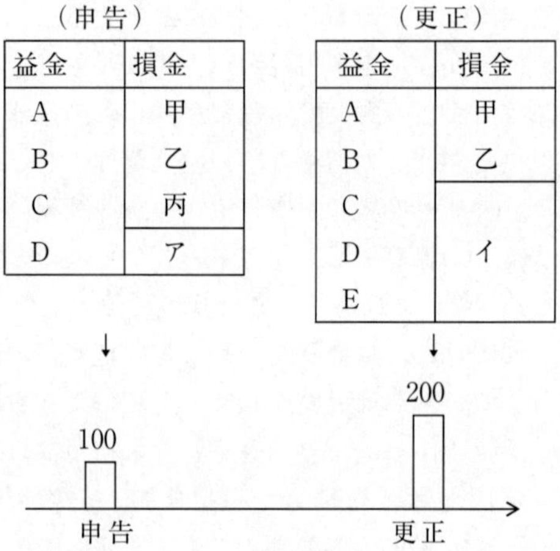

（申告）

益金	損金
Ａ	甲
Ｂ	乙
Ｃ	丙
Ｄ	ア

（更正）

益金	損金
Ａ	甲
Ｂ	乙
Ｃ	
Ｄ	イ
Ｅ	

↓ 100　申告

↓ 200　更正

この場合，ＸとＹは何を主張・立証すべきか。

注52　拙稿・前掲（注1）税大ジャーナル４号７頁

注53　課税訴訟における主要事実について，実額課税において個別取引事実を主要事実としつつ，例えば，福利厚生費であるといった法的判断を含んだ個別取引事実を主要事実とすべきとする見解（岡村忠生「税務訴訟における主張と立証」（芝池義一ほか編）『租税行政と権利保護』（ミネルヴァ書房，平成７年）301頁）もある。注目すべき見解ではあるが，主要事実や要件事実においては，可能な限り事実と評価を峻別すべきであり，法的判断・評価については主要事実に含まれないと考えるべきであろう。

上記の事例の場合，Ｅという益金を発生せしめる要件に直接該当する具体的事実と，丙という支出が交際費の要件に直接該当する具体的事実がそれぞれ抗弁となる。

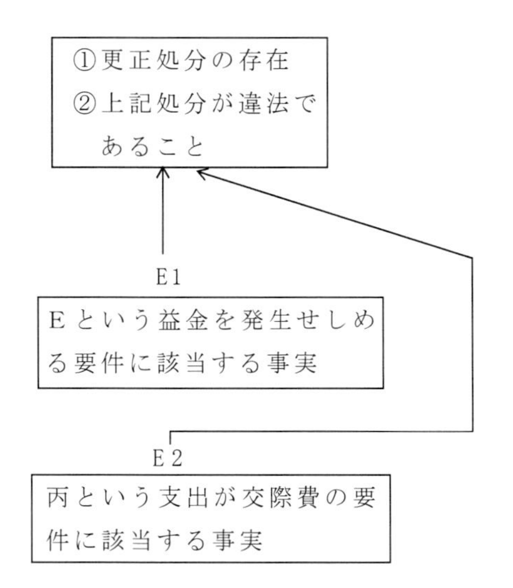

これは，所得税や法人税の更正処分の要件事実は，個々の取引の要件に該当する具体的事実であるとする見解（具体的事実説）に基づくものである。

ここでＥという益金以外のＡ，Ｂ，ＣやＤ，さらに，丙という損金以外の甲や乙について，Ｘ社の方から訴訟段階で争い得るかが問題となる。Ｘ社が，これらを争うことにより，申告税額を下回る税額を主張するとすると，前記第１節の第２の３（20頁）で述べた訴えの利益が問題となり，Ｘ社が申告税額を下回る主張をするのは，更正の請求を経ていない限り訴えの利益はない。しかしながら，Ｙ税務署長がＥという益金を主張し，丙の損金算入を否認するのに対し，これに対抗して，Ａ，Ｂ，ＣやＤ及び甲や乙について争うこともできる。なぜならば，これらも更正処分における取引を構成しているのであり，更正処分を適法ならしめる事実であり，更正処分の取消訴訟の訴訟物となっているからである。

これに対し，Ｘ社が，訴訟段階でＡ，Ｂ，ＣやＤ及び甲や乙について争わなかった場合，それにもかかわらずＹ税務署長は，これらについて主張・立証しなければならないかが問題となる。これらも更正処分の適法性を基礎づける事実であり，理論的には，Ｙ税務署長に主張・立証責任がある。しかし，実務上は，Ｘ社が争わないのであれば，Ｘ社の訴訟追行態度に着目し，弁論の全趣旨（民訴法247条）により，Ａ，Ｂ，ＣやＤ及び甲や乙については認められると認定しており，ここまでの主張・立証をＹ税務署長に負わせているわけではない（注54）。

３　所得の減算項目の要件事実

⑴　所得の減算項目の立証責任

所得税や法人税の更正処分の取消訴訟の場合，原告である納税者は，訴訟物である更正処分の違法性の有無については，理論的には，当該更正処分を特定した上で，抽象的に「違法である」との主張をすれば足り，具体的な違法事由を主張する必要はない。当該更正処分の違法性の有無については，課税庁の方で，抗弁として，当該更正処分が適法であるとの具体的事実を主張する必要があり，また，課税庁がその立証責任を負っている。所得の発生原因事実は，当該更正処分の適法性を基礎づける具体的事実であり，課税庁に立証責任がある。

一方，所得税における必要経費や法人税における損金は，所得の減算項目であるが，所得は，収入や収益からこれらの減算項目を控除してなお残額がある場合に発生するのであり，必要経費や損金が存在しないことや一定額を超えないことが所得の発生原因事実となる。そこで，必要経費や損金を生じさせる要件に該当する具体的事実がないことや具体的事実を適用した結果一定額を超えないことについて，課税庁に立証

注54　行政事件訴訟実務研究会編『行政事件訴訟の実務』（ぎょうせい，平成19年）197頁参照

責任があることとなる(注55)。

事例7の場合でいうと，Eを生じさせる要件に直接該当する具体的事実や丙が交際費の要件に直接該当する具体的事実の存在については，課税庁に立証責任があることとなる。

(2)　**具体例**

以上を前提に，まず，課税訴訟における要件事実として，分かりやすい例として，譲渡所得における取得費などの所得の減算項目について検討する。

(事例8)

Xは，平成19年4月にAに対し時価1億円の土地を売却して，その日に登記を移転し，1億円の代金を受け取った。

Xは，その取得価額を5,000万円（取得時期平成15年4月）として，平成20年3月，譲渡所得額が4,950万円，納付税額が1,200万円であるとして申告したが，平成20年7月，Y税務署長がその取得価額を1,000万円，納付税額2,500万円であるとして更正処分をした。これに対し，Xが，この更正処分の取消訴訟を提起し，「この土地の取得価額は，5,000万円である。」と主張している。

この場合，XやY税務署長は何を主張・立証すべきか。

本問では，譲渡所得が問題となっているところ，譲渡所得の発生要件は，所得税法33条1項と同法36条1項から読み取ると，①資産であること，②譲渡したこと，③収入があることの3つとなるが，所得があるというためには，さらに，④取得費が一定額を超えないこと，⑤譲渡費用が不存在であるか又は一定額を超えないこととなる(注56)。これらは要件であるが，これを「要件事実」で表現するというのは，当該具体的事実に即して，これらの要件に直接該当する具体的事実で表現するということであり，このように「要件事実」で表現することにより，当該事案で立証の対象となる事実が何であるかが具体的に確定されることになるのである。

そこで，上記の要件を要件事実で表現すると，Y税務署長の抗弁として主張すべき要件事実は，①Xは，平成19年4月ころ，Xの所有する本件土地を1億円でAに売って，同日登記を移転した（資産，譲渡），②Xは，平成19年4月ころ，上記①で売った代金として1億円の支払いを受けた（収入），③Xは，平成15年4月ころ，1,000万円で取得した（取得価額）となる。

なお，①で売買契約をしただけでなく，登記を移転したことも必要であるのは，登記の移転（引渡）により譲渡所得が実現するからである。また，①の記述で資産であることが明らかであるので資産と譲渡との要件を別々にあえて書く必要はない。

ここで要件を要件事実で表現する際に注意して欲しいのは，第1に，要件事実は，立証の対象となる具体的事実を抽出することであり，その法律要件に該当するために必要十分な最小限の事実は何かとの観点で厳密に検討しなければならず（要件事実必要最小限の原則(注57)），具体的には，各要件における本質的要素は何かという観点から検討すべきであり(注58)，第2に，要件事実は現実に発生した社会的事実であり，他の類似の事実から区別できるように特定し，かつ，具体的に示す必要があり，要件事実

注55　今村・前掲（注1）税大ジャーナル4号9頁，泉・審理第3版178頁

注56　裁判例は，譲渡所得における譲渡費用の存否及び額について，課税庁に立証責任があるとしている（東京地判平4・3・10訟月39巻1号192頁等)。

注57　司法研修所・問題研究改訂版9頁

注58　司法研修所・問題研究改訂版14頁

を特定する手段としては，その事実が発生した日時で特定するのが通常であり(注59)，第3に，要件事実はあくまでも立証の対象となる「事実」でなければならず，評価を含むものであってはならないことである。このような作業をすることにより，立証の対象が何かが明確になるのである。

これに対し，Xの認否は，①及び②の事実はいずれも認め，③について，取得価額が1,000万円であることを否認するということになる。そうすると，①及び②は，主要事実であり，これに対し，自白が成立することから立証不要となり，Y税務署長は，③の取得価額の点だけを立証すればいいこととなる。**事例8**の答えとしては，Y税務署長は，本件土地の取得価額が1,000万円を超えないことを立証すべきということになる。それでは，Y税務署長の立証にもかかわらず，本件土地の取得価額が1,000万円を超えないことが断定できず真偽不明の状態になったときには，どちらが勝つことになるのであろうか。これが，立証責任の問題であり，立証責任を負う側が真偽不明の場合の不利益を受けることとなり，取得価額については，Y税務署長が立証責任を負い，Y税務署長の敗訴ということになる。

以上のとおり，要件事実とは何かを決定するには，まず，問題となっている法律効果に対する要件が何かを抽出し（要件の抽出），次に，各要件ごとに，具体的事案に即して，これに該当することとなる必要十分な最小限の具体的事実を確定すること（要件事実の確定）が必要となるのである。

以上の検討に基づき，ブロック・ダイアグラムを作成すると，次図のとおりとなる。

Kg

①Y税務署長が，Xに対し，H20.7に平成20年の所得税につき納付税額 2,500 万円の更正処分をした。	○
②この更正処分が違法である。	争う

↑

（E 譲渡所得）

①Xは，H19．4ころ，Xの所有する本件土地を1億円でAに売って，同日登記を移転した。（資産，譲渡）	○
②Xは，H19．4ころ，上記①で売った代金として1億円の支払を受けた。（収入）	○
③Xは，H15．4ころ，1,000万円で取得した。（取得価額）	×

第4　推計課税

1　推計課税の意義

実額課税とは，課税所得をもたらす取引に係る帳簿書類等の直接資料に基づいて収入金額（益金）及び必要経費（損金）の実際の額を計算し，課税標準たる所得金額を算出して課税する方法であり，他方，推計課税とは，直接的な資料によらず，「財産若しくは債務の増減，収入若しくは支出の状況又は生産量，販売量その他の取扱量，従業員数その他事業の規模」（所得税法156条，法人税法131条）といった間接的な要素ないし資料を用いて課税標準たる所得金額を認定する方法である(注60)。

注59　このように要件事実を特定のための日時を「時的因子」という（村田＝山野目30講第4版15頁）。これに対し，日時が，単に特定のためにとどまらず，法律要件そのものである場合がある。例えば，民法の時効の中断事由の一つとして「承認」があるが（同法147条3号），この承認は時効期間の満了前でなければ中断効がないことから，時効期間満了前になされたことが要件となる。このように日時が法律要件としての意味をもつ場合を「時的要素」という（村田＝山野目・30講第4版22頁）。

注60　金子・租税法第24版982頁

所得税法156条や法人税法131条では，税務署長が推計課税をすることができると規定している。

推計課税の本質については争いがあり，従来の裁判例は，推計課税とは間接的な資料と経験則を用いて行う事実上の推定にほかならないとする見解（事実上推定説）に依拠していた。これに対し，かつては，推計課税は，実額課税とは別個独立の課税要件であり，推計に必要性があると認められる限り，実額課税とは別個独立の世界に入るのであり，そもそも実額反証は許されないとする見解（別世界説）(注61) もあった。この見解は，実務上受け入れられなかったものの，推計は実額調査を行うことのできないときにやむを得ず課税庁に代替手段として認められる認定方法であるとする見解（補充的代替手段説）に基づく有力な裁判例 (注62) も出てきている。

この補充的代替手段説は，推計課税の本質を的確にとらえるものであり，一方で，課税標準を変更するものでもなく，非常に巧みな見解である。しかし，これに対しては，所得税法156条や法人税法131条の規定をこのような創設的規定と読むことができるか，あるいは，このような規定のない消費税の場合にも補充的代替手段説が妥当するといい得るのかなど租税法律主義の観点で問題があるとの批判がなされている(注63)。

事実上推定説と，別世界説及び補充的代替手段説の違いを図示すると，次図のとおりとなる。

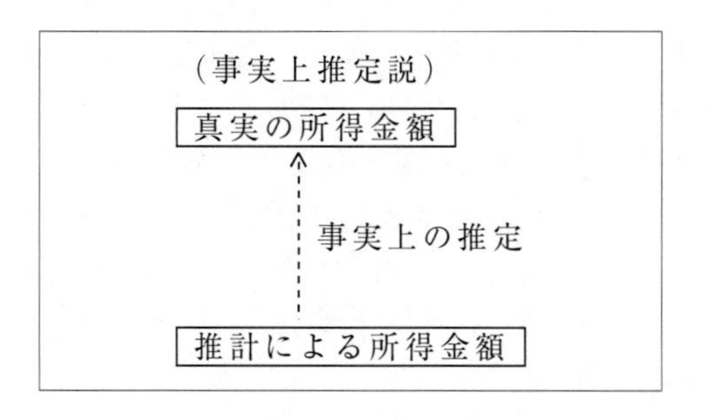

（別世界説）

真実の所得金額　　推計による所得金額

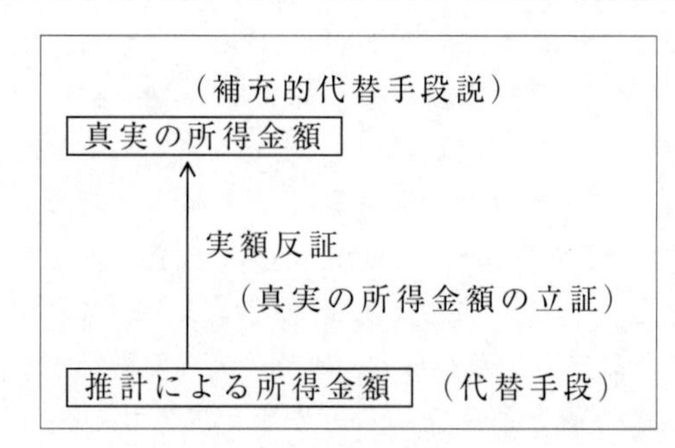

すなわち，事実上推定説は，課税標準は真実の所得金額であり，推計による所得金額は，これの近似値であり，事実上の推定により，真実の所得金額を推認するものであり，実額反証により覆るとし，別世界説は，推計による所得金額は，真実の所得金額と課税標準が異なるものであり，実額反証で覆ることはあり得ないとするものであり，補充的代替手段説は，事実上の推定説と同様，課税標準はあくまでも真実の所得金額であり，推計による所得金額は，これの近似値であるとする点では同じであるが，これは事実上の推定ではなく，実額課税ができない場合のやむを得ない手段であり，完全な実額反

注61　碓井光明「申告納税制度と推計課税」税経通信（税務経理協会，昭和58年）38巻3号22頁以下

注62　東京高判平6・3・30訟月41巻4号822頁，京都地判平6・5・23判タ868号166頁，釧路地判平6・6・28判時1534号19頁

注63　泉・審理第3版217頁

証のみによって覆すことができるとするものである。

２　推計課税の方法

推計課税は，様々な方法が用いられているが，実務上よく用いられているのは，下記の同業者率を用いた比率法である。

（算　式）
・算出所得金額（特別経費を控除する前の所得金額）＝収入金額－（売上原価＋一般経費）
・特前所得金額（青色申告特典控除前の所得金額）＝算出所得金額－特別経費
・最終所得金額＝特前所得金額－青色申告特典控除額

※特別経費：建物減価償却費，利子割引料，地代家賃，貸倒金，税理士報酬，減価償却固定資産の除却損，繰延資産の償却費など，事業主の個別的事情に左右される（収入金額と比例しない）もの
※青色申告特典控除：引当金・準備金，青色申告専従者給与，青色申告特別控除など，青色申告者のみに認められている控除
①　算出所得率（＝算出所得金額÷収入金額）
特前所得金額＝収入金額×算出所得率－特別経費
②　特前所得率（＝特前所得金額÷収入金額）
特前所得金額＝収入金額×特前所得率

（事例９）
Ｘが，正当の理由なく税務調査を拒否したことから，Ｙ税務署長が，Ｘの売上げの反面調査をしたところ，合計で2,000万円あることが判明した。そこで，Ｙ税務署長は，Ｙ税務署の所在する国税局管内の税務署長に売上金額が1,000万円以上4,000万円以下のＸの同業者の所得金額を照会したところ，これに該当する同業者が６人にて，その所得率は，40％であるとの回答であった。
この場合，Ｙ税務署長は，どのような課税をするか。

Ｙ税務署長が，上記の売上金額を柱に同業者の所得率を用いた比率法で推計をするとすると，売上げの反面調査の金額2,000万円に同業者６人の所得率の平均の40％を掛けて，所得金額＝800万円（2,000万円×40％）ということになる。この場合，推計課税の合理性としては，①数式自体が合理的か（推計方法自体の合理性），すなわち，上記のような売上金額を柱に同業者の所得率を用いた比率法で推計すること自体が合理的か，②反面調査が正確か（基礎資料の正確性），すなわち，売上げの反面調査の金額2,000万円が正確な金額であるのか，③同業者率が適正か（Ｘの所得金額に近似するように算出されているか，原告への適用の合理性），すなわち，同業者の所得率の平均値40％が合理的で，さらに，これをＸに適用するのが合理的であるかが問題となるのである。

３　推計課税の要件事実

推計課税の場合には，実額課税と異なり，個々の所得発生原因事実ではなく，総体としての「所得金額」が問題となる。また，推計課税の場合には，推計課税の合理性を基礎づける具体的事実，すなわち，①推計方法の一般的合理性，②基礎資料の正確性，③原告への適用の合理性（選択した具体的な推計方法自体できるだけ真実の所得に近似した数値が算出され得るような客観的なものであること）が要件事実となると考えられる。なぜなら，所得金額はあくまでも計算結果にすぎず，立証の対象となる具体的事実としては推計課税の合理性を基礎づける具体的な事実を要件事実と考えざるを得ないからである。

そうすると，例えば，前記2の売上金額を柱に同業者の所得率を用いた比率法で推計した場合，①推計方法自体の合理性，②反面調査の売上金額の正確性，③同業者率が適正であることが要件事実となる。すなわち，真実の所得金額をIとし，反面調査による売上金額をxとすると，同業者率をαとすると，$I = \alpha \times x$と表せるが，①は，$I = \alpha \times x$という算式自体が合理性を有するかの問題であり，②は，反面調査の売上金額であるxが正しい金額であるかの問題であり，③は，αがIに近似するように算定されているか，言い換えれば，同業者率αが適正であるかの問題である。

そして，③の同業者率が適正であることを立証するために，課税庁は，①同業者を抽出する基準自体が合理的であること（抽出基準の合理性），②その抽出の過程（抽出作業）が合理的であること（抽出過程の合理性），③抽出された同業者の件数が平均値を求める上で合理的であること（件数の合理性），④得られた同業者率の内容自体が合理的であること等の同業者比率が適正であること（比率の合理性）を担保する事実についての主張・立証をしなければならないこととなる。

このように推計課税の場合，課税標準は「所得金額」ではあるが，「推計により計算される所得金額」は，推計の合理性を問題とするのであり，評価を含んでいるといわざるを得ない。

4　実額反証

⑴　実額反証の意義

推計課税について，従来の裁判例は，事実上の推定であるとする見解に立っていた。そこで，納税者が，推計課税による更正処分を受け，これの取消訴訟を提起した場合，納税者の方から訴訟段階で帳簿書類等の直接資料による実額に基づく立証をすることにより，更正処分の適法性を争い得るかが問題となる。このような納税者側からの争い方を「実額反証」という。

前記1で述べたとおり，かつては，別世界説ということで，推計課税は，実額反証とは課税標準が異なっており，実額反証自体が許されず，主張自体失当であるとする見解もあった。しかし，このような見解を決定的に否定したのは，大阪高裁昭和62年9月30日判決（訟月34巻4号811頁）である。

この大阪高裁判決は，「実額課税，推計課税といっても，それぞれ独立した2つの課税方法があるわけではなく，両者の違いは，原処分時に客観的に存在した納税者の所得額（以下『真実の所得額』という。）を把握するための方法が，前者は伝票類や帳簿書類などの直接資料によるのに対し，後者はそれ以外の間接的資料によるという点にあるにすぎず，いずれにせよ，最終的に問題となるのは，真実の所得額がいくらであるかということであるから，納税者の実額の主張は，それが真実の所得額に合致すると認められる限りは許さざるを得ない。」として，実額反証が許されるとした。

そこで，次に，このような「実額反証」が，要件事実の観点からみて，課税庁の抗弁（推計課税）に対する文字どおり，「反証」にすぎないのか，それとも，納税者側に主張立証責任がある再抗弁であるかが問題となる。最も古典的な事実上推定説に立つと，推計課税の場合も，主要事実は，「所得金額」そのものであり，推計課税の合理性を基礎づける事実は，事実上の推認を働かせるための間接事実にすぎないこととなる。そうすると，いわゆる実額反証は，第1章・第3節の第2の1で説明した間接反証ということになる。また，推計課税の合理性を基礎づける具体的事実を要件事実と考える立場に立っても，実額の主張は，推計課税の合理性を覆すものとして間接反証であるとする見解もある（注64）。

しかし，推計課税と実額との関係は，本来，

注64　佐藤繁「課税処分取消訴訟の審理」新・実務民事訴訟講座10巻（日本評論社，昭和63年）71頁

課税標準は実額であり，どのように合理的な推計方法であっても，実額が優先するとの関係であり，いわゆる「実額は推計を破る」関係に立っているのであり，再抗弁と考える（注65）。このように「実額反証」を納税側の再抗弁であると考えると，正確にいうと，「実額本証」という表現が正しいということになる。

このように納税者が，推計課税による更正処分を受け，これの取消訴訟を提起した場合に，様々な態様で，実額反証がなされることとなり，実額反証の許容性や立証責任をめぐって争いとなった。

これに対抗して，課税庁も可能な限り精緻な推計方法を用いることとなり，前記２の売上金額を柱とする同業者の所得率を用いた比率法で推計がよく用いられるようになった。この推計方法は，売上げについては，実額であり，経費のみが推計であり，推計課税といってもかなり実額課税に近いものである。ところが，これに対しては，部分的実額反証という争い方がなされるようになり，これをめぐって，推計課税の要件事実がさらに議論されるようになったのである。そこで，部分的実額反証について検討することとする。

⑵　部分的実額反証

課税庁が収入金額及び必要経費ともに推計した場合，納税者が実額反証として主張・立証すべき範囲は，納税者の主張する収入に漏れがなくすべての収入であること及び納税者の主張する経費を支出したことの両者を主張・立証する必要があるということについては，ほぼ争いがない（注66）。

ところが，課税庁が売上金額を柱とする同業者の所得率を用いた比率法で推計した場合に，収入については課税庁の主張する「実額」を認め，必要経費のみの実額を主張・立証することが有効な実額反証と認められるかについては，見解が分かれている。なお，このような実額反証を「部分的実額反証」という。具体的には，下記のとおりとなる。

（事例10）

事例９において，Ｘが更正処分の取消訴訟において，Ｘの売上げは，2,000万円であることは認めるとしながら，下表２のとおり，経費の実額が1,500万円であると主張した。

この場合，ＸやＹ税務署長は何を主張・立証すべきか。

（表１，Ｙ税務署長の主張）

	売上金額	2000万円	（実額）
（－）	経費	1200万円	（推計）
	所得金額	800万円	

（表２，Ｘの主張）

	売上金額	2000万円	（自白）
（－）	経費	1500万円	（実額反証）
	所得金額	500万円	

すなわち，Ｙ税務署長が，売上げの反面により判明した金額2,000万円を柱にして，同業者の所得の平均率40％を掛けて，所得金額を800万円として推計した場合，表１のとおり，売上金額2,000万円，経費1,200万円と表すことができるところ，納税者の方では，表２のとおり，売上金額2,000万円を認め（自白し），経費のみ1,200万円ではなく，領収書等によると，実額は1,500万円であると争うものである。事実上推定説に立ち，前記⑴のとおり，実額反証を納税者側の再抗弁であるとする立場に立ったとしても，表２のような争い方は許されるかが問題となる。すなわち，実額反証をするに当たって，経費のみの実額といった部分的な争い方が許されるかである。

これに対しては，事実上推定説に立って上で，

注65　泉・審理第３版233頁，東京高判平６・３・30訟務月報41巻４号823頁

注66　佐藤・前掲新・実務民事訴訟講座10巻71頁

(A)実額課税の場合には収入と経費の双方に課税庁側に立証責任があるとの均衡上，上記の例で，推計課税であっても，Y税務署長が収入について実額を主張している以上は，経費の一定額を超える額の不存在の立証責任があるはずであるとして，部分的実額反証は許されるとする見解（注67），(B)部分的実額反証は，許されず，納税者において，①その主張する収入金額がすべての取引先からのすべての取引についての補足漏れのない総収入金額であること（総収入），②その収入と対応する必要経費が実際に支出されたこと（必要経費），③所得税法上の分類に従い，直接費用については，両者の個別対応の事実を，間接費用については，必要経費の期間対応の事実（期間対応）を主張・立証する必要があるとする見解（このような見解を「三位一体説」という。）が対立している。三位一体説の考え方に立つと，この場合の要件事実は，右図のとおりとなる。

このような三位一体説を採るべき根拠については，①当該収入金額は当該推計に係る必要経費と一体のものとして主張されているのであり，この経費については，捕捉された収入金額を前提として初めて意味をなすいわば暫定的数値にすぎないものであり，これのみを単独で取り出して比較しても意味がないこと，②課税庁は，「少なくとも当該金額以上の収入があり，仮にこの把握ができた限りの金額を収入金額とすれば，必要経費は推計した結果となる」と主張しているにすぎないことなどの根拠が挙げられるが（注68），要件事実論の考え方からするとかなり特殊なものとなることは否めなかった。そこで，このような部分的実額反証の問題を解決するための論理として，補充的代替手段説が提唱されるようになったのである。

（事例10について三位一体説に基づく推計課税の要件事実）

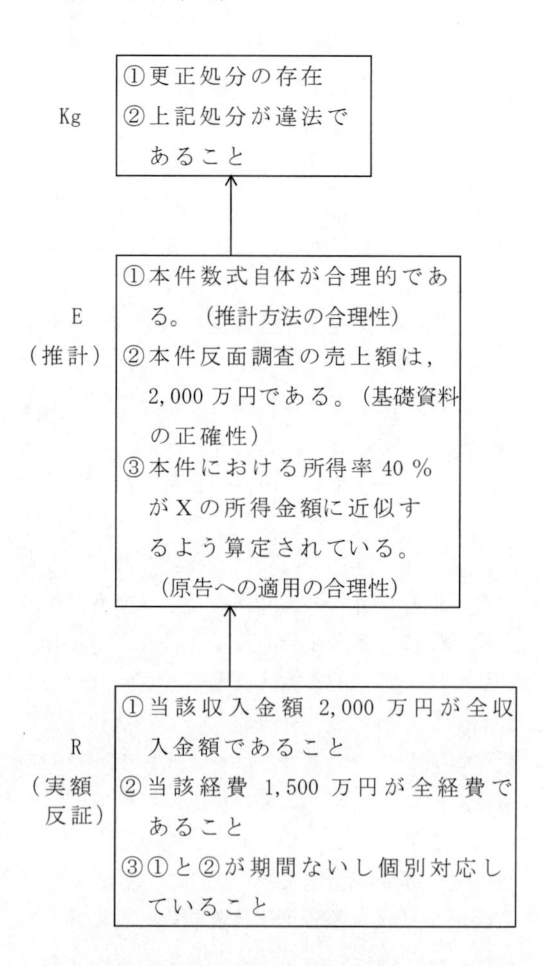

筆者は，補充的代替手段説に魅力は覚えつつも，①実額課税以外の新たに課税要件を認めるものであり租税法律主義に反しないか，②推計課税の明文規定のない消費税の場合にも補充的代替手段説の考え方に基づく推計課税が許されるのかなど問題もあり（注69），事実上推定説の三位一体説の立場に立っている。

注67　佐藤・前掲実務民事訴訟講座10巻71頁

注68　今村隆「実額反証における要証事項及び立証の程度」平成6年行政判例解説（ぎょうせい，平成8年）161頁

注69　補充的代替手段説の問題点については，今村隆「推計課税の本質と推計方法の合理性の程度」税理39巻2号（ぎょうせい，平成8年）26頁以下を参照されたい。

第 2 編

応 用 編

第1章　所得税

第1節　給与所得

第1　給与所得の意義と要件

1　給与所得の意義

給与所得については，所得税法28条1項が，「給与所得とは，俸給，給料，賃金，歳費及び賞与並びにこれらの性質を有する給与（…）に係る所得をいう。」と規定している。譲渡所得の場合には，所得税法33条1項において個々の課税要件が明示して分析的に規定されているが，給与所得の場合には，このように分析的に規定しているのではなく，典型例を例示して，これから給与所得に当たるものを推測させるという帰納的な形で規定している。また，その外延は，「これらの性質を有する給与に係る所得」と規定され，いわば「開かれた要件」となっている。所得税法がこのような定義の仕方をしているのは，給与所得には，付随的給与（fringe benefit）が含まれることから，要件という形で定義すると，どうしても漏れが生じることが懸念される上，社会の変化に伴い給与と考えられるものも広がったり狭まったりする可能性もあることから，「開かれた要件」として規定して，解釈の幅を立法者が与えているものと考えられる。

この点は，OECDモデル租税条約も，給与所得を定義するに当たり，「一方の締約国の居住者がその勤務について取得する給料，賃金，その他これらに類する報酬（salaries,wages and other similar remuneration derived by a resident of a Contracting State in respect of an employment）」（同条約15条(1)項）というように帰納的に定義していることからも，そのことがうかがえる。

給与所得について，このような帰納的定義や開かれた要件での規定が憲法84条の租税法律主義に反しないかが問題となるが，一般的に上記例示列挙から典型的な場合を読み取ることが可能であり，また，外延が，「これらの性質を有する給与に係る所得」として一応限定されているのであるから，租税法律主義には反しないと考えられる。

2　給与所得の要件

給与所得の要件を検討する上では，3つの最高裁判例が重要である。すなわち，①最高裁昭和37年8月10日判決（民集16巻8号1749頁），②最高裁昭和56年4月24日判決（民集35巻3号672頁），③最高裁平成17年1月25日判決（民集59巻1号64頁）である。以下これらの判例を検討することとする。

(1)　最高裁昭和37年8月10日判決

まず，最高裁昭和37年8月10日判決は，通勤手当が給与であるかどうかが争われた事案であるが，「所得税法9条5号は『俸給，給料，賃金……並びにこれらの性質を有する給与』をすべて給与所得の収入としており，同法10条1項は「第9条……第5号……に規定する収入金額（金銭以外の物又は権利を以て収入すべき場合においては，当該物又は権利の価額以下同じ。）により」計算すべき旨を規定しており，勤労者が勤労者たる地位にもとづいて使用者から受ける給付は，すべて右9条5号にいう給与所得を構成する収入と解すべく，通勤定期券またはその購入代金の支給をもつて給与でないと解すべき根拠はない。」（下線筆者）として，通勤手当を給与所得に当たるとした。すなわち，この最高裁判決は，「勤労者が勤労者たる地位に基づいて使用者から受ける給付」はすべて給付所得の対象となるとしたものである。これは，通勤手当が，労務提供をするに当たっての費用弁償としての性質をも有し，労務提供に対する純粋な対価ともいい難い面もあることから，問題となったものであり，対価性についての判例である。

したがって，この最高裁判決の「勤労者が勤労者たる地位にもとづいて使用者から受ける給付」の判示は，給与所得の要件についての一般的判示ではなく，対価性について，費用弁償的な性質を有し純粋な対価といえない場合であっても，対価に準じると考えられるものを含むとの趣旨の判示とみるべきであり，給与所得の要件を検討する上で過大に評価すべきではないと考える。

⑵　最高裁昭和56年4月24日判決

最高裁昭和56年4月24日判決は，弁護士が顧問先から受け取った顧問料が事業所得か給与所得かが争われた事案であるが，「事業所得とは，自己の危険と計算において独立的に営まれ，営利性，有償性を有し，かつ反復継続して遂行する意思と社会的地位とが客観的に認められる業務から生ずる所得をいい，これに対し，給与所得とは雇傭契約又はこれに類する原因に基づき使用者の指揮命令に服して提供した労務の対価として使用者から受ける給付をいう。」（下線筆者）とした上，「なお，給与所得については，とりわけ，給与支給者との関係において何らかの空間的，時間的な拘束を受け，継続的ないし断続的に労務又は役務の提供があり，その対価として支給されるものであるかどうかが重視されなければならない。」として，問題となった事案においては，場所的・時間的拘束が少ないとして，事業所得であるとした（注70）。

この判決の上記判示は，一見すると，給与所得の要件を「雇傭契約又はこれに類する原因に基づき使用者の指揮命令に服して提供した労務の対価」と判示し，給与所得の要件についての判例のようにも思える。しかし，この最高裁判決は，民集登載に当たり，上記判示部分が「判示事項」や「判決要旨」として取り上げられていないことからもうかがい知れるように（注71），事業所得と給与所得の区分についての判例としての重みをもつものではなく，単なる事例判断にすぎないと考えるべきである。

理論的に考えても，「使用者の指揮命令」に服することは，労働法において「労働者性」を判断するときには重要であるが，所得税法における所得分類においては，事業所得と給与所得の違いは，その労務を提供している事業の損益に関係なく，決まった分だけ報酬をもらうことができるかが重要であり，「使用者の指揮命令」に服することは，このような労務提供の非独立性の間接事実とみるべきであろう。

⑶　最高裁平成17年1月25日判決

最高裁平成17年1月25日判決は，ストック・オプションの権利行使益が給与所得に当たるかが争われた事案であるが，「本件権利行使益は，雇用契約又はこれに類する原因に基づき提供された非独立的な労務の対価として給付されたものとして，所得税法28条1項所定の給与所得に当たるというべきである。」（下線筆者）と判示しており，独立的であるか非独立的であるか否かを問題としており，こちらの判示の方が適切

注70　弁護士の報酬については，本文で検討した顧問料のほか，現在も事業所得か給与所得か争いになるものがあり，弁護士会法律相談センターの行う無料法律相談業務に従事した対価として弁護士会から支給された担当弁護士の日当に係る所得につき，事業所得とされている（大阪高判平21・4・22裁判所HP）。

注71　民集登載の際の判示事項や判決要旨は，最高裁判所に置かれている判例委員会（7人以下の裁判官が委員となり，調査官及び事務総局職員が幹事である。）で決定されている（判例委員会規程1，2条）。何かが判例であるかを公的に決定するものではないが，この判例委員会の決定は，重要な手掛かりとなる。

である。

なお，この判例は，子会社の取締役が親会社からのストック・オプションの付与を受けたとの事案であり，難しい事件である。この事件については，後記第2で更に論じることとする。

⑷　小　括

以上，最高裁判例を検討したが，給与所得の一般的要件が判例で確立されているとまでは考えられない。しかし，これらの判例を参考にあえていうと，前記最高裁平成17年1月25日判決の定義が最も一般的なものであり，これに，前記最高裁昭和37年8月10日判決の趣旨を加味すると，給与所得の要件は，①給付がなされたこと，②当該給付が労務提供に対する対価又はこれに準じるものであること（対価性），③当該労務提供が雇用契約又はこれに類する原因に基づいてなされたこと（原因），④当該労務提供が非独立的（自己の危険と計算によらないこと）であること（態様），の4つであり（注72），最高裁昭和56年4月24日判決の判示しているところの「雇主の指揮に服していること」や「場所的・時間的拘束を受けていること」は，④の非独立的であることの間接事実であると考える（注73）。

ここで，③の「雇用契約又はこれに類する原因に基づいて労務を提供すること」の要件がなぜ給与所得の要件として必要であるかが問題となる。もし，③の要件なしに労務を提供し，その対価としてある給付を受け取ったとすると，これは，継続的な性質を有する所得ではなく，一時的な所得であることから（注74），反復的・継続的性質を有する給与所得の範疇に含めるべきでないからである（注75）。

第2　最高裁平成17年1月25日判決

1　事案の概要

最高裁平成17年1月25日判決は，前記第1でも述べたが，ストック・オプションの権利行使益が給与所得に当たるのかが争われた事件である。事案の概要は，次のとおりである。

（事例11）

Xは，平成7年1月から同9年1月まで，内国法人であるA社の代表取締役であったが，同社の親会社B社との契約で，A社で継続的に勤務することを条件としてB社のストック・オプションを付与されていた。Xは，平成8年から同10年までに，ストックオプションに係る権利を

注72　給与所得の定義について，「個人の非独立的ないし従属的な勤労（人定役務提供）の対価としての性質をもった所得」としながらも，その外延を一層正確に定義すると，「一定の勤務関係に基づき，その勤務に対して受け取る報酬」とする見解がある（注解所得税法研究会編『注解所得税法6訂版』（大蔵財務協会，平成31年）513頁）。注目すべき見解であるが，この見解は，本文掲記の最高裁昭和37年8月10日判決を重視するものと思われ，筆者としては，この判決を対価性についての拡張と位置付けている。

注73　佐藤英明教授は，給与所得の本質は，非独立性にあり，「従属性が強ければ強いほど，それが非独立的な労務の提供であると強く推測させる要素になる，と理解するのが適当である。」（同『スタンダード所得税法補正版』152頁）とされるが，従属性を間接事実とみるとの見解と思われる。さらに，佐藤教授は，この点について，「給与所得の意義と範囲をめぐる諸問題」（金子宏編）『租税法の基本問題』（有斐閣，平成19年）397頁以下で詳細を論じており，同様の見解と思われる。

注74　なお，このような労務提供による所得は，一時的ではあるが，偶発的なものではなく，労務提供という積極的な行為によるものであり，所得税法34条1項でも一時所得から除外されており，雑所得に分類される。

注75　佐藤英明教授は，給与所得の基礎となる法律関係の意義について検討した上，就職内定者のみに支給する奨学資金や他社から引き抜くときの支度金について，課税実務上は，雑所得として取り扱われているが，将来の労務提供を約した契約関係であっても給与所得の基礎となる法律関係といえるとして，給与所得に該当するとする（同「『給与』をめぐる課税問題」総合税制研究12号（納税協会連合会，平成16年）222頁）。上記の例の場合には，一時的な所得とも考えられ，ここまで拡張できるかは微妙である。

行使してB社の株式を取得し，これを売却して利益を得た。この場合，Xの得た利益は，給与所得か一時所得か。

※事実関係は，実際の事案を少し単純化している。

2　判　旨

上記最高裁判決は，「B社は，Xに対し，本件付与契約により本件ストックオプションを付与し，その約定に従って所定の権利行使価格で株式を取得させたことによって，本件権利行使益を得させたものであるということができるから，本件権利行使益は，B社からXに与えられた給付に当たるものというべきである。」とした上，「本件権利行使益は，Xが代表取締役であったA社からではなく，B社から与えられたものである。しかしながら，前記事実関係によれば，B社は，A社の発行済み株式の100%を有している親会社であるというのであるから，B社は，A社の役員の人事権等の実権を握ってこれを支配しているものとみることができるのであって，Xは，B社の統括の下にA社の代表取締役としての職務を遂行していたものということができる。」とした。

そして，上記最高裁判決は，「前記事実関係によれば，本件ストックオプション制度は，B社グループの一定の執行役員及び主要な従業員に対する精勤の動機付けとすることなどを企図して設けられているものであり，B社は，Xが上記のとおり職務を遂行しているからこそ，本件ストックオプション制度に基づきXとの間で本件付与契約を締結してXに対して本件ストックオプションを付与したものであって，本件権利行使益がXが上記のとおり職務を遂行したことに対する対価としての性質を有する経済的利益であることは明らかというべきである。」とし，「そうであるとすれば，本件権利行使益は，雇用契約又はこれに類する原因に基づき提供された非独立的な労務の対価として給付されたものとして，所得税法28条1項所定の給与所得に当たるというべきである。」（下線筆者）として，給与所得に当たるとした。

3　検　討

(1)　要件事実

本件の要件事実は，次のとおりとなる。

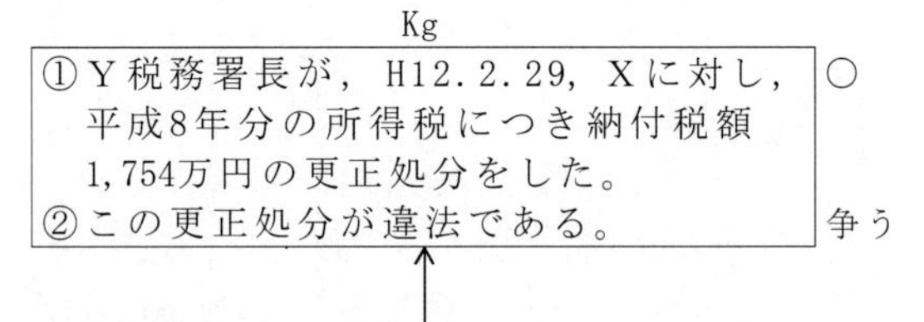

E（給与所得）

①Xが，B社から付与を受けた同社のストック・オプションの権利を行使して，4,059万円の利益を得た。（給付）　○

②上記①の利益は，XがA社において代表取締役として労務提供し，A社を通じてB社に労務を提供した対価であった。（対価性）　×

③Xは，A社と委任契約に基づいて取締役として労務を提供し，A社の親会社であるB社に対しても，A社への労務提供を通じて，労務提供していた。（原因）　×

④Xは，A社の代表取締役として勤めていれば，権利行使ができた。（非独立性）　○

※本ダイアグラムは，平成8年分の所得税について，判決文から事実を補って記載した。

(2)　取締役報酬としてのストック・オプションの類型

本件の問題を検討するに当たり，取締役報酬としてのストック・オプションの類型について明らかにすることとしたい。会社法の想定しているストック・オプションの類型と本件で問題となっているストック・オプションの類型がかなり異なっているので，本件で何が問題となっているかを明確にする必要があるからである。

ア．有償交付の場合

平成17年に制定された会社法246条2項は，

「前項の規定にかかわらず，新株予約権者は，株式会社の承諾を得て，同項の規定による払込みに代えて，払込金額に相当する金銭以外の財産を給付し，又は当該株式会社に対する債権をもって相殺することができる。」と規定している。平成17年に会社法が制定される以前の商法では，新株予約権の付与は，労働基準法24条1項で通貨払いが原則であり，労務提供に対する対価ではなく，無償での取得であると考えられ，そうすると常に新株予約権の有利発行となり，特別決議が必要とされていた。これに対し，会社法は，企業会計基準委員会が公表した「ストック・オプション等に関する会計基準」の考え方に基づき，新株予約権の公正な評価額がある場合には，労務提供対価として新株予約権を付与することができるとの考え方を採ったのである（注76）。すなわち，この考え方に基づく取締役に対する新株予約権の付与は，新株予約権と引き換えにする払込みに代えて労務提供による報酬債権との相殺とみることとなる。会社法246条2項は，このように新株予約権取得に当たっての払込金と報酬債権を相殺できることを定めた規定である。この規定によると，このような労務提供対価としての新株予約権を付与する場合には，特別決議を要するが（同法238条2項，309条2項6号），決議に際して，「特に有利な条件」による付与としての規制は受けないこととなる（注77）。

平成18年改正による法人税法54条（現54条の2）1項は，上記会社法の考え方を受けて，「内国法人が，個人から役務の提供を受ける場合において，当該役務の提供に係る費用の額につきその対価として新株予約権（当該役務の提供の対価として当該個人に生ずる債権を当該新株予約権と引換えにする払込みに代えて相殺すべきものに限る。）を発行したとき（…）は，当該個人において当該役務の提供につき所得税法その他所得税に関する法令の規定により当該個人の同法に規定する給与所得その他の政令で定める所得の金額に係る収入金額とすべき金額又は総収入金額に算入すべき金額を生ずべき事由（…）が生じた日において当該役務の提供を受けたものとして，この法律の規定を適用する。」（下線筆者）と規定した。これは，下線を引いたように，会社法246条2項に基づき，報酬債権の対価として新株予約権の取得に当たっての払込金と相殺する場合の規定であるが，この場合に，理論上は，取締役に対する報酬の支払いを損金として計上する時期は，労務提供終了時になるところを，所得税法上，権利行使時に給与所得として権利確定するとして扱われていることとの均衡から，法人税法における損金計上時期を権利行使時に繰り延べることとした規定である（注78）。

もっとも，上記下線部分は，必ずしも厳格に考えられているのではなく，立法担当者による解説によると，「無償発行の決議により付与されたとしても，実態的には役務の提供の対価としての付与であり，何らかの合理的な理由で無償付与の決議によらざるを得なかったことが説明可能であれば，損金の額に算入すべき余地があると考えられます。」とされている（注79）。

上記会社法246条2項や旧法人税法54条1項の想定しているストック・オプションは，新株予約権の有償交付の場合であり，具体的には，次図のⅠの場合である（注80）。

注76 江頭憲治郎『会社法第8版』（有斐閣，令和3年）476頁注⑿

注77 江頭・前掲『会社法第8版』475頁

注78 大蔵財務協会編『改正税法のすべて（平成18年版）』344頁

注79 大蔵財務協会編・前掲改正税法のすべて（平成18年版）346頁

注80 税理士法人プライスウォーターハウスクーパー『株式・新株予約権税務ハンドブック』（中央経済社，平成21年）273頁の例を参考にした。

Ⅰ）新株予約権の有償交付の場合（有利発行には当たらない。）

〈前提事実〉

・非適格ストック・オプション

・権利付与時のストック・オプションの公正評価額（時価）　200

・権利付与日から権利確定日までの期間　２年間

・新株予約権発行時の払込金額（会社法238条１項３号）　200

←権利確定日までの役務提供に対する報酬債権と相殺（会社法246条２項）

・権利行使価額（会社法236条１項２号）　1000

・権利付与時の株価500　権利行使時の株価　1300

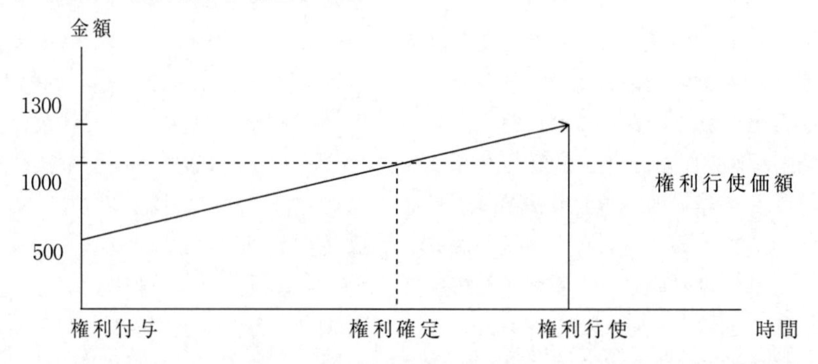

○取締役　権利行使益＝1300－1000＝300（給与所得）

※新株予約権の発行時の払込とした報酬債権200は，上記300の中に包含されている。

○会社　　給与として損金算入　200（権利行使時，法人税法54条の２第１項）

Ⅱ）無償交付の場合（本件）

〈前提事実〉

・非適格ストック・オプション

・権利付与時のストック・オプションの公正評価額（時価）　200？

・権利付与日から権利確定日までの期間　２年間

・新株予約権発行時の払込金額　0（無償）

・権利行使価額　　　　　　　500

・権利付与時の株価　500　権利行使時の株価　1300

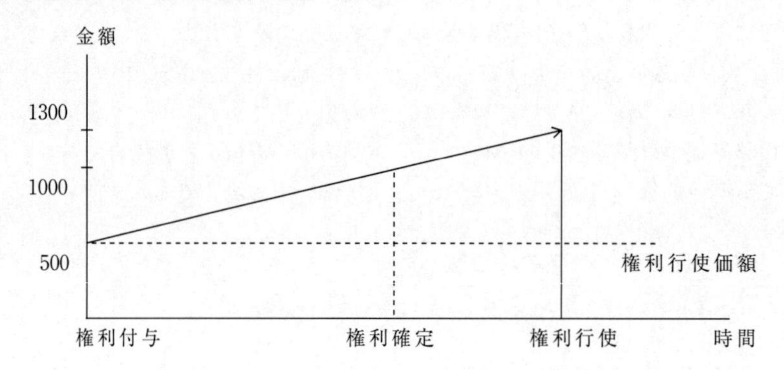

○取締役　権利行使益＝1300－500＝800（給与所得）

○会社　　給与としての損金算入はできない。ただし，実質が，役務提供対価として付与されたとみられる場合には，給与として200を損金算入する余地もある（権利行使時，法人税法54条の２第１項）。

イ．無償交付の場合

これに対し，本件で問題となっているのは，ストック・オプションの取得に当たっての払込金がない場合であり，ストック・オプションの無償交付の場合であり，具体的には，前図のⅡの場合である。

⑶ 給与所得か一時所得か

前図のⅠのストック・オプションの有償交付の場合は，ストック・オプションの付与自体が労務提供対価であり，その権利行使益も労務提供対価であることは明らかである。しかし，前図のⅡのストック・オプションの無償交付の場合は，ストック・オプションの付与自体が無償であることから，その権利行使益がはたして労務提供対価であるかが問題となるのである。すなわち，前記第1の2⑷（39頁）の給与所得の要件のうち②の対価性が問題となるのである。

まず，ストック・オプションの無償交付とはいっても，ストック・オプション自体に経済的価値があり，将来の労務提供に対する対価ではないかが問題となる。しかし，前図のⅡの例のとおり，権利行使価額が付与時の株の時価に設定され，また，外国会社の株式であって公正評価額の算定が困難な株であるため，ストック・オプションの付与自体で，Xがなにがしかの所得を得ているとは考えられるものの，その算定は非常に困難である。

この点，本最高裁判決の1審の東京地裁平成15年8月26日判決（訟月51巻10号2741頁）が，「ストック・オプション自体が将来の期待権として経済的価値を有することは当事者間に争いがなく，人の担税力を増加させる経済的利得はすべて所得を構成するものとする包括的所得概念の下では，このような期待権も経済的利得である以上，所得を構成するものとみる余地があることは否定できない。」（下線筆者）としているところである。

次に，対価性が問題となるが，この点は，本最高裁判決が，「本件ストックオプション制度は，B社グループの一定の執行役員及び主要な従業員に対する精勤の動機付けとすることなどを企図して設けられているものであり，B社は，Xが上記のとおり職務を遂行しているからこそ，本件ストックオプション制度に基づきXとの間で本件付与契約を締結してXに対して本件ストックオプションを付与したものであって，本件権利行使益がXが上記のとおり職務を遂行したことに対する対価としての性質を有する経済的利益であることは明らかというべきである。」（下線筆者）としているところであり，権利行使がA社での一定期間の精勤を条件としていることから，XとB社との間で，これに対する対価として付与するとの了解の下で付与されていることが明らかである。

さらに，取締役による権利行使時期についての裁量がある点が問題となるが，この点は，原審の東京高裁平成16年2月19日判決（判時1858号3頁）が，「付与会社は，ストック・オプションの付与契約において，現実に被付与者が権利行使をした場合には，その時点での当該株式の評価と権利行使価格との差額相当の経済的利益を被付与者に取得させることを合意しており，その合意にもとづいて，付与会社から被付与者に移転された経済的利益が権利行使益にほかならない。」と判示しているとおり，XとB社との間で，そのように変動するものとして付与されていることから対価性が否定されるものではない。

以上の検討により，本件のストック・オプションは，Xの労務提供に対する対価であると考える。

⑷ 給与所得か雑所得か

ところで，本件では，更に，労務提供の相手方がA社であるのに対し，給付の支給者がB社と異なっている点が問題となる。

本最高裁判決は，上記のとおり，給与所得を「雇用契約又はこれに類する原因に基づき提供された非独立的な労務の対価」としているが，給与所得の要件として，一般的に経済的利益の供与者であるB社と労務提供者であるXとの間に契約関係が不要とするのではなく，次図のとおり，XとA社との間の委任契約(a)とA社とB社との親子関係(b)を併せてみると（a+b），XとB社との間に契約関係に準じる法的な関係があるとみることができることから，B社の供与した経済的利益がXのA社に対する労務提供の対価となると考えられる（注81）。

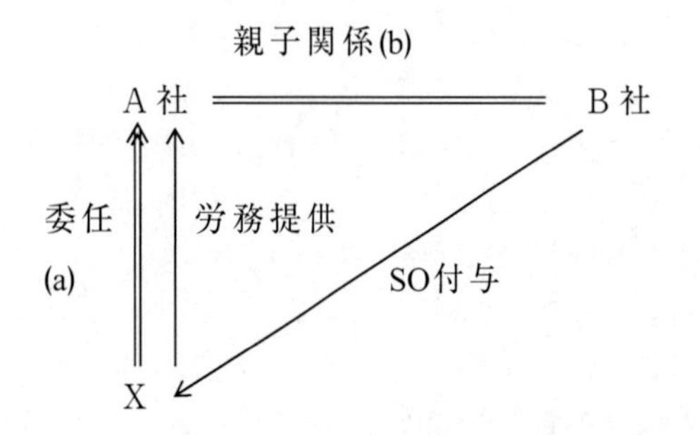

なお，給与所得は，あくまでも労務提供の相手方との間に直接の契約関係がある場合に限るとし，上記最高裁の事案の場合には，雑所得であるとする見解（注82）もある。これは，所得税法28条1項で例示列挙されているものは，直接の契約関係がある場合に限っており，「これらの性質を有する給与」も広く解釈すべきではないとの立場に立つもので傾聴に値する見解である。

しかし，ここで，前記第1の2(4)の給与所得の要件のうち③の「雇用契約又はこれに類する原因に基づいて労務を提供すること」の要件がなぜ給与所得の要件として必要であるかが問題となる。もし，③の要件なしに労務を提供し，その対価としてある給付を受け取ったとすると，前記第1の2(4)のとおり，継続的な性質を有する所得ではなく，一時的な所得であることから，反復的・継続的性質を有する給与所得の範疇に含めるべきでないからである。

したがって，筆者は，本最高裁判決に賛成であり，一定の場合には，労務提供の相手方と支給者とが異なっていても給与所得になる場合があると考える。

第2節　退職所得

第1　退職所得の意義と要件

1　退職所得の意義

退職所得については，所得税法30条1項が，「退職所得とは，退職手当，一時恩給その他の<u>退職により一時に受ける給与</u>及び<u>これらの性質を有する給与</u>（…）に係る所得をいう。」（下線筆者）と規定している。この規定の下線部分から，退職所得には，(i)「退職により一時に受ける給与」である本来の退職所得と，(ii)「これらの性質を有する給与」（以下「退職所得の性質を有する給与」という。）とがあり，本来の退職所得の要件は，①退職によるものであること，②一時的なものであること，③給与であることの3つであることが分かる。

退職所得は，上記のとおり，給与の一種であるが，累積した所得の一括後払いの性質を有し，退職後（老後）の生活の糧であり担税力が低い

注81　本最高裁判決の担当調査官は，「給与所得該当性は，当該経済的利益の給付が実質的にみて労務提供の対価といえるかどうかという観点から判断すべきである」とするが（増田稔『最高判解説民事平成17年度（上）』53頁），ここで「実質的」というのは，前後の文脈からみて，経済的実質との意味ではなく，本文で書いたとおり，法的にみて，直接の契約関係があるのに準じる場合の意味と思われる。

注82　金子宏「所得分類とストック・オプション」税研2005年1月号（日本税務研究センター）12頁。もっとも，金子名誉教授は，現在は，租税特別措置法第2章第3節のタイトルにかんがみ，給与所得を当たるとしている（同，租税法第24版251頁＊＊）。

と考えられることから，累進税率の適用を緩和するために，給与所得とは別の所得類型とされているのである。

2　退職所得の要件

本来の退職所得の要件は，前記1のとおり，所得税法30条1項から3つあることが読み取れるが，具体的には，最高裁昭和58年9月9日判決（民集37巻7号962頁）が判示するとおり，①退職（勤務関係の終了という事実）を基因としていること（退職），②従来の継続的な勤務に対する報償ないしその間の労務の対価の一部の後払たる性質を有すること（給与），③一時金として支払われること（一時的）の3つである。

退職所得の性質を有する給与の要件は，所得税法30条1項の規定上は抽象的であるが，前記1の退職所得の課税が軽減されている趣旨からみて，上記最高裁昭和58年9月9日判決が判示するとおり，形式的には本来の退職所得の要件のすべてを満たさなくても，実質的にみてこれらの要件の要求するところに適合し，課税上，本来の退職所得と同一に取り扱うことを相当とするものであることを必要とすると考える。上記3要件に適合する場合は，具体的には，10年制退職金が問題となった最高裁昭和58年12月6日判決（判時1106号61頁）が例示しており，(i)退職金支給制度の実質的改変により精算の必要があって支給される場合，あるいは，(ii)当該勤務関係の性質，内容，労働条件等において重大な変動があって，形式的には継続している勤務関係が実質的には単なる従前の勤務関係の延長とはみられないなどの特別の事実関係があることを要すると考える。

この最高裁判決については，更に第2で検討することとする。

第2　最高裁昭和58年9月9日判決

1　事案の概要

最高裁昭和58年9月9日判決は，前記第1の2で引用した判決であるが，いわゆる5年制退職金が退職所得に当たるかが問題となった事件である。事案の概要は，次のとおりである。

（事例12）

X社は，家具製造業を営む会社であるが，経営状態が必ずしも順調でなかった昭和40年12月ころ，従業員労働組合からの退職金に関する申入れを検討した結果，従業員給与規程を改正して，同じ条件で勤務を継続する従業員に対しても，勤務年数を5年間で打ち切り計算し就職後5年ごとに退職金名義で手当を支給することとした。X社は，同41年4月から5月までの間に勤務を継続した従業員に対しこの規程に基づきその都度支給した金員について，これらを退職所得として取り扱った結果，源泉徴収すべき所得税額は存在しないとして，所得税の源泉徴収をしなかった。

この場合，X社が支給した金員は，退職所得か，給与所得か。

※事実関係は，実際の事案を少し単純化している。

2　判　旨

上記最高裁判決は，所得税法30条1項の「退職により一時に受ける給与」に当たるというためには，「(1)退職すなわち勤務関係の終了という事実によってはじめて給付されること，(2)従来の継続的な勤務に対する報償ないしその間の労務の対価の一部の後払たる性質を有すること，(3)一時金として支払われること，との要件を備えることが必要であり，また，右規定にいう『これらの性質を有する給与』にあたるというためには，それが形式的には右の各要件のすべてを備えていなくても，実質的にみてこれらの要件の要求するところに適合し，課税上，右『退職により一時に受ける給与』と同一に取り扱うことを相当とするものであることを必要とすると解すべきである。」（下線筆者）とした上，本件事実関係においては，本来の退職所得にも退職所得の性質を有する給与にも当たらないとした。

3　検　討

⑴　要件事実

本件では，本来の退職所得該当性と退職所得の性質を有する給与該当性が問題となる。まず，本来の退職所得該当性についての要件事実は，次のとおりとなる。

Kg

①Y税務署長が，S45.4.15，Xに対し，S41/4月分の源泉所得税について納付税額○円の納税告知をした。	○
②この告知処分が違法である。	争う

↑

E（給与所得）

①X社は，従業員Aに対し，S41.4○円の支給をした。（給付）	○
②上記①給付は，Aの5年間の勤務に対する対価である。（対価）	○
③Aは，雇用契約に基づいて上記勤務を行った。（原因）	○
④Aは，X社の危険と計算において，上記勤務を行った。（非独立的）	○
⑤上記①の給付は，Aの退職（勤務関係の終了）を基因としたものではない。（退職不該当）	×
⑥上記①の給付は，一時的な支給である。（一時的支払い）	○

※本ダイアグラムは，昭和41年4月分の源泉所得税について，判決文から事実を補って記載した。

⑵　「退職により」の意義

所得税法30条1項の「退職により」の「退職」が，借用概念であり，民法上の雇用契約の終了という意味であるかが問題となる。もしそうであるならば，X社の従業員は，5年でいったん雇用契約を期間満了により終了しているのであり，「退職により」に当たることになる。

しかしながら，上記最高裁判決は，前記2の判旨の判示を導き出すに当たり，まず，「所得税法（以下「法」という。）において，退職所得とは，『退職手当，一時恩給その他の退職により一時に受ける給与及びこれらの性質を有する給与』に係る所得をいうものとされている（30条1項）。そして，法は，右の退職所得につき，その金額は，その年中の退職手当等の収入金額から退職所得控除額を控除した残額の2分の1に相当する金額とする（同条2項）とともに，右退職所得控除額は，勤続年数に応じて増加することとして（同条3項），課税対象額が一般の給与所得に比較して少なくなるようにしており，また，税額の計算についても，他の所得と分離して累進税率を適用することとして（22条1項，201条），税負担の軽減を図っている。」と判示した上，「このように，退職所得について，所得税の課税上，他の給与所得と異なる優遇措置が講ぜられているのは，一般に，退職手当等の名義で退職を原因として一時に支給される金員は，その内容において，退職者が長期間特定の事業所等において勤務してきたことに対する報償及び右期間中の就労に対する対価の一部分の累積たる性質をもつとともに，その機能において，受給者の退職後の生活を保障し，多くの場合いわゆる老後の生活の糧となるものであって，他の一般の給与所得と同様に一率に累進税率による課税の対象とし，一時に高額の所得税を課することとしたのでは，公正を欠き，かつ社会政策的にも妥当でない結果を生ずることになることから，かかる結果を避ける趣旨に出たものと解される。従業員が退職に際して支給を受ける金員には，普通，退職手当又は退職金と呼ばれているもののほか，種々の名称のものがあるが，それが法にいう退職所得にあたるかどうかについては，その名称にかかわりなく，退職所得の意義について規定した前記法30条1項の規定の文理及び右に述べた退職所得に対する優遇課税についての立法趣旨に照らし，これを決するのが相当である。」（下線筆者）と理由を判示し，続けて「かかる観点から考察すると」ということで前記の「判旨」の退職所得の要件を判示しているのである。

そうすると，所得税法30条1項の「退職」というのは，上記のような優遇課税を受けるための所得分類であり，税法上の固有概念と考えるべきである（注83）。すなわち，民法上の雇用契約の終了を意味するのではなく，従来の勤務からの離脱を意味すると考えるべきであり，上記最高裁判決は相当と考える。

(3) 退職所得の性質を有する給与該当性

上記最高裁判決は，本件事実関係から，本来の退職所得に当たらないばかりか，退職所得の性質を有する給与にも当たらないとしてる。この点，上記最高裁判決は，従前の雇用契約がそのまま継続しているものとみれることを理由としている。

要件事実論の立場からみると，前記第1の2の本来の退職所得の3要件の①退職を基因としていることが，「退職と同等と評価される事実を基因としていること」に置き換えられると考えられる。そして，上記最高裁決は，実質的に従前の雇用契約がそのまま継続しているものとみることができることから，勤務関係の終了という事実がないことから，本体の退職所得の「退職」に当たらないとした上，更に，勤務関係が継続していて，勤務関係の終了という事実がないとしても，これと同等と評価される事実を基因としている場合には，退職所得の性質を有する給与に該当する場合があることを前提として，これにも当たらないとしたものである。すなわち，前記第1の2で引用した最高裁昭和58年12月6日判決の例示する(ii)の場合に当たらないとしたものと考えられる。

本来の退職所得における「退職」は，「勤務関係の終了という事実」であり，事実的要件であるが，退職所得の性質を有する給与における「退職と同等と評価される事実」は，最終的には，「同等」か否かの評価によって決せられる。しかし，この「同等」に当たる場合としては，上記最高裁昭和58年12月6日判決の例示する2つの場合ぐらいしか考えられず，そうすると，規範的要件とまでいう必要はないと考える。「退職と同等と評価される事実」は，本来の退職所得の「退職」とは，別の事実であり，前記(1)のブロック・ダイアグラムの抗弁の⑤の「退職（勤務関係の終了）を基因としたものではない」とは別の主張となり，書くとすると，⑤′「退職（勤務関係の終了）と同等と評価される事実を基因としているものでもない」との主張となる。

退職所得の性質を有する給与において，形式的には勤務関係が継続している場合に，実質的に勤務関係の変動があったか否かは微妙な判断であり，学校法人の理事長が同校の校長を退職した場合（大阪地判平20・2・29判タ1268号164頁）や専修学校の理事長が学院長を退職した場合（京都地判平23・4・14裁判所HP，（注84））に退職所得の性質を有する給与に当たるとされている。

(4) 給与所得の要件事実と退職所得の要件事実との関係

給与所得の要件は，第1節の第1の2(4)（39頁）で検討したとおり，①給付，②対価性，③

注83 金子・租税法第24版261頁＊

注84 この判決については，今村隆「専修学校の理事長か学院長等を退職したとして支給した会員の『退職所得』該当性」ジュリスト1429号（平成23年）100頁を参照されたい。

原因（雇用契約等），④非独立性である。一方，退職所得の要件は，前記第１の２のとおり，①退職，②給与，③一時的となるが，給与所得と比較すると，②の給与は，給与所得の上記４要件であり，この部分は重なっている。したがって，退職所得は，給与所得の要件に上記①退職と③一時的の要件が加わっている要件と考えられる。本件では，Ｙ税務署長は，給与所得であるとの主張をしているが，給与所得であるとするためには，上記のような重なりから，退職所得でないとの主張・立証をしないと給与所得と認定されないこととなる。そこで，実体法上の要件としては，給与所得及び退職所得それぞれ別個の要件であるが，訴訟上の攻撃防御方法としては，本件では，Ｙ税務署長が，給与所得であると主張するためには，前記(1)のブロック・ダイアグラムのとおり，「⑤上記①の給付は，Ａの退職を基因としたものではない。（退職不該当）」と「⑥上記①の給付は，一時的な支給である。（一時的支払い）」を主張・立証しなければならないと考える。

また，Ｘは退職所得の性質を有する給与に当たるとの主張もしているが，そうすると，前記(3)のとおり，Ｙ税務署長は，「⑤′上記①の給付は，Ａの退職と同等と評価される予定を基因としているものでもない。（退職と同等不該当）」も主張・立証しなければならないと考える。

なお，本件の１審の東京地裁昭和51年10月６日判決（民集37巻７号971頁）は，旧様式に従った判決であるが，上記⑤，⑤′や⑥をＹ税務署長の主張・立証すべき抗弁として整理しており，上記の考えと同様である。

第３節　譲渡所得

第１　譲渡所得の意義と要件

１　譲渡所得の意義

譲渡所得については，所得の減算項目としての取得費の関係で，第１編・第２章・第２節の第３の**事例８**（30頁）で論じたところである。ここでは，更に譲渡所得課税の構造を検討し，譲渡所得課税における「譲渡」や「収入」といった要件の意味を要件事実の分析を通じて明らかにすることとしたい。

譲渡所得については，所得税法33条１項が，「譲渡所得とは，資産の譲渡（…）による所得をいう。」と規定している。譲渡所得の要件は，この規定が出発点となる。この規定により，譲渡所得の要件は，①資産であること，②その譲渡であることの２つの要件があることが分かる。そして，この「資産」とは，譲渡性のある財産権をすべて含む観念で，動産・不動産はもとより，借地権，無体財産権，許認可によって得た権利や地位などが広くそれに含まれるとされ(注85)，「譲渡」とは，有償，無償を問わず所有権その他の権利を移転させる一切の行為をいうとされている(注86)。

このように「譲渡」が無償でもかまわないとされているのは，譲渡所得課税が，キャピタル・ゲインに対する課税であることに理由がある。すなわち，最高裁昭和43年10月31日判決（訟月14巻12号1442頁）は，「譲渡所得に対する課税は，…資産の値上りによりその資産の所有者に帰属する増加益を所得として，その資産が所有者の支配を離れて他に移転するのを機会に，これを清算して課税する趣旨のものと解すべきであり，売買交換等によりその資産の移転が対価の受入を伴うときは，右増加益は対価のうち

注85　金子・租税法第24版266頁
注86　最判昭50・５・27民集29巻５号641頁

に具体化されるので，これを課税の対象としてとらえたのが旧所得税法（…）9条1項8号の規定である。そして対価を伴わない資産の移転においても，その資産につきすでに生じている増加益は，その移転当時の右資産の時価に照らして具体的に把握できるものであるから，同じくこの移転の時期において右増加益を課税の対象とするのを相当と認め，資産の贈与，遺贈のあった場合においても，右資産の増加益は実現されたものとみて，これを前記譲渡所得と同様に取り扱うべきものとしたのが同法5条の2の規定なのである。」（下線筆者）としているが，包括的所得概念に立つと，資産の値上がり益自体を所得としてとらえるべきであり，また，実現についても，「譲渡」でもって実現とみるべきであり，理論的には，「収入」は不要と考えられるのである。

しかし，一方で，所得税法33条3項は，譲渡所得の金額は，「収入金額」から取得費等を控除して計算するとし，また，同法59条1項は，無償譲渡の場合のうち一定のものについて，「その時における価額に相当する金額により，これらの資産の譲渡があったものとみなす。」と規定し，譲渡時に時価相当の「収入」があったものと擬制している。これらの規定からみると，譲渡所得金額の計算は，「収入」を基礎とし，これを要件としていると考えざるを得ない。そうすると，譲渡所得において，「収入」の要件の意味が問題となる。事業所得や給与所得など譲渡所得以外の所得の場合には，「収入」が所得の実現という意味での要件であるが，譲渡所得の場合には，「譲渡」が所得の実現を判定する要件であり，「収入」は，「譲渡」により実現した所得の金額を具体的に認識するための要件と考えるほかはない。米国税法において，譲渡所得について，実現（realization）と認識（recognition）は区別すべきといわれる。例えば，資産を交換した場合には，実現はあるが，認識はないとされる[注87]。我が国の所得税法でいうと，譲渡所得は，「譲渡」により実現し，「収入」によって認識すべきということになろう。

以上が，譲渡所得課税の構造であり，譲渡所得の要件は，このような構造に照らし，有償譲渡と無償譲渡の場合で，区別して検討すべきである。

2　譲渡所得の要件

まず，有償譲渡の場合の要件について検討するが，ここで，「有償」というのは，「対価を伴う」という概念よりも広く，「対価その他の経済的利益を伴う」の意味である[注88]。最高裁昭和63年7月19日判決（判時1290号56頁）が，「所得税法60条1項1号にいう『贈与』には贈与者に経済的な利益を生じさせる負担付贈与を含まないと解する」と判示して明らかにしたとおり，贈与者に経済的利益を生じさせる負担付き贈与も，有償譲渡であるからである。

結局，有償譲渡の場合の要件は，下記のとおりとなる。

① 資産であること
② 譲渡したこと
③ 収入があること
④ 取得費が一定額を超えないこと
⑤ 譲渡費用が不存在であるか又は一定額を超えないこと

これに対し，無償譲渡とは，対価その他の経済的利益を得ないことであり，その場合の要件は，下記のとおり，上記の③の「収入があること」に代えて，所得税法59条1項1，2号の各要件を満たすこととなり，この要件を満たすことにより，時価相当金額の収入があったと擬制されることとなるのである。すなわち，無償譲渡の場合の要件は，下記のとおりとなる。

① 資産であること

注87　W.Klein,"Federal Income Taxation 14th ed." at 28

注88　金子宏「譲渡所得の意義と範囲」日税研論集50号（日本税務研究センター，平成14年）8頁注(5)

② 譲渡したこと
③ 法人に対する贈与又は遺贈，or 法人に対する時価の2分の1未満の対価による譲渡であること，or 個人に対する限定承認に係る相続又は包括遺贈があったこと
④ 取得費が一定額を超えないこと
⑤ 譲渡費用が不存在であるか又は一定額を超えないこと

第2　東京高裁平成11年6月21日判決

1　事案の概要

東京高裁平成11年6月21日判決（判時1685号33頁）は，有償譲渡の事案で，売買であるか交換であるかが争われた事案である。事案の概要は，次のとおりである。

（事例13）

Xは，A社との間で，X所有の甲地をA社所有の乙地と交換するに当たり，下図のとおり，平成元年3月23日，(i) 7億円の売買契約①，(ii) 4億円の売買契約②，(iii) 売買契約①の代金のうちの4億円を売買②の代金と相殺し，差金の3億円を支払うとの契約③を締結し，同日登記をそれぞれ移転するとともに現金3億円を受け取った。甲地の時価は，当時高騰している状態にあり直接認定はできないが，一方で，乙地の時価は7億円相当であることが判明している。

この場合のXの譲渡所得の計算に当たり，収入金額を売買代金額の7億円と計算すべきか，乙地の時価7億円と差金3億円の合計額10億円と計算すべきか。

売買①（7億円）→
X　　　　A社
← 売買②（4億円）+差金③3億円
甲地　　　　乙地

※事実関係は，実際の事案を少し単純化している。

2　判　旨

(1)　1審判決

1審の東京地裁平成10年5月13日判決（判時1656号72頁）は，「契約の内容は契約当事者の自由に決し得るところであるが，契約の真実の内容は，当該契約における当事者の合理的意思，経過，前提事情等を総合して解釈すべきものである。ところで，既に認定した本件取引の経過に照らせば，Xらにとって，本件譲渡資産を合計7億3,313万円で譲渡する売買契約はそれ自体でXらの経済目的を達成させるものではなく，代替土地の取得と建物の建築費用等を賄える経済的利益を得て初めて，契約の目的を達成するものであったこと，他方，A社にとっても，本件取得資産の売買契約はそれ自体で意味があるものではなく，右売買契約によってXらに代替土地を提供し，本件譲渡資産を取得することにこそ経済目的があったのであり，本件取得資産の代価は本件譲渡資産の譲渡代金額からXらが希望した経済的利益を考慮して逆算されたものであることからすれば，本件取引は本件取得資産及び本件差金と本件譲渡資産とを相互の対価とする不可分の権利移転合意，すなわち，A社において本件取得資産及び本件差金を，Xらにおいて本件譲渡資産を相互に相手方に移転することを内容とする交換（民法586条）であったというべきである。」（下線筆者）とし，XとA社の契約は，契約書の記載では「売買契約」となっているが，交換契約であると認定・評価して，Xの譲渡収入金額を10億円であるとした更正処分を適法であるとした。

すなわち，1審判決は，①本件2個の売買契約による履行が不可分一体的関係にあったこと，②取得資産や譲渡資産の代金額が時価等に基づき決定されたものではなく，作為的に決定されたものであることを認定した上，③各別の売買契約と各売買代金の相殺という法形式が採用されたのは，譲渡所得に対する税負担の軽減を図るためであったとして，1個の補足金付交換契

約であるとしたものである。

なお，補足金付交換契約というのは，民法586条２項に規定があり，「当事者の一方が他の権利とともに金銭の所有権を移転することを約した」契約のことであり，交換契約の一種である。

⑵　控訴審判決

これに対し，控訴審の東京高裁平成11年６月21日判決は，「しかしながら，本件取引に際して，Ｘらと A 社の間でどのような法形式，どのような契約類型を採用するかは，両当事者間の自由な選択に任されていることはいうまでもないところである。確かに，本件取引の経済的な実体からすれば，本件譲渡資産と本件取得資産との補足金付交換契約という契約類型を採用した方が，その実体により適合しており直截であるという感は否めない面があるが，だからといって，譲渡所得に対する税負担の軽減を図るという考慮から，より迂遠な面のある方式である本件譲渡資産及び本件取得資産の各別の売買契約とその各売買代金の相殺という法形式を採用することが許されないとすべき根拠はない」とした上，「本件取引のような取引においては，むしろ補足金付交換契約の法形式が用いられるのが通常であるものとも考えられるところであり，現に，本件取引においても，当初の交渉の過程においては，交換契約の形式を取ることが予定されていたことが認められるところである。しかしながら，最終的には本件取引の法形式として売買契約の法形式が採用されるに至ったことは前記のとおりであり，そうすると，いわゆる租税法律主義の下においては，法律の根拠なしに，当事者の選択した法形式を通常用いられる法形式に引き直し，それに対応する課税要件が充足されたものとして取り扱う権限が課税庁に認められているものではないから，本件譲渡資産及び本件取得資産の各別の売買契約とその各売買代金の相殺という法形式を採用して行われた本件取引を，本件譲渡資産と本件取得資産との補足金付交換契約という法形式に引き直して，この法形式に対応した課税処分を行うことが許されないことは明かである。」（下線筆者）として，１個の補足金付交換契約に引き直して課税処分を行うことは許されないとして，本件更正処分を違法とした。

すなわち，控訴審判決は，当事者間の契約が売買契約としてなされている以上，それを交換契約に引き直して課税するのは，明文規定によらない租税回避の否認であり許されないとしたのである。

なお，本件は，国側が上告受理申立をしたが，不受理となり確定している。

3　検　討

⑴　要件事実

１審判決と控訴審判決の考え方の違いを検討するに当たり，まず，本件の要件事実を分析することとする。

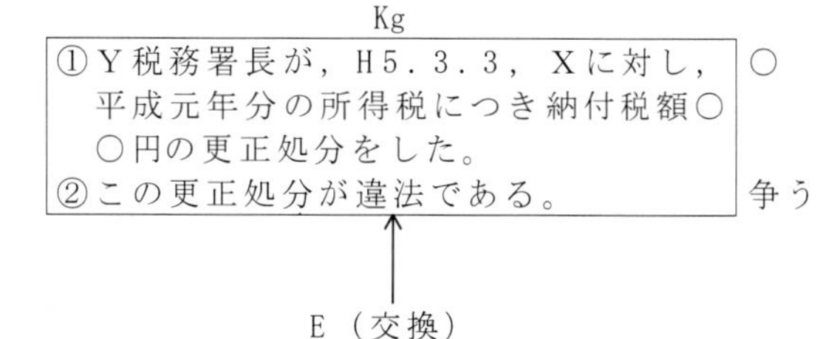

※本ダイアグラムは，判決文から事実を補って記載した。

本件の主張を整理すると，Ｙ税務署長は，抗弁として，交換を主張しており，ブロック・ダイアグラムは，上記のとおりとなる。

これに対し，Ｘは，抗弁の①については，「Ｘは，平成元年３月23日，Ｘの所有する本件土地をA社に売った。」と否認し，抗弁の②については，「Xは，上記土地の代金として7億円を受け取った。」と否認しているのである。

⑵　譲渡所得の課税要件とその前提となる契約の解釈

ア．問題の所在

本件では，XとA社との契約が，売買契約か交換契約かが問題となっているが，これが譲渡所得の課税要件においてどのような意味をもつかが問題となる。

前記⑴のダイアグラムの抗弁の①（資産，譲渡）の要件としては，所有権の移転があるとの法的効果が発生していると認定できるかが問題であり，売買契約か交換契約かの認定は意味をもたない。売買契約か交換契約かが意味をもつのは，前記⑴のダイアグラムの抗弁の②（収入）の要件であり，売買契約と認定するか交換契約と認定するかにより，収入金額が，7億円となるか，10億円となるかで違いが生じるのである。

イ．契約解釈の意義

我が国においては，契約の解釈について，大きく分けて，客観説と主観説との対立がある。客観説とは，契約解釈の出発点を表示であるとし，契約の解釈とは，当事者の内心の意思ではなく，表示の意味を確定することであるとする見解であり，主観説というのは，当事者の内心の意思を出発点として，契約の解釈は，表示の意味ではなく，当事者の意思の確定をすることとする見解である。客観説は，我妻栄教授を代表とする見解（以下「従来の通説」という。）であり，比較法的にみると，ドイツ法的な見解である。主観説は，星野英一教授を代表とする最近の通説（以下「最近の通説」という。）であり，フランス法的な見解である（注89）。

このように契約解釈は，大きく分けると客観説と主観説に分けられるが，表示を重視するか意思を重視するかとの対立軸のほか，表示や意思を厳格に解釈するか合理的に解釈するかの対立軸がある。すなわち，客観説と主観説の対立には，表示／意思のほかに，厳格／合理的との対立軸があり，従来の通説は，客観説といっても，表示のみを厳格に解釈するのではなく，周辺事情を含め合理的な意味を探求する見解であり，合理的表示主義と考えられ，最近の通説は，主観説といっても，契約の当事者の共通の意思を探求するものであり，合理的意思主義を考えられる（注90）。ここで「当事者」というのは，両当事者の意味であり，両当事者が共通の意思に達していることを意味している。

なお，英国は，伝統的には，契約書に書いてあるあること以外は考慮してはいけないという「四隅（four corners）理論」といわれる厳格な表示主義を採っていたが，1997年のInvestors Compensation Scheme事件上院判決で，契約書以外の契約締結時の状況等をも考慮すべきとの立場に変わっている（注91）。これらの立場なども一緒に，契約解釈の見解の相違を表にすると次のとおりとなる（注92）。

注89　フランスは，2018年に新契約法を制定したが，民法典新1188条1項において，「契約は，その文言の字義に拘泥するよりもむしろ，当事者の共通の意図に従って解釈するものとする。」と規定し，裁判官は，原則として当事者の共通の意思を探求すべきとされている（フランソワ・アンセル＝ベネディクト・フォヴァルク＝コソン『フランス新契約法』（有斐閣，令和3年）137〜138頁）。

注90　今村隆・租税回避否認規定編67〜68頁

注91　今村隆・租税回避否認規定編71〜74頁

注92　今村隆・租税回避否認規定編68頁

		厳格	合理的
客観説	表示主義	・古い英国判例	・従来の我が国の通説 ・英国の最近の判例
主観説	意思主義	・フランスの古典理論	・最近の我が国の通説 ・フランスの通説

以上を前提に検討すると，そもそも契約は，当事者間の意思の合致であり，基本的には主観説に立つべきである。しかし，一方の当事者の内心の意思が他方の当事者の内心の意思と一致していなくても表示が一致していれば，取引の安全を図る見地から契約が成立しているとみるべきであり，その意味では客観説が相当である。しかし，表示とは異なっていたとしても当事者の共通の意思が合致しているのであれば，その共通の意思で契約が成立しているとみるべきである。

ウ．本件における契約解釈

本件では，民法上，XとA社が2個の売買契約として有効に締結することも交換契約として有効に締結することも可能である。その意味では，不可分一体の売買契約と認定することも交換契約と認定することも可能である。しかし，問題は，XとA社の共通の意思が何であったかである。Xは，甲地と引き替えに乙地を取得しようとの意思であり，一方，A社は，乙地の売買自体に意味があるのではなく，あくまでも甲地を取得しようとの意思であり，両者の共通の意思は，甲地と乙地とを交換することであると考えられる。すなわち，XとA社の共通の意思は，甲地と乙地との交換することであると考えられる。確かに，契約は，2個の売買となっているが，当事者の共通の意思は，甲地と乙地の相互の取得であり，これを法的に評価すると交換契約に当たると考えられる。さらに，2個の売買契約が，それぞれ別個の売買契約であるとすると，売買②の売買代金額4億円が不自然であり，1審判決が判示するとおり，逆算したにすぎないと認められる。売買契約において，代金額は，要素の一つであるが，XもA社も共に売買②の4億円という代金額に対価的意義をもたせておらず，売買契約が成立しているとは認められない。そうすると，1審判決の判示するとおり，民法上も交換契約と認定すべきである。

1審判決は，このような認定の前提として，上記のとおり，「契約の真実の内容は，当該契約における当事者の合理的意思，経過，前提事情等を総合して解釈すべきものである。」としているが，これは，当事者の共通の意思を合理的に解釈すべきであるとする合理的主観主義の立場に立っていると考えられる。すなわち，1審判決は，契約書の「売買」との表示どおりとすると，売買価格が不合理であり，契約締結時における当事者の共通の意思に基づいて解釈しようとしたものと考えられる。すなわち，1審判決は，当事者の共通の意思は，土地甲と土地乙の相互取得であり，これが当事者の真意であるとして，契約の解釈を行ったものである。

なお，このような1審判決の認定は，租税法独自の認定ではなく，民法の一般的な契約解釈による認定である。筆者は，かつて，1審判決のように契約の法的性質を決定することにより租税回避を否認したのと同じ効果が生じる場合を「私法上の法律構成による否認」とネーミングして論じたが（注93），ここでいう「構成（construction）」というのは，「解釈（construe）」のことであり，あくまでも民法の一般的な解約解釈の方法であり，租税法独自の租税回避の否認ルールではない。本件は，譲渡所得の収入金額が問題とはなったが，Xが本件取引後に乙地に瑕疵があったということで，A社に対し，瑕疵担保責任（民法570条）を請

注93　初出・今村隆「租税回避行為の否認と契約解釈」税理42巻14号（平成12年）208頁，同・濫用法理54頁

求する場合に，Xが，乙地に瑕疵があったことを理由として，甲地の売買を解除したいとすると，Xは，2個の売買が真実は交換契約であると主張することとなる。このように2個の売買契約の法的評価は，XとA社との間での民事紛争でも問題となり得るのである。

(3)　控訴審判決の問題点

ア．処分証書の法理の意義

これに対し，控訴審判決は，当事者の選択した法形式と異なる契約を認定することは許されないとしているが，そもそも控訴審判決は，民事上の証拠法則である処分証書の法理をドグマ的に捉える考え方を前提にしている。すなわち，処分証書とは，意思表示その他の法律的行為が行われたことを示す文書のことであり，例えば，契約書，遺言書，手形，貨物引換証，解約通知書，判決書，行政処分の告知書などがこれに当たる。民事訴訟の事実認定においては，処分証書と作成者の見聞，判断，感想，記憶などが記載された文書である報告文書とを峻別する。なぜなら，処分証書の場合，当該文書が作成名義人によって作成されたことが認められるときには，その文書でなされている契約等の法律行為も真実なされているとの事実上の推定が生じるからである。これを「処分証書の法理」といい，民事訴訟法に明文はないものの，実務上広く受け入れられている法理である。

これは，契約など重要な内容が書かれている書面に真意に基づかずに署名や押印をするはずはないとの経験則に基づくものである。このように処分証書の法理を経験則に基づく単に事実上の推定と考えるのであれば問題はないのであるが，この法理をドグマ的に捉える考え方が古くからあった。すなわち，処分証書の場合，当該文書が作成名義人によって作成されたことが認められるときには，その文書でなされている契約等の法律行為も真実なされていると確定され，それに対する反証も許されず，裁判官がこの契約書に記載された契約と違う認定をすることは許されないとする考えである。しかし，このように処分証書の法理をドグマ的に考える根拠はなく，古い考え方といわざるを得ない。控訴審判決は，このような古い考え方を前提にして，1審判決が契約書の記載と異なる交換契約と認定するのは，明文規定によらない否認であるとしたものであり，相当でない。

イ．当事者の真意

また，控訴審判決は，「…むしろ税負担の軽減を図るという観点からして，本件譲渡資産及び本件取得資産の各別の売買契約とその各売買代金の相殺という法形式を採用することの方が望ましいと考えられたことが認められるのである」として，本件2個の売買契約が仮装でないとしているが，これも問題がある。すなわち，控訴審判決は，客観説の立場に立って，表示が2個の売買であることから内心の効果意思がこれと異なる場合に，仮装行為となるとの考えを前提にしているが，そもそも本件は，仮装行為の問題ではなく，表示を前提にはするものの，当事者の共通の意思から契約を法的に評価しようとする問題であり，問題が異なっている。

控訴審判決は，上記のとおり，「税負担の軽減を図るという観点からして」2個の売買契約の形式を採用したとし，故にこれが真意であるとするようであるが，これは，あくまでも2個の売買契約の形式を採用しようとすることについての合意すなわち表面的な「ラベルについての合意」にすぎず，当事者の共通の意思で問題とすべき合意とは異なるものである。

これらの理由から，筆者としては，現在でも，1審判決の立場が相当と考えている。

(4)　三越事件との比較

本件は，譲渡所得課税において所得税の負担を軽減しようとした租税回避であると考えることができる。金子教授によると，租税回避に2つの類型があり，その一つは，合理的または正当な理由がないのに，通常用いられない法形式を選択することによって，通常用いられる法形式に対応する課税要件の充足を免れ，もって税負担を減少させあるいは排除することと定義しているが(注94)，その典型例として，「三越事件」と呼ばれている東京高裁昭和47年4月25日判決（行集23巻4号238頁）の事案が挙げられている(注95)。本件の東京高裁判決も，本件を租税回避ととらえているが，上記金子教授の定義にも合致する事例である。そこで，本件を三越事件と比較してみることとする。

この三越事件の事案の概要は，下記のとおりである。

ア．事案の概要

Xは，土地の賃貸借に当たって権利金授受の慣行のある地域である都内中央区日本橋室町に甲地約80坪（取得費○○円）を所有していたが，隣接する土地でデパートを経営しているA社との間で，下図のように，権利金の収受せずに，その代わりに，下記のとおり，A社との間で，甲地に対する60年間の地上権設定契約と1億2,900万円の消費貸借契約を締結した。この地上権設定契約では，地代は1年間につき129万円とし，60年間値上げをしないとの合意をした。一方，この消費貸借契約では，利息は，年利1％すなわち129万円とし，弁済期を5年とするものの借主であるXの申し出により延長することが可能と合意し，さらに，上記地上権設定契約による1年分の地代129万円と上記消費貸借契約による1年分の利息129万円とを同額として相殺することを予約した。

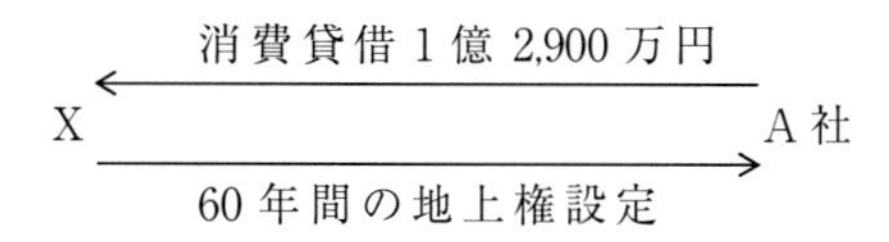

※1年間の利息129万円と地代129万円を相殺

（地上権設定契約証書）

A社とXとの間で，以下に定める条項のとおり地上権設定契約を締結する。

第1条　XはA社のためにその所有に属する甲地に地上権を設定する。

第2条　A社は甲地を堅固の建物所有のために使用する。

第3条　本件地上権の存続期間は本件契約締結の日より60年間とする。

第4条

1項　地代は1年間につき129万円とする。

2項　前項の地代は値上げをしない。

・・・

（消費貸借契約書）

A社とXとの間で，以下に定める条項のとおり消費貸借契約を締結する。

第1条　A社はXに1億2,900万円を貸し付けるものとし，Xは本日これを受領した。

第2条

1項　Xの消費貸借債務の弁済期は本契約締結後5年の満了日とする。

2項　前項の期限は，A社，Xいずれか一方の申出により延長することができる。

3項　前2項の期限は双方の利益のために存するものである。

第3条　XはA社に対し第1条の貸付金につき年129万円の割合による利息を支払うものとする。

この事案は，相続税の事案であり，Xが本件契約後9年目に亡くなり相続となったが，相続人が上記消費貸借契約による1億2,900万円

注94　金子・租税法第24版134頁
注95　金子・租税法第24版134頁

が債務として控除されると主張したのに対し，Ｙ税務署長は，①上記消費貸借契約がＸの申出によって返済期限を延長することとされている（上記消費貸借契約書２条２項参照）ことから，Ｘには返済の意思がなく，虚偽表示で無効であり，②仮に，消費貸借契約が有効であっても，上記消費貸借契約の利率は当時の通常の利率８％より低利であり，これにより，Ｘは，差額分の利息相当額を１年間で903万円（１億2,900万円×７％）を今後51年間受けるということで，これをＸとＡ社が契約を締結した時点での現在価値で評価すると，409万円と評価すべきであると計算して，更正処分をしたのである。

イ．判　旨

㋐　１審判決

１審の東京地裁昭和46年３月31日判決（判時638号63頁）は，上記アの①の主張については，「Ｙ税務署長は右契約内容が当時，契約当事者の置かれていた右経済的実情にそぐわないとし，それから推して，前記金銭の授受は当事者の真意においては地上権設定の対価たる趣旨であったのを，租税の負担を回避するため，消費貸借の目的たる趣旨に仮装したものであつて，これによる金銭消費貸借契約は通謀による虚偽表示である旨を主張するが，右認定の事実からしても，ＸとＡ社とは前記各契約によつて，それぞれ当時必要としていた財貨を取得するとともに，その約定によつて互いに過不足のない取引をなしたものと認めるに難くないから，Ｙ主張のような前提から契約当事者の真意を疑うのは当らない。」として，虚偽表示ではないとしたものの，Ｙ税務署長の上記アの②の主張をいれて請求を棄却した。

㋑　控訴審判決

控訴審の上記東京高裁昭和47年４月25日判決も，上記アの①の主張については，「もつとも，右契約内容の経済的効果を達成するためには通常Ｙが主張するような取引形式を選択することが多いであろうから，ＸがＡ社との間に前記認定のような内容の契約を締結したのはいささか異状であつて，そこに何らかの，おそらくは租税（当時の不動産所得税）負担の回避ないし軽減の意図がうかがえないでもない。はたして然らば右は一種の租税回避行為というべきであるが，同族会社の行為計算の否認（法人税法132条，所得税法157条，相続税法64条）のほか一般的に租税回避の否認を認める規定のないわが税法においては，租税法律主義の原則から右租税回避行為を否認して，通常の取引行為を選択しこれに課税することは許されないところというべきである。」（下線筆者）としたのである。

ウ．検　討

㋐　当事者の共通の意思

この三越事件について，Ｘに譲渡所得課税がなされるべきかとの問題としてとらえると，消費貸借契約が無効でＸが受領した現金１億2,900万円を返さないでいいと考えると，この１億2,900万円は，譲渡代金ということになり，地上権の設定契約としているのも虚偽表示で，真実は売買契約であるということになるのである[注96]。すなわち，前記第１の２の譲渡所得課税の要件でいうと，有償譲渡の場合の「譲渡」がなされているか否かの問題である。この事件では，Ｘが受け取った現金１億2,900万円は，60年後に真実返済すべきであるとされているかの当事者の真意の認定の問題である。

確かに，Ｘは，本件契約時点で，差額分の利息相当額１年間で903万円（１億2,900万円×

注96　１審において，Ｙ税務署長は，消費貸借契約が虚偽表示で無効であり，その結果，Ｘが受け取った１億2,900万円は，地上権設定の対価であると主張している。しかしながら，１億2,900万円は，甲地の時価であり，所有権譲渡の対価であると考える方が事実関係にあっている。本件では，地上権設定の対価であるとすると議論が混乱するので，所有権譲渡の対価であるとして検討することとする。

7％）で，これを今後60年間受けるということで，これをXとA社が契約を締結した時点での現在価値で評価すると，903万円×Σ1／$(1+0.07)^n$で，Σ1／$(1+0.07)^n$をnを1から60で計算すると，14.03となるので，合計で1億2,677万円の経済的利益を受けていることになる。そこで，消費貸借契約を締結しているとはいっても，60年後に返済しなければならないとされる1億2,900万円を，60年間で予め経済的利益として享受することとなるので，実質的には，借りていないのと同じではないかが問題となる。

しかし，筆者は，この三越事件では，経済的にみると，返済以前に同額の経済的利益を受けているため，返済しなくてもいいのと実質的には同じことにはなるものの，あくまでも経済実質においてそういえるだけであり，法的には，60年後の返済債務が消えるわけではない。もっとも，この点は両当事者が60年後にどうするつもりであったかの共通の意思が明確ではない。そのような意味から返済する意思がなかったとの認定は無理であり，消費貸借契約を虚偽表示であるとするのは難しいと考える。

一方，売買か交換が問題となった東京高裁平成11年6月21日判決は，譲渡所得における「収入」が何かが問題となった事案であり，この点が異なるのはいうまでもないが，さらに，法的には，売買とも交換とも考えることができる事案において，売買契約書における譲渡代金額が対価的意義を有するものとして真に合意されて否かの問題であり，売買契約書という処分証書でなされていたとしても，交換契約との認定・評価が可能な事案であり，三越事件とは異なっていると考える。

(イ) 上告審判決

ところで，三越事件の上告審の最高裁昭和49年9月20日判決（民集28巻6号1178頁）は，相続税における弁済期未到来の確定金銭債務の評価方法につき，「その債務につき通常の利率による利息の定めがあるときは，その相続人は，弁済期が到来するまでの間，通常の利率による利息額相当の経済的利益を享受する反面，これと同額の利息を債権者に支払わなければならない」ないから，「債務の元本金額をそのまま相続開始の時における控除債務の額と評価して妨げない」が，「約定利率が通常の利率より低い場合には，相続人において，通常の利率による利息と約定利率による利息との差額に相当する経済的利益を弁済期が到来するまで毎年留保しうることとなるから，当該債務は，右留保される毎年の経済的利益の現在価値の総額だけその消極的価値を減じているものというべきであり，したがって，このような債務を評価するときは，右留保される毎年の経済的利益について，通常の利率により弁済期までの中間利息を控除して得られたその現在価額（なお，右中間利息は複利によって計算するのが経済の実情に合致する。）を元本金額から差し引いた金額をもって相続開始の時における控除債務の額とするのが，相当である。」として，前記イの1審判決や控訴審判決が是認した計算方法が誤りであるとして，破棄差戻しとした。

すなわち，本件債務の金利が1％と，通常の金利より7％低利であることから，Xは，差額分の利息相当額1年間903万円（1億2,900万円×7％）を受けるが，Xが死亡した時点では，51年その経済的利益を受けることとなるが，これを現在価値に評価すると，903万円×Σ1／$(1+0.07)^n$で，Σ1／$(1+0.07)^n$をnを1から51で計算すると，13.83となるので，1億1,064万円の経済的利益を受けていることになり，この金額を元本金額1億2,900万円から差し引くと，1,835万3,365万円となるとし（注97），なお

注97 本件債務の現在価値の評価について，その額面額を減額する根拠は，被相続人を基準とすれば，本文で引用している最高裁判決のような通常金利と約定利息との差額に相当する経済的利益が生ずるとの見解も成り立つが，相続人は当該債務を否応なしに承継しているのであり，被相続人の経済的立場まで引き継いだわけではないのであるから，額面額よりも少ない金額を相続財産から留保し，それを弁済期まで適切に運用すれば，弁済期に債務

本件債務の評価について審理を尽くすべきであるとして，破棄差戻しとした。

第3　さいたま地裁平成16年4月14日判決

1　保証債務を履行するための資産の譲渡の特例

さいたま地裁平成16年4月14日判決（判タ1204号299頁）は，所得税法64条2項の保証債務を履行するための資産譲渡の特例が適用されるか否かが問題となった事件である。そこで，まず，この特例規定について検討することとする。

所得税法64条2項は，「保証債務を履行するための資産（…）の譲渡（…）があった場合において，その履行に伴う求償権の全部又は一部を行使することができないこととなったときは，その行使することができないこととなった金額（…）を前項に規定する回収することができないこととなった金額とみなして，同項の規定を適用する。」（下線筆者）と規定している。

このように所得税法64条2項が求償不能の場合に収入がなかったものとみなすとしているのは，法的には所得が生じているものの経済的に所得は生じていないのと同じであるから，課税の対象から除外するのが公平の観点から必要であること，また，事業所得の計算において，回収不能の売掛金債権や貸付金債権は貸倒損失として控除されることになっているから，事業所得との間の公平の維持との理由によるものである（注98）。

所得税法64条2項から，この特例を受けるための要件は，①債権者に対して債務者の債務を保証したこと，②保証債務を履行するために資産を譲渡したこと，③資産の譲渡の対価をもって，保証債務を履行したこと，④履行に伴う求償権の全部又は一部を行使することができないこととなったことであることが読み取れる。

上記さいたま地裁判決では，このうち②と④の要件への該当性が問題となった。

2　事案の概要

（事例14）

Xは，サウナ等の事業を行っているA社の代表取締役であるが，下図のとおり，A社において，B銀行等から借入れをするに当たり，平成8年12月26日，連帯保証をしたが，この保証債務を履行するため，平成9年1月24日，自己の所有する甲地をCに売却し，その履行に当てた。

この場合，Xは，甲地の譲渡所得について，A社に対する求償が不能であるとして，所得税法64条2項を適用して，譲渡所得課税を免れることができるか。

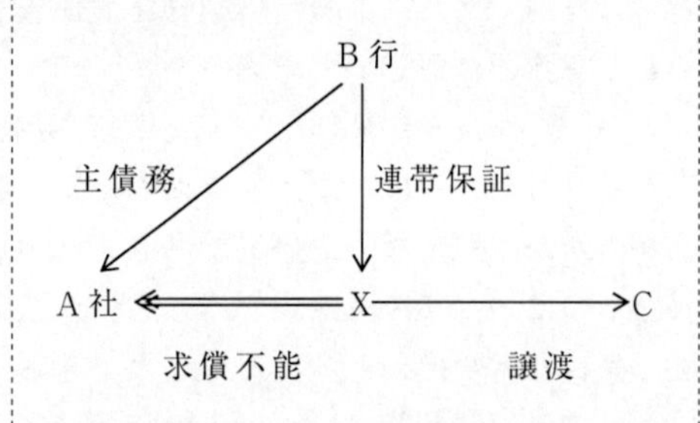

※事実関係は，実際の事案を少し単純化している。

3　判　旨

上記さいたま地裁判決は，まず「所得税法64

を完済するのに十分な金額に達し得るとの点に求めるべきであるとして，運用益の観念によって評価すべきであり，また，その評価に当たっては，運用益に対する所得税負担を考慮に入れるべきであるとする見解（金子宏「相続税の課税価格の算出上控除すべき弁済期未到来の金銭債務の評価方法」法学協会雑誌95巻8号（昭和53年）1412頁）もある。実に緻密な見解であり敬服するが，このような運用益は，相続人の個別の事情によっても左右されるもので，実際上は算出が困難であり，その意味で本文で引用した最高裁判決の見解を支持せざるを得ないと考える。

注98　金子宏・前掲日税研論集50号16頁

条２項に定める保証債務の特例の適用を受けるためには，実体的要件として，納税者が(ア)債権者に対して債務者の債務を保証したこと，(イ)上記(ア)の保証債務を履行するために資産を譲渡したこと，(ウ)上記(ア)の保証債務を履行したこと，(エ)上記(ウ)の履行に伴う求償権の全部又は一部を行使することができないこととなったことが必要であり，かつこれで足りるものであって，それ以上に債権者の請求があったことや主債務の期限到来が要求されているとは解し得ない（…）。」（下線筆者）と判示した。

(1) 「保証債務を履行するために」

そして，Ｙが，上記特例が適用されるためには，当該資産の譲渡が，保証債務を履行するために余儀なくされたためやむにやまれず行われたことを要するが，①弁済資産の譲渡の主債務の弁済期の到来前に行われ，債権者からも請求されていないのに行われたもので，やむにやまれぬ保証債務の弁済のための資産の売却とはいえない，②保証契約の締結時に求償権の行使が不可能であることを認識していた場合には，保証人から本人への一方的な利益供与ないし贈与に当たり本条への適用はないと解されているところ，その基準時は借換えがあった場合でも具体的な弁済対象となった保証債務の締結時であり，本件ではＸの保証債務の締結時に求償権行使が不可能であることの認識があったなどと主張したのに対し，上記①のＹの主張については，「所得税法64条2項の適用について，主債務について期限が到来しあるいは遅滞に陥っていなければならないとするのは，所得税法64条２項の条文にも判例通達にも見当たらない要件である」とした。

(2) 「求償権の全部又は一部を行使することができないこととなったとき」

さらに，上記さいたま地裁判決は，上記②のＹの主張については，「所得税法64条２項の趣旨は，保証債務を履行するため資産の譲渡があった場合において，求償権の行使が不可能となったときは，所得の計算上，求償不能になった金額は存在しなかったものとみなして，課税上の救済を図るというものであると解される。そこで，主債務者に資力がないため求償権の行使がそもそも不可能であることを知りながらあえて保証をした場合には，最初から主債務者に対する求償を前提としていないものであり，むしろ保証人において主債務者の債務を引き受けたか，又は主債務者に対し贈与をした場合と実質的に同視できるのであるから，同項にいう『求償権の全部又は一部を行使することができないこととなったとき』との要件を欠くものと解するのが相当である。」としたものの，「金銭消費貸借契約において，弁済期や月々の分割金の支払額を変更するため，新たな契約を締結する方法（いわゆる借換え）が採られることがあるが，かかる借換えがなされた場合，旧契約締結当時の主債務者の資力と，借換時の主債務者の資力に変動があることが十分あり得る。そして，借換時に，保証人は，保証債務の負担を自由に免れることができるものではなく，保証人は従属的な地位に置かれているのが通常であるから，借換時において，保証人が主債務者に資力がなく，主債務者に対する求償権の行使が不可能であると認識していた場合であっても，旧契約締結時において，保証人が，求償権の行使も可能であると認識していた場合については，所得税法64条２項の適用はあると解するのが相当である（…）。」（下線筆者）として，本件について，所得税法64条２項が適用されるとした。

4 検 討

(1) 要件事実

本件の要件事実は，次のとおりとなる。

Kg

①Ｙ税務署長が，H11．8．2，Ｘに対し，平成9年分の所得税につき納付税額○○円の更正処分をした。	○
②この更正処分が違法である。	争う

↑

E（譲渡所得）

①Xは，H9.1.24，Xの所有する甲地をCに売り，同年5.19，登記を移転した。（資産，譲渡）	○
②Xは，H9.1.24，手付金 2,200 万円，同年 5．19，残金2億687万円をCから受け取った。（収入）	○
③Xは，甲地を○○円で取得した。（取得価額）	○

↑

R（保証債務の履行）

①Xは，H8.12.26，A社において，1億3,000 万円をB行から借り入れるに当たり，同行に対し連帯保証をした。（保証債務）	○
②XがE①の売買をしたのは，上記①の保証債務の履行のためであった。（履行のための譲渡）	×
③Xは，H9.5.19，E②の売買代金からB行に 1 億 3,000 万円に利息を付して弁済した。（履行）	○
④Xは，同社がH9.1半ばころ，事業継続が不可能となったため，求償することができない。（求償不能）	×

↑

D（悪意）

Xは，E ①の保証をした際，A社の事業継続を既に断念しているのであり，求償できないことを知って保証をした。（保証債務）	×

※本ダイアグラムは，判決文から事実を補って記載した(注99)，(注100)。

本件では，Y税務署長は，再抗弁の②については，当該資産の譲渡が，単に「保証債務を履行するために」行われただけでは足りず，「保証債務を履行するために余儀なくされたためやむにやまれず行われたこと」を要すると限定解釈すべきであると主張したのに対し，上記さいたま地裁判決は，このような限定解釈は許されないとし，再抗弁の悪意の主張については，Xは，求償できないことを知って保証したとは認められないとして否定し，Xを勝訴させたものである。

なお，再抗弁①は，保証債務の主張であるが，平成16年の民法改正で，保証契約は書面によらなければ効力が生じないとされているが（同法446条2項，3項），本件は，この改正前の事件である。

⑵　保証債務についての特例規定の限定解釈の可否

前記1でも検討したとおり，所得税法64条2項は，「保証債務を履行するための資産（…）の譲渡（…）があった場合において，その履行に伴う求償権の全部又は一部を行使することができないこととなったときは」と規定しており，ここから「保証債務を履行するため」と「求償権の全部又は一部を行使することができないこととなったとき」が要件であることは読み取れるが，これらの要件を限定解釈することができ

注99　伊藤滋夫教授も，本件についてほぼ同様の整理をする（同「民事事件・租税事件の判決を読む（下）」税経通信2009年8月号30頁）。本件についての伊藤教授の整理に基本的には賛成であるが，課税庁の抗弁を「本件処分の適法性の評価根拠事実」とし，Xの主張を「本件処分の適法性の評価障害事実」としている点には異論がある。伊藤教授は，更正処分の取消訴訟の訴訟物が更正処分の違法性一般とされ，請求原因として，①更正処分の存在，②この更正処分が違法であることとされているところから，被告課税庁の抗弁は，この更正処分が違法でないことすなわち適法であることであり，課税庁の抗弁はすべてこの適法性の評価根拠事実であるとするものと思われる。しかしながら，訴訟物が違法性一般といっても，規範的要件という意味ではなく，観念的には，更正処分を適法とならしめる事実及び違法となるしめる事実がすべて取消訴訟の対象となっているとの意味であり，更正処分の違法性や適法性そのものが要件となっているとの意味ではなく，第1編・第2章・第2節の第3の1（27頁）で論じたとおり，個々の取引を発生又は消滅させる事実が主要事実となると考える。

注100　大江忠教授も，所得税法64条2項の適用について同様の整理をする（同『要件事実租税法（上）』（第一法規，平成16年）326頁以下）。大江教授も，求償不能であることを知って保証債務をしたことを「悪意の再々抗弁」として整理している。

るかが問題となる。

上記さいたま地裁判決は，前記3「判旨」のとおり，「保証債務を履行するため」については限定解釈は許されず，「求償権の全部又は一部を行使することができないこととなったとき」については，「求償不能であることを知って保証債務を負ったとき」は含まれないと限定解釈することが許されるとしたものである。

上記さいたま地裁判決は，このように同一の規定の要件のうち一方には限定解釈が許されず，もう一方には許されるとしたものであるが，そもそも課税要件について限定解釈が許されるか否かは，租税法律主義の枠内において，立法趣旨による限定解釈が許されるかの問題である。

ア．「保証債務を履行するため」

まず，「保証債務を履行するため」の限定解釈については，Y税務署長は，前記3「判旨」のとおり，当該資産の譲渡が保証債務を履行するためにやむにやまれず行われたことを要する旨主張するものであるが，上記さいたま地裁判決が判断するところであるが，保証人は主債務の弁済期の前後を問わず弁済でき，弁済したときは求償権が発生するのであり（民法459条），保証人が債務者と歩調を合わせて期限の利益を放棄することも許されていることから，このような限定を付すことは確かに問題であろう。

イ．「求償権の全部又は一部を行使することができないこととなったとき」

一方で，「求償権の全部又は一部を行使することができないこととなったとき」の限定解釈は，「求償不能であることを知って保証債務を負ったとき」は，上記さいため地裁判決が，前記3「判旨」で判示するとおり，「保証人において主債務者の債務を引き受けたか，又は主債務者に対し贈与をした場合と実質的に同視できる」のであるから，このような限定解釈は許されると考える（注101）。

なお，前記3「判旨」(2)のとおり，上記さいたま地裁判決は，「贈与をした場合と実質的に同視できる」と判示しているが，贈与契約であると認定しているのではなく，求償不能であることを認識して保証をした行為が「求償権の全部又は一部を行使することができないこととなったとき」に当たらない理由としてそのように判示しているだけであり，前記(1)のブロック・ダイアグラムのとおり，あくまでも求償不能であることを認識しているか否かが要件となるのである。

(3)　立証責任の所在

本件において，前記(1)のブロック・ダイアグラムにおいては，所得税法64条2項の保証債務の特例を納税者側に立証責任のある再抗弁とした。これは，同項の法的効果が譲渡収入がなかったものと「みなす」ということであり，同特例が譲渡所得の発生要件に対する障害要件となると考えられるからである。

第4　最高裁令和2年3月24日判決

1　取引相場のない株式の意義

取引相場のない株式とは，財産評価基本通達（以下「評価通達」という。）上の区分であり，上場株式及び気配相場等のある株式以外の株式のことである。取引相場のない株式の「時価」は，所得税法59条1項だけではなく，相続税法22条，7条及び法人税法22条2項，33条2項などの適用に当たっても問題となる。しかしながら，「時価」の算定には困難も伴うことから，国税庁は，特に相続税と贈与税における財産評価について，評価通達において，課税方針や評価方法を明らかにし，実際の評価もこれにより行われている。

注101　札幌高判平6・1・27判タ861号229頁，金子・租税法第24版269頁も同旨である。

このような評価通達は，本来は相続税や贈与税における「時価」の評価を定めたものであるが，取引相場のない株式を譲渡した場合の所得税法59条１項２号の低額譲渡に当たるか否かが問題とされるようになり，平成12年12月に，所得税基本通達59－６（以下「本件通達」という。）が新設された。一方，取引相場のない株式は，議決権を有する株式の保有数によって，当該会社の支配株に当たる場合と，単に配当を期待する場合とで，「時価」が異なると考えられる。このような取引相場のない株式の「時価」の特性を「時価の相対性」―同一時点であっても保有者の保有株数により「時価」が異なること―と表現すると(注102)，このような取引相場のない株式において，例えば，支配株に相当する株式を保有する個人が，その保有する株式の一部（支配株の株式数には達しない。）を法人に譲渡した場合，その譲渡の「時価」を支配株としての「時価」と考えるか，配当を期待しているにすぎない場合の「時価」と考えるかが問題となる。そこで，本件通達は，評価通達の評価の時点を譲渡直前の時点に読み替えて，「譲渡直前の株式保有数」で判定する旨定めたのである

ところが，平成12年12月に新設された本件通達には，文言上不備があり，同族株主以外の株主等が取得した時点での株式の算定方法を定めた評価通達188を譲渡直前の時点に読み替えるに当たり，「同族株主のいる会社」(注103)であるのかそのような株主のいない会社であるのかの会社区分について読み替える旨規定されていたものの，議決権割合の合計額が15％以上のグループに属する株主であるかなどの株主区分については読み替える旨明確に規定されていなかったのである。そのため，後記最高裁令和２年３月24日判決の事案でこの点が争われることとなったのである。

2　事案の概要

最高裁令和２年３月24日判決（判時2467号３頁）は，取引相場のない株式の譲渡がなされ，本件通達の意義や合理性が問題となった事案である。事案の概要は，次のとおりである。

（事例15）

Ｘが，甲社の発行済総株式920万株のうち15.88％に相当する146万700株を所有していたが，下図のとおり，平成19年８月１日，Ａ社に対し，そのうち7.88％に相当する72万5000株（以下「本件株式」という。）を1株当たり75円，総額5437万5000円で売却して（以下「本件譲渡」という。），これに基づく所得税の申告をした。

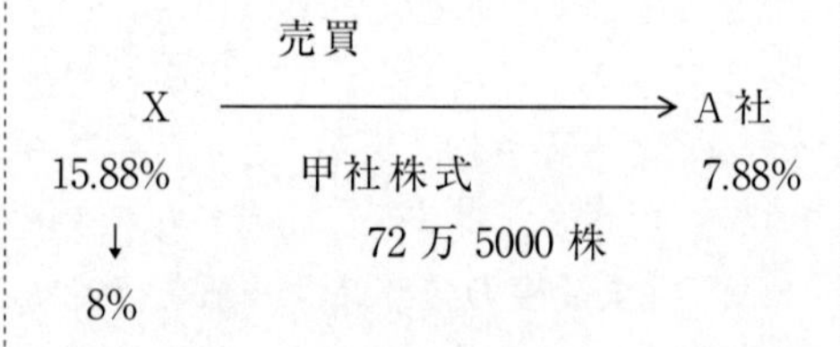

これに対し，Ｙ税務署長において，平成22年４月21日，本件株式に所得税法59条１項２号を適用するに当たり，所得税

注102　取引相場のない株式についての価格の相対性については，渋谷雅弘「相続税における財産評価の法的問題」『金子宏先生古希祝賀上巻』（有斐閣，平成12年）701頁が認め，金子名誉教授も賛成している（金子宏『租税法理論の形成と解明下巻』（有斐閣，平成22年）351頁）。

注103　ここで「同族株主」というのは，株主1人及びその同族関係者の有する当該会社の議決権総数の30％以上である場合におけるその株主及び同族関係者であり（財産評価基本通達188⑴），支配株か否かであることに着目した概念である。したがって，「同族株主のいる会社」というのは，法人税法２条10号の「同族会社」とは異なる概念である。

基本通達59-6⑴に基づき，Xの譲渡直前に保有する株式の数で判定すべきであるとし，甲社の株式が，譲渡制限付き株式であって，評価通達上の「取引相場のない株式」に当たり，また，同通達上，甲社が「同族株主のいない会社」であることから，同通達の適用上，Xによる本件株式の譲渡の価額は，原則的評価方式（類似業種比準価額）で算定すべきであるとして，1株当たり2505円，総額18億1612万5000円で評価すべきとして更正処分（以下「本件更正処分」という。）をした。

この場合のXの譲渡所得の計算に当たり，本件株式の価額を原則的評価方式で算定すべきか，配当還元方式で算定すべきか。

※事実関係は，実際の事案を少し単純化している。

本件は，上記Xに対する所得税に加え，Xが本件譲渡後に保有していた甲社株式（8％）の相続税も問題となっている。Xの相続時点では，X及びその同族関係者の有する株式数が14.9％であり，Xが議決権割合の合計が15％未満のグループに属する株主となっていたが，Y税務署長は，評価通達6により，通達により難い特別の事情があるとして，原則的評価方式で算定して，Xの相続人に対し相続税の更正処分をした。

この相続税の更正処分も所得税についての本件更正処分と併せて争われ，上記所得税の事案の1審判決である東京地裁平成29年8月30日判決（訟月報66巻12号1945頁）と同一の裁判部によって同じ日に判決がなされ（東京地判平29・8・30判タ1464号106頁），通達どおり配当還元方式で算定すべきとして，相続税の更正処分が違法とされ，1審で確定した。

このように本件は，Xの相続税を軽減するためにX及びその同族関係者に協力的なA社にXの有している株式の一部を売却し，後者に対する支配関係を事実上維持したままXの相続税を軽減するためになされたことがうかがえる。相続税については，事実認定の問題であり1審で確定したものの，所得税については，所得税59条1項2号や本件通達の合理性といった法律的な問題であり最高裁まで争われたのである。

3 判旨

⑴ 1審判決

1審の東京地裁平成29年8月30日判決（訟月66巻12号1945頁）は，譲渡所得に対する課税が譲渡人に対するキャピタル・ゲインの清算であるとし，そのような課税の趣旨からすれば，所得税法59条1項2号の低額譲渡の判定における当該資産の価額は，譲渡直前における譲渡人にとっての価値で評価するのが相当であるとし，評価通達188の⑴～⑷の定めを取引相場のない株式の譲渡に係る譲渡所得の収入金額の計算上当該株式のその譲渡の時における価額の算定に適用する場合には，「各定め中『(株主の）取得した株式』とあるのを『(株主の）有していた株式で譲渡に供されたもの』と読み替えるのが相当であり，また，各定め中のそれぞれの議決権の数も当該株式の譲渡直前の議決権の数によることが相当であると解される。」とした上，本件通達は，「上記の趣旨を『同族株主』の判定について確認的に規定したものであり，上記の読替え等をした上で評価通達188の⑴～⑷の定めを適用すべきであることを当然の前提とするものと解されるから，この規定もまた一般的な合理性を有すると認められる。」（下線筆者）として，本件更正処分を適法とした。

すなわち，1審判決は，評価通達188の⑴～⑷の定めを読み替えるに当たっては，本来会社区分だけではなく株主区分も読み替えるのが相当であるとし，本件通達の文言上の不備については善解してこの理を確認したものにすぎないとしたのである。

⑵　**控訴審判決**

一方，控訴審の東京高裁平成30年７月19日判決（訟月66巻12号1976頁）は，１審判決が判示していた上記読替えを問題とし，「…租税法規の解釈は原則として文理解釈によるべきであり，みだりに拡張解釈や類推解釈を行うことは許されないと解されるところ，所得税基本通達及び評価通達は租税法規そのものではないものの，課税庁による租税法規の解釈適用の統一に極めて重要な役割を果たしており，一般にも公開されて納税者が具体的な取引等について検討する際の指針となっていることからすれば，課税に関する納税者の信頼及び予見可能性を確保する見地から，上記各通達の意味内容についてもその文理に忠実に解釈するのが相当であり，通達の文言を殊更に読み替えて異なる内容のものとして適用することは許されないというべきである。」（下線筆者）として，上記のような読み替えをみだりに行うべきでないとし，本件通達については，文言どおり，株主区分については，「その文言どおり，株式の取得者の取得後の議決権割合により判定されるものと解するのが相当である」として，本件更正処分を違法とした。

⑶　**最高裁判決**

これに対し，上記最高裁判決は，「譲渡所得に対する課税は，資産の値上がりによりその資産の所有者に帰属する増加益を所得として，その資産が所有者の支配を離れて他に移転するのを機会に，これを清算して課税する趣旨のものである（…）。すなわち，譲渡所得に対する課税においては，資産の譲渡は課税の機会にすぎず，その時点において所有者である譲渡人の下に生じている増加益に対して課税されることとなるところ，所得税法59条１項は，同項各号に掲げる事由により譲渡所得の基因となる資産の移転があった場合に当該資産についてその時点において生じている増加益の全部又は一部に対して課税できなくなる事態を防止するため，『その時における価額』に相当する金額により資産の譲渡があったものとみなすこととしたものと解される。」とし，「所得税法59条１項所定の『その時における価額』につき，所得税基本通達59-６は，譲渡所得の基因となった資産が取引相場のない株式である場合には，同通達59-６⑴～⑷によることを条件に評価通達の例により算定した価額とする旨を定める。評価通達は，相続税及び贈与税の課税における財産の評価に関するものであるところ，取引相場のない株式の評価方法について，原則的な評価方法を定める一方，事業経営への影響の少ない同族株主の一部や従業員株主等においては，会社への支配力が乏しく，単に配当を期待するにとどまるという実情があることから，評価手続の簡便性をも考慮して，このような少数株主が取得した株式については，例外的に配当還元方式によるものとする。そして，評価通達は，株式を取得した株主の議決権の割合により配当還元方式を用いるか否かを判定するものとするが，これは，相続税や贈与税は，相続等により財産を取得した者に対し，取得した財産の価額を課税価格として課されるものであることから，株式を取得した株主の会社への支配力に着目したものということができる。」とした上，「これに対し，本件のような株式の譲渡に係る譲渡所得に対する課税においては，当該譲渡における譲受人の会社への支配力の程度は，譲渡人の下に生じている増加益の額に影響を及ぼすものではないのであって，前記の譲渡所得に対する課税の趣旨に照らせば，譲渡人の会社への支配力の程度に応じた評価方法を用いるべきものと解される。そうすると，譲渡所得に対する課税の場面においては，相続税や贈与税の課税の場面を前提とする評価通達の前記の定めをそのまま用いることはできず，所得税法の趣旨に則し，その差異に応じた取扱いがされるべきである。所得税基本通達59-６は，取引相場のない株式の評価につき，少数株主に該当するか否かの判断の前提となる『同族株主』に該当するかどうかは株式を譲渡又は贈与した個人の当該譲渡又は贈与直前の議決権の数により判定すること等を条件に，評価通達の例により算定した価額とする旨を定めているところ，この定めは，上記のとおり，譲渡所得に対する課税と相続税等との性質の差異に応じた取扱いをすることとし，少数株主に該当するか否かについても当該株式を譲渡した株主について判断すべきことをいう趣旨のものということができる。」（下線筆者）とし，「原審は，本件株式の譲受人であるＡ社が評価通達188⑶の少数株主に該当することを理由として，本件株式につき配当還元方式により算定した額が本件株式譲渡の時における価額であるとしたものであり，この原審の判断には，所得税法59条１項の解釈適用を誤った違法がある。」とし，本件株式譲渡の時における本件株式の価額等について更に審理を尽くさせるために原審に差し戻した。

なお，差戻審の東京高裁令和３年５月20日判決（税資271号順号13564）は，Ｘの承継人が主張した鑑定による価額を信用しがたいとして，所得税基本通達59-６の原則的評価方式により算定すべきとして，本件更正処分を適法とした。

４　検討

⑴　要件事実

税務署長が，所得税法59条１項の「その時における価額」について本件通達に基づき主張立証していることから，本件の要件事実は，次のとおりとなる。

Ｋｇ

①Y税務署長が，H22.4.21，Xに対し，平成19年分の所得税につき納付税額△△円の更正処分をした。	○
②この更正処分は違法である。	争う

Ｅ（譲渡所得）

（資産，譲渡） ①Xは，H19.8.1，その所有する甲社株式のうち72万5000株をA社に5437万5000円で売却し，同日名義変更した。	○
（時価の2分の1未満の譲渡） ②本件通達は，取引相場のない株式の譲渡について，会社区分や株主区分に応じて，譲渡直前の議決権の数で判定するとしているが，この通達は，合理的である（一般的合理性）。	×
③甲社は，本件通達に基づくと，同族株主のいない会社（会社区分）であり，甲社には，議決権割合が15％を以上のグループがいて，Xは，そのグループに属する甲社の役員であることから，譲渡直前の時価は，18億1612万5000円であり，本件売買は，時価の2分の1未満の対価による譲渡であった（基準適合性，2分の1未満の譲渡）。	×
（取得費） ④Ｘの取得価額が○○円であった。	○

低額譲渡の場合の要件事実は，第1の2のとおり，売買金額が時価の２分の１未満であることであるが，Ｙ税務署長は，その時価を評価通達188を借用する本件通達に基づき主張していることからその合理性を主張・立証することとなる。

⑵　所得税法59条１項「その時における価額」の意義

上記最高裁判決は，前記３「判旨」⑶のとおり，所得税法59条１項が資産の譲渡人のキャピタル・ゲインに対する清算課税であることから，本件譲渡における譲渡人の有するキャピタル・ゲインの価格を算定すべきとの観点で評価している。

しかし，一般には，所得税59条１項「その時における価額」とは，時価を意味していて，評価通達１⑵が規定しているところであるが，「不特定多数の当事者間で自由な取引が行われる場合に通常成立すると認められる価額」をいうと考えられている。この点，控訴審判決も所得税法59条1項「その時における価額」とは，時価を意味するとしているが，さらにこれを推し進めて，「譲渡人が会社支配権を有する多数の株式を保有する場合には，当該株式は議決権行使に係る経営的支配関係を前提とした経済的価値を有するものと評価され得る一方，当該株式が分割して譲渡され，譲受人が支配権を有しない少数の株式を保有するにとどまる場合には，当該株式は配当への期待に基づく経済的価値を有するにすぎないものとして評価されることとなるから，その間の自由な取引において成立すると認められる価額は，譲渡人が譲渡前に有していた支配関係によって決定されるのか，譲渡後に譲受人が取得することになった支配関係のどちらかで決定されるのかは一概に決定することはできず，双方の会社支配の程度によって結論を異にする事柄であるというべきである。」（下線筆者）と判示している。これに対し，上記最高裁判決は，「これに対し，本件のような株式の譲渡に係る譲渡所得に対する課税においては，当該譲渡における譲受人の会社への支配力の程度は，譲渡人の下に生じている増加益の額に影響を及ぼすものではない」（下線筆者）と判示し，控訴審の判断を否定している。上記最高裁判決が，所得税法59条１項「その時における価額」について，時価を意味するとはせずに，あくまでもキャピタル・ゲインに対する清算課税を強調したのは，時価を意味するとすると，原審のような考え方につながるおそれがあるからと考えられる。

⑶　所得税基本通達59-６の合理性

本件通達は，上記最高裁判決の判示するとおり，取引相場のない株式の場合，支配株であるかそうでないかにより算定方法を区分し，譲渡直前の譲渡人のキャピタル・ゲインを算定しようとするものであり，所得税法59条1項の趣旨にかなうものであり，これを取引相場のない株式の特性に応じて確認したにすぎず，合理的なものである（注104）。

しかし，前記1のとおり，本件通達は，株主区分についても譲渡直前の株式数で読み替える点が明確ではなかった。控訴審判決は，前記３「判旨」⑵のとおり，この点を問題としたものであるが，通達にもあたかも租税法律主義が妥当するような判示をしたのは勇み足であり，賛成はできない。

なお，所得税基本通達59-６の令和２年８月28日付け改正で財産評価通達188の読み替えに当たり，会社区分だけではなく株主区分についても読み替える旨明確にされている。

⑷　関連問題

本件で，本件株式譲渡によるＡ社に対する法人税の課税が問題となる。本件に先行する裁判例である東京地裁平成25年10月22日判決（税資263号順号12315）の事案においては，譲受人に対する法人税も問題となり，関連事件の東京地裁平成26年５月28日判決（税資264号順号12479）において，いわゆるダブル・パンチということ法人にも課税されている（注105）。上記最高裁判決は，あくまでも譲渡人の会社に対する支配の程度に着目したのであり，その考え方を推し進めると，譲受人の法人の場合には，法人の譲受け前の株式の保有状況が問題となり，譲り受けによって会社を支配する程度に達するのであれば，原則的評価方式で算定するが，本

注104　本件通達は，評価通達188を借用した解釈通達であり，所得税法59条１項との適合性で判断されるべきであると考えられる（加藤友佳「租税法における通達解釈と裁判規範性」税大ジャーナル34号37頁。

注105　これらの判決については，今村隆「取引相場のない株式と所得税法59条１項の『時価』」月刊税務事例47巻５号（財経詳報社，平成27年）40頁を参照されたい。

件ではA社は本件譲受前には甲社株を保有していないことから配当還元方式で算定するということになると考えられる。

しかし，そうだとすると，本件譲渡において，売買の価格が譲渡人であるXと譲受人であるA社との間で異なることとなる。一つの売買で売主と買主との価格が一致しないことが不合理であると考えると，あくまでも両者共通の「時価」ということで統一的に考えていかなければならないこととなる(注106)。取引相場のない株式においては，その保有株式数が会社を支配する程度か否かにより大きく異なるとの特性を有していることから，このような特性を強調すると売主と買主とで時価が異なってもやむを得ないこととなろう。いずれにしろ，この点については，上記最高裁判決は慎重に判断を避けており，今後の検討が必要となろう。

第4節　一時所得

第1　一時所得の意義と要件

1　一時所得の意義

一時所得とは，利子所得，配当所得，不動産所得，事業所得，給与所得，退職所得，山林所得及び譲渡所得以外の所得で，「営利を目的とする継続的行為から生じた所得以外の一時の所得で労務その他の役務又は資産の譲渡の対価としての性質を有しないもの」である（所税34条1項)。

以上を図示すると，次図のとおりとなる。

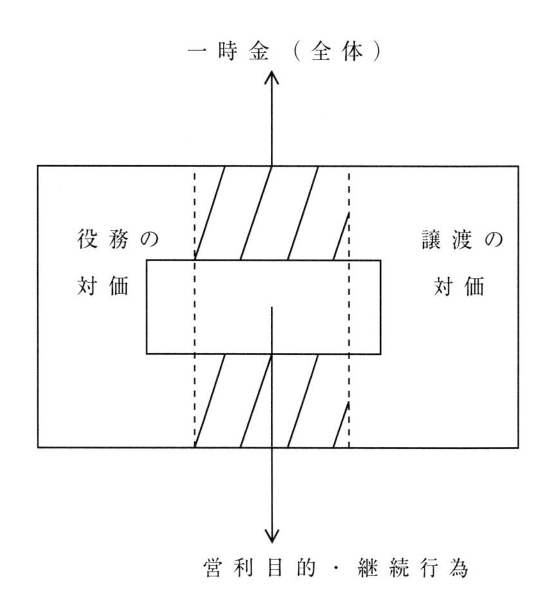

※斜線部分が一時所得

一時所得は一時的・偶発的利得であり，米国税法において，windfall gain（棚ぼた的利得）と呼ばれているものに相当する。このような所得は，例えばギャンブルによる利得にみられるように，偶然に左右される利得であって，1回の行為では利得が生じたとしてもその他の行為では損失が生じている場合も多く，その意味で担税力が低いと考えられる。そのようなことからこれらの所得は，一時所得というカテゴリーにくくられて，2分の1課税とされているのである。

そこで，一時金であって一時的なものであっても，偶発的でないものは一時所得ではないこ

注106　このような試みについては，今村・前掲税務事例47巻5号40頁を参照されたい。

ととなる。一時所得から営利を目的とする継続的行為から生じた所得が除外されているのは，このような偶発的なものではないからであり，労務その他役務の対価や譲渡の対価が除外されているのも偶発的でないからと考えられる。

2　一時所得の要件

一時所得の要件は，前記1のとおり，①一時金であること，②「営利を目的とする継続的行為」から生じたものでないこと，③役務対価としての性質を有しないこと，④譲渡対価としての性質を有しないことであるが，上記②は，更に，(i)営利を目的とする行為から生じたものでないこと，(ii)継続的行為から生じたものでないことの２つに分けることができる。

ここで特に「営利を目的とする継続的行為」の意義が問題となる。

第２　最高裁平成29年12月15日判決

1　事案の概要

最高裁平成29年12月15日判決（民集71巻10号2235頁）は，競馬の当たり馬券の払戻金が一時所得か雑所得であるかが問題となった事件である。事案の概要は，次のとおりである。

（事例16）

Ｘは，平成27年１月ころから日本中央競馬会の主催する競馬の馬券を購入するようになり，馬券が当たる確率を研究し，勝ち馬の予想で上位３着までに入る馬の組み合わせを購入するとの一定のパターンに従うと，期待回収率が100％を超えることができるということを知り，このような知識に基づいて，インターネットを解して馬券を購入するサービスを利用して，平成28年１月から12月までの間，日本中央競馬会が開催しているすべてのレースでこのようなパターンに基づいて合計で３億円の馬券を購入し，合計で５億円の払戻金を得ることができた。この５億円の払戻金に対応する馬券の購入代金は5000万円である。

なお，期待回収率というのは，各馬券の購入代金に対する払戻金の期待値の比率のことであり，結果回収率というのは，馬券の購入代金の合計額に対する当たり馬券の払戻金の合計額の比率のことであり，Ｘの平成28年における結果回収率は，166％となる。

この場合，Ｘが得た払戻金は，一時所得か雑所得か。

※事実関係は，日時や金額等実際の事案と少し変えて単純化している。

2　判旨

上記最高裁判決は，まず，「所得税法上，利子所得，配当所得，不動産所得，事業所得，給与所得，退職所得，山林所得及び譲渡所得以外の所得で，営利を目的とする継続的行為から生じた所得は，一時所得ではなく雑所得に区分されるところ（34条１項，35条１項），営利を目的とする継続的行為から生じた所得であるか否かは，文理に照らし，行為の期間，回数，頻度その他の態様，利益発生の規模，期間その他の状況等の事情を総合考慮して判断するのが相当である（最高裁平成…27年３月10日第三小法廷判決・刑集69巻２号434頁参照）。」（下線筆者）との一般論を判示した。

その上で，上記最高裁判決は，「継続的行為」について，「これを本件についてみると，Ｘは，予想の確度の高低と予想が的中した際の配当率の大小の組合せにより定めた購入パターンに従って馬券を購入することとし，偶然性の影響を減殺するために，年間を通じてほぼ全てのレースで馬券を購入することを目標として，年間を通じての収支で利益が得られるように工夫しながら，６年間にわたり，１節当たり数百万円から数千万円，１年当たり合計３億円から21億円程度となる多数の馬券を購入し続けたというのである。このようなXの馬券購入の期間，回数，頻度その他の態様に照らせば，Xの上記の一連の行為は，継続的行為といえるものである。」とし，次いで，「営利目的」について，「そして，Xは，上記6年間のいずれの年についても年間を通じての収支で利益を得ていた上，その金額も，少ない年で約1800万円，多い年では約2億円に及んでいたというのであるから，上記のような馬券購入の態様に加え，このような利益発生の規模，期間その他の状況等に鑑みると，Xは回収率が総体として100%を超えるように馬券を選別して購入し続けてきたといえるのであって，そのようなXの上記の一連の行為は，客観的にみて営利を目的とするものであったということができる。」（下線筆者）として，「営利を目的とする継続的行為」に当たるとして雑所得であるとした。

3 検討

(1) 要件事実

Y税務署長は，一時所得であるとして更正処分をしている。上記最高裁判決では，これが違法とされたが，Y税務署長の更正処分の要件事実は，所得税法34条1項の「営利を目的とする継続的行為」に当たらないとして，一時所得に該当するとの主張である。なお，Y税務署長の主張については，本件の1審判決である東京地裁平成27年5月14日判決（訟月62巻4号628頁）を参考にした。

Kg

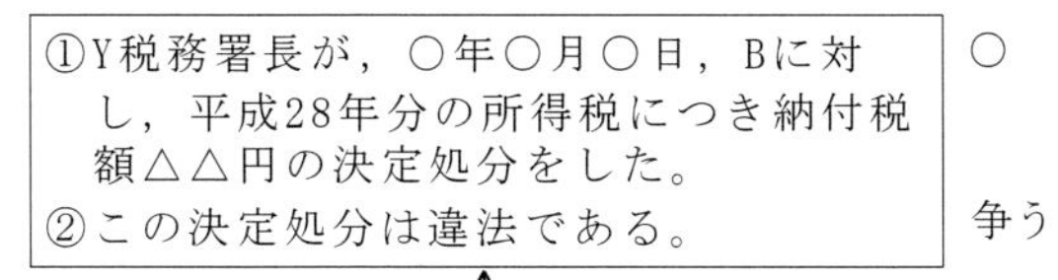

①Y税務署長が，○年○月○日，Bに対し，平成28年分の所得税につき納付税額△△円の決定処分をした。	○
②この決定処分は違法である。	争う

E（一時所得該当性）

①Xは，多数回にわたり，馬券を購入しているが，個々のレースごとに個別に判断して購入しており，馬券が的中するのは偶然に左右されていることから，1回1回が初めからの賭けである。（継続的行為の否認）	×
②Xは，馬券購入により利益を得ようとしているが，継続的に利益を得ようとはしていない。（営利目的の否認）	×

(2) 「営利を目的とする継続的行為」該当性

ア．問題の所在

競馬の当たり馬券の払戻金による利得は，一般には一時所得と考えられている。これは，上記(1)でダイアグラムにおいてY税務署長が主張しているとおり，競馬はギャンブルであり，馬券が当たったとしても，偶然の事象と考えられるからであり，「継続的行為」といえないからである。ところが，上記最高裁判決が引用している最高裁平成27年3月10日判決（刑集69巻2号434頁）のようにパソコンのソフトを使って，ほとんど全レースの馬券を購入し，総体として払戻金の確率が高くなるように態様で馬券を購入しているとさすがに「継続的行為」に当たらないとはいえなくなったのである。そこで，この最高裁平成27年3月10日判決は，「継続的行為」に当たるとして雑所得としたのである。

イ．本件の検討

ところが，本件は，パソコンのソフトを使って馬券を選別しているのではなく，あくまでもXのノウハウに基づきレースごとに個別に選別しているのである。Xは，その具体的ノウハウを明らかにしていないものの，一定のパターンに基づいて馬券を購入し続けて総体的に確率が上がるような馬券の購入の仕方が存在するようである。このようなことは，行動経済学の視点からも明らかにされている（注107）。そ

注107 小幡績＝太宰北斗「競馬とプロスペクト理論：微小確率の過大評価の実証分析」行動経済学第7巻（J-STAGE，平成26年）1頁

うすると，Xの馬券購入の態様は，「継続的行為」といわざるを得ない。本件の1審判決は，Y税務署長の主張を認めて一時所得としたが，それは，本件が上記最高裁平成27年3月10日判決とは態様を異にすると考えたからである。

これに対し，控訴審の東京高裁平成28年4月21日判決（民集71巻10号2356頁）は，期待回収率との考え方を採って，「…Xは，平成17年から平成22年までの6年間にわたり，多数の中央競馬のレースにおいて，各レースごとに単一又は複数の種類の馬券を購入し続けていたにもかかわらず，上記各年における回収率がいずれも1000%を超え，多額の利益を恒常的に得ていたことが認められるのであり，この事実は，Xにおいて，期待回収率が100%を超える馬券を有効に選別し得る何らかのノウハウを有していたことを推認させるものである。そして，このような観点からすれば，Xが具体的な馬券の購入を裏付ける資料を保存していないため，具体的な購入馬券を特定することはできないものの，馬券の購入方法に関する前記…のとおりのXの陳述をにわかに排斥することは困難であり，Xは，おおむね前記…のとおりの方法により，その有するノウハウを駆使し，十分に多数のレースにおいて期待回収率が100%を超える馬券の選別に成功したことにより，上記のとおり多額の利益を恒常的に得ることができたものと認められる。」（下線筆者）として，「継続的行為」に当たるとしたものである。

これに対し，本件最高裁判決が判示している「回収率」というのは，結果回収率のことであり，期待回収率のことではない。「継続的行為」に当たるというためには，上記東京高裁平成28年4月21日判決の判示するとおり，期待回収率が100%を超えるような選別をしている必要があると考える。しかし，本件最高裁判決が，期待回収率との考え方を採らなかったのは，期待回収率との考え方が経済学的なもので必ずしも法的な概念として一般に受け入れられているものではないことと，期待回収率を具体的にどうやって算定するかが困難であるためと考えられる。

また，本最高裁判決が，前記2「判旨」の下線部のとおり「客観的にみて営利を目的とするものであった」と判示している点も重要であり，単に主観的に営利を意図したとしてもそれでは足りないということであり，客観的にみて利益を上げる態様に裏付けられた営利を得る意図であることを要するとの意味と考えられる。

以上，上記最高裁平成27年3月10日判決や本件最高裁判決を総合すると，馬券の購入が雑所得に当たるためには，①馬券購入の態様が一連の行為であり（継続的行為），②馬券購入の態様が，利益が上がるとの主観的な動機に基づくものでは足りず，「客観的にみて利益が上がると期待し得る行為」であることを要する（営利目的）と考える（注108）。

第5節 必要経費

第1 必要経費の意義と要件

1 必要経費の意義

必要経費とは，所得を得るための必要な支出のことである。課税の対象となる所得の計算上，必要経費の控除を認めることは，いわば投下資本の回収部分に課税が及ぶことを避けるためである。このような考えに基づき，所得税法は，

注108 楡井英夫・最判解刑事平成27年度108頁

不動産所得，事業所得，山林所得及び雑所得の金額の計算上，必要経費を控除することとしている。そして，必要経費の金額は，別段の定めがあるものを除き，①これらの所得の総収入金額に係る売上原価その他当該総収入金額を得るため直接に要した費用の額，②その年における販売費，一般管理費その他これらの所得を生ずべき業務について生じた費用の額とするとされている（所税37条1項）。すなわち，必要経費は，①売上原価のように収入に個別対応する直接費用と，②販売費や一般管理費のようにその年分の費用と期間対応する間接費用とがある。なお，原価とは，財貨を生産し又は販売する過程における経済価値の消費である。

このような費用の区別は，法人税法22条3項1号（個別対応）と2号（期間対応）の区別と同じである。所得税と法人税との費用の異同を整理すると，下表のとおりとなる。

	所得税	法人税
原価・直接費用（個別対応）	「売上原価」，「直接要した費用」	「売上原価」，「完成工事原価」，「これらに準ずる原価」
間接費用（期間対応）	「販売費」，「一般管理費」，「これらの所得を生ずべき業務について生じた費用」	「販売費」，「一般管理費」，「その他の費用」

ただし，償却費以外の費用でその年において債務の確定しないものは除かれる（債務確定主義，所税37条1項）。これは，債務の確定していない費用は，その発生の見込みとその金額が明確でないため，これを費用に算入することを認めると，所得金額の計算が不正確になり，また所得の金額が不当に減少するおそれがあるという理由からである。

2　必要経費の要件

ある支出が所得税法37条1項の必要経費として総所得金額から控除され得るためには，①客観的にみてそれが当該事業の業務と直接の関連（業務関連性）をもち，かつ，②業務の遂行上必要（業務上の必要性）な支出であることを要する（注109）。

必要経費の要件の①については，下線を引いたとおり，「直接の関連」とするのが通説である。この点は，「直接」まで要件となるかが問題となるが，後記第2の3(2)で検討することとする。

ところで，米国の内国歳入法典162条は，必要経費としての控除が認められるためには，通常かつ必要（ordinary and necessary）な経費であることを要するとしている。しかし，我が国の所得税は，「通常」の要件が規定されていないことから，業務の遂行上「通常」必要であるとの通常性の要件まで満たす必要はないと考えるべきである。したがって，違法ないし不法な支出も必要経費に当たる場合もある。

3　簿外経費

第1編・第2章・第2節の第3の3(1)（29頁）で論じたとおり，所得税法37条1項の必要経費は，所得を発生せしめるための発生要件の一部であり，税務署長に立証責任がある。すなわち，税務署長側で，当該必要経費が存在しない，又は存在しても一定額を超えないことの立証責任があることとなる。これは，法律要件分類説に従った考え方である。

しかしながら，税務署長が立証責任を負う事実は，必要経費の不存在又は一定額を超えないことという消極的事実であり，立証が困難と考えられる上，一方で，必要経費の存在は，納税

注109　金子・租税法第24版324頁

者にとって有利な事柄であり，しかも納税者の支配内の出来事であるから，これを立証するのは，税務署長より容易である。そこでこのような証拠との距離や立証の容易性を考慮すると，税務署長が具体的証拠に基づき一定の経費の存在を明らかにし，これが収入との対応上も通常一般的と認められる場合には，これを超える額の必要経費は存在しないものと事実上推定されるものというべきであり，このような場合，納税者は，経費の具体的内容を明らかにし，ある程度これを合理的に裏付ける程度の立証をしなければ，上記推定を覆すことはできないと考える（注110）。これを図示すると，下図のとおりとなる。

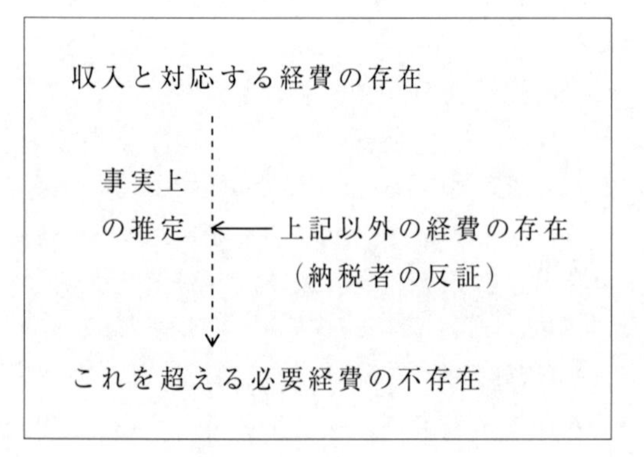

第2　東京高裁平成24年9月19日判決

1　事案の概要

（事例17）

Xは，甲弁護士会の会長をしている者であるが，平成17年1月から12月までの間，同弁護士会の執行部会の後に引き続き行われている定例の酒食を伴う懇親会に10回参加し，合計30万円（3万円×10回）を支出し，また，この懇親会の後に引き続き行われた有志だけによる酒食を伴う2次会に5回参加し，10万円（2万円×5回）を支出した。

これに対し，Y税務署長は，H20.3.11いずれの支出も必要経費に当たらないとして更正処分をした。

Xの上記各支出は，Xの弁護士としての事業所得の計算上必要経費となるか。

※事実関係や金額は，実際の事案を少し単純化している。

2　判旨

上記東京高裁判決は，「ある支出が事業所得の金額の計算上必要経費として控除されるためには，当該支出が事業所得を生ずべき業務の遂行上必要であることを要すると解するのが相当である。」とし，「ある支出が業務の遂行上必要なものであれば，その業務と関連するものであるというべきである。それにもかかわらず，これに加えて，事業の業務と直接関係を持つことを求めると解釈する根拠は見当らず」（下線筆者）とした。「弁護士会等の活動は，弁護士に対する社会的信頼を維持して弁護士業務の改善に資するものであり，弁護士として行う事業所得を生ずべき業務に密接に関係するとともに，会員である弁護士がいわば義務的に多くの経済的負担を負うことにより成り立っているものであるということができるから，弁護士が人格の異なる弁護士会等の役員等としての活動に要した費用であっても，弁護士会等の役員等の業務の遂行上必要な支出であったということができるのであれば，その弁護士としての事業所得の一般対応の必要経費に該当すると解するのが相当である。」とした。

注110　泉・審理第3版178～179頁

3　検討

(1)　要件事実

Y税務署長は，懇親会費も二次会費も必要経費ではないため控除されないとして更正処分を行った。このようなY税務署長の更正処分における要件事実は，下記のとおりとなる。

なお，この整理は，懇親会費と二次会費が社会的事実としては，別個の事実であると考えた上でのことである。

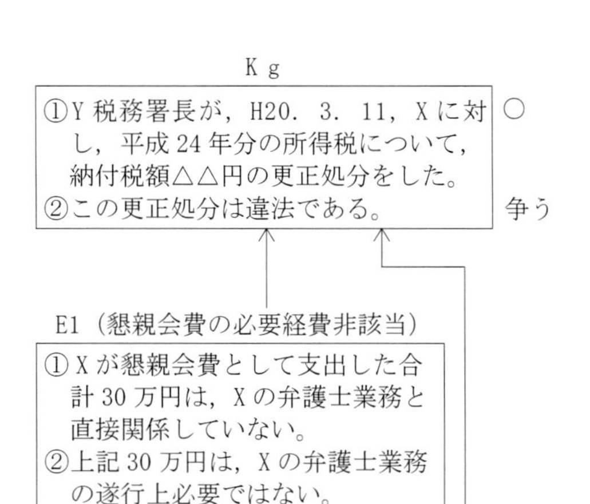

(2)　間接費用の要件

上記東京高裁判決は，必要経費の要件のうちの業務との直接関係性を要せず，業務遂行の必要性だけで足りるとしたが，まず，この点が問題である。そもそも業務遂行性の必要性の要件は，所得税法37条1項で導き出されるものではなく，所得税法26条や27条で「必要経費」と規定しているところに由来している。次に，所得税法37条１項の「業務について」であるが，確かに「直接」との文言はないものの，所得税法37条１項が「業務について」と限定している趣旨は，所得税法45条１項１号の家事費を排除するだけではなく，所得税法が所得分類制を採っていることを鑑みると，雑所得の経費を事業所得の経費に付け替えることも排除されているはずで，その意味で「直接関係していること」を意味していると考えるべきである(注111)。このように考えると，間接費用の要件は，①業務との直接関係性，②業務遂行上の必要性と考えるべきである。

次に，上記東京高裁判決は，弁護士会活動は，当該弁護士の事業所得を生ずべき業務ではないとしつつ，弁護士活動に必要性があるとして，必要経費に当たるとしている。Xは，弁護士会活動も弁護士業の一部であり，弁護士会活動の経費は，弁護士業の必要経費となると主張していたものである。これに対し，上記東京高裁判決は，別人格の弁護士会活動が弁護士業と密接に関係しているとして，弁護士業の必要経費としたものであるが，論理的に矛盾があると考える。

第３　東京地裁昭和52年７月27日判決

1　事案の概要

東京地裁昭和52年７月27日判決（訟月23巻９号1644頁）は，弁護士の事業所等における簿外経費が問題となった事件である。本件の事案の概要は，次のとおりである。

注111　今村隆「弁護士会活動に伴う懇親会費等の必要経費該当性」最新租税基本判例70（日本税務研究センター，平成26年）75頁

（事例18）

Xは，青色申告承認を受けて事業として弁護士を営む者であるが，事件受任の際に取り決めた報酬とは別途に依頼者から出張先での業務を行うために受け取った旅費，日当及び宿泊費について帳簿に経費として記帳していなかった。この場合，旅費と宿泊費は経費として認められたが，日当を経費として控除できるか。

※事実関係は，実際の事案を少し単純化している。

2　判　旨

上記東京地裁判決は，「事業所得の算出上，必要経費の存否及び額についての立証責任は原則として課税庁側にあるものと解すべきであるが，実額課税である青色申告において，課税庁が認定しなかった簿外経費を納税者が訴訟において初めて主張する場合は衡平の原則上具体的にその内容を主張立証することが必要であり，これがなされないかぎり客観的にみてその存否，数額について何らの確認の仕様がないときは，納税者の側で経験則に徴し相当と認められる範囲でこれを補充しえない以上，これを存在しないものとして取扱われても止むを得ないものというべきである。」（下線筆者）とした上，「本件事案をみるに，X（青色申告者）は本件各日当を出張中の諸雑費，とくに出張先の最寄駅から裁判所等への往復等の交通費としてことごとく費消した旨主張し，X本人尋問の結果にはこれに副う供述があるが，これらはいずれも支払先，支払年月日，支払金額等具体的でなく（…），また，X備付の帳簿には右主張に対応する経費の記帳がなく，これらのため客観的にその存否，数額について確認の仕様がないことを併せ考えれば，Xの右主張は採用できない。」として，経費として控除できないとした。

3　検　討

(1)　要件事実

本件の要件事実は，次のとおりとなる。

Kg

①Y税務署長が，S49.12.20，Xに対し，昭和46年分の所得税につき納付税額○○円の更正処分をした。	○
②この更正処分が違法である。	争う

↑

E（事業所得）

①Xは，S46に，依頼者Aから，出張先での業務のため，旅費，日当及び宿泊費の名目で○円を報酬として受け取った。（報酬）	○
②Xは，上記業務を行うに当たり，旅費○円及び宿泊費○円を支出したが，これ以外には上記業務を行うための支出していない。	×

※本ダイアグラムは，判決文から事実を補って記載した。

(2)　簿外経費の主張・立証責任

Xが依頼者から受け取った旅費，日当及び宿泊費は，いずれも帳簿に記帳していなかったが，上記東京地裁判決は，旅費及び宿泊費については経費として認め，日当についてのみ経費否認した更正処分を適法とした。Xの本件業務に当たり，Xが受け取った日当を何に支出したかは，帳簿にも記載はなく，Y税務署長の方では解明するのは困難である。そこで，当該業務に通常必要と思われる旅費と宿泊費についてY税務署長の方で主張・立証した場合には，前記第1の3で述べたとおり，それ以外の経費の不存在が事実上推定されると考えるべきであり，上記東京地裁判決は相当と考える。

第6節　損益通算

第1　損益通算の意義と要件

1　損益通算の意義

損益通算とは，ある種類の所得について生じた損失を他の種類の所得から控除することである。

損益通算については，所得税法69条１項が，「総所得金額，退職所得金額又は山林所得金額を計算する場合において，不動産所得の金額，事業所得の金額，山林所得の金額又は譲渡所得の金額の計算上生じた損失の金額があるときは，政令で定める順序により，これを他の各種所得の金額から控除する。」（下線筆者）と規定し，同条２項が，「前項の場合において，同項に規定する損失の金額のうちに第62条第１項（…）に規定する資産に係る所得の金額（…）の計算上生じた損失の金額があるときは，当該損失の金額のうち政令で定めるものは政令で定めるところにより他の生活に通常必要でない資産に係る所得の金額から控除するものとし，当該政令で定めるもの以外のもの及び当該控除をしてもなお控除しきれないものは生じなかつたものとみなす。」と規定している。

さらに，所得税法62条は，「生活に通常必要でない資産」について政令に委任し，これを受けて，所得税法施行令178条１項は，①競走馬その他射こう的行為の手段となる動産，②主として趣味，娯楽，保養又は鑑賞の目的で所有する不動産，③生活の用に供する動産で，所得税法施行令25条の規定に該当しないものの３つを挙げている。

2　損益通算の要件

上記の規定を整理すると，損益通算の要件は，①不動産所得，事業所得，山林所得又は譲渡所得に損失の金額があること，②上記①の損失が生活に通常必要でない資産に係る損失でないこととなる。生活に通常必要でない資産に係る損失が損益通算の対象とされていないのは，生活に通常必要でない資産に係る支出ないし負担は，個人の消費生活上の支出ないし負担としての性格が強く，このような支出ないし負担の結果生じた損失の金額について，損益通算を認めて担税力の減殺要素として取り扱うことが相当でないからである。

損益通算の要件は，上記のとおりであるが，生活に通常必要でない資産のうちの②の主として趣味，娯楽，保養又は鑑賞の目的で所有する不動産について，所得税法施行令178条１項２号は，「通常自己及び自己と生計を一にする親族が居住の用に供しない家屋で主として趣味，娯楽又は保養の用に供する目的で所有するものその他主として趣味，娯楽，保養又は鑑賞の目的で所有する不動産」と規定している。

このうち家屋の要件については以下のとおりとなる。

① 不動産所得，事業所得，山林所得又は譲渡所得に損失の金額があること。

② 主として趣味，娯楽又は保養の用に供する目的で所有する家屋に係る損失でないこと。

第２　東京地裁平成10年２月24日判決

1　事案の概要

東京地裁平成10年２月24日判決（判タ1004号142頁）は，コンドミニアム形式のリゾートホテルの１室を購入してホテル経営会社に貸し付けていた場合の損失が，不動産所得を得る目的で所有していたのか，保養目的で所有していたのかが問題となった事件である。事案の概要は，次のとおりである。

（事例19）

Ｘは，都内に居住する会社役員であるが，昭和60年11月，岩手県内にいわゆるコンドミニアム形式のリゾートホテルの１室を5,700万円で購入し，以来，同建物をホテル経営会社Ａ社に貸し付けていた。ＸがＡ社に貸し付けて得られる金銭的収入は，年間約800万円から1,000万円のＡ社に支払う管理費等の経費に比較するとその１割にさえ及ばない金額であった。

Ｘは，不動産所得の計算上，この管理費等を不動産収入を得るための損失として，他の所得との損益通算ができるか。

※コンドミニアム形式というのは，当該室の所有者とホテル経営会社の共同管理という意味であり，当該室の所有者も利用することができ，当該室の所有者が利用しないときに，他の者に利用させて賃料を得るというものである。
※事実関係は，実際の事案を少し単純化している。

2　判　旨

上記東京地裁判決は，「法（筆者注・所得税法）69条2項が生活に通常必要でない資産に係る所得の計算上生じた損失について損益通算を認めていないのは，その資産に係る支出ないし負担の経済的性質を理由とするものであるところ，このような支出ないし負担の経済的性質は，本来，個人の主観的な意思によらずに，客観的に判定されるべきものであることからすると，法施行令178条1項2号の要件該当性を判断する上でも，当該不動産の性質及び状況，所有者が当該不動産を取得するに至った経緯，当該不動産より所有者が受け又は受けることができた利益及び所有者が負担した支出ないし負担の性質，内容，程度等の諸般の事情を総合的に考慮し，客観的にその主たる所有目的を認定するのが相当である。」（下線筆者）とした上，「本件建物の貸付けによる金銭的収入の獲得は，本件建物の利用による利益の享受と比較して副次的なものとみざるを得ず，Xは，本件係争各年において，本件建物を主として保養の用に供する目的で所有していたものと認めるのが相当である。」として損益通算は認められないとした。

3　検　討

(1)　要件事実

本件の要件事実は，次のとおりとなる。

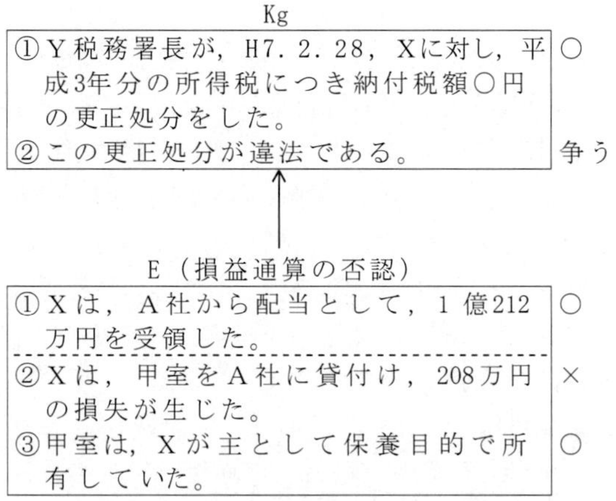

Kg

①Y税務署長が，H7. 2. 28，Xに対し，平成3年分の所得税につき納付税額○円の更正処分をした。	○
②この更正処分が違法である。	争う

↑

E（損益通算の否認）

①Xは，A社から配当として，1億212万円を受領した。	○
②Xは，甲室をA社に貸付け，208万円の損失が生じた。	×
③甲室は，Xが主として保養目的で所有していた。	○

※本ダイアグラムは，平成3年分の所得税について判決文から事実を補って記載した。

(2)　損益通算の立証責任

第1編・第2章・第2節の第3の3(1)（29頁）で論じたとおり，所得税法37条1項の必要経費は，所得を発生せしめるための発生要件の一部であり，税務署長に立証責任がある。

損益通算は，各種所得金額で計算された所得金額を通算するものであり，課税標準である「総所得金額」を算出するためのものである（所得税法22条2項）。すなわち，損益通算も所得を発生せしめるための発生要件の一部であり，当該損失が損益通算の対象とならないこと，あるいは損益通算の対象となる損失が一定額を超えて存在しないことの立証責任は，課税庁にある。したがって，前記(1)のブロック・ダイアグラムに書いたとおり，Xが主として保養目的で所有していたことは，抗弁であり，課税庁に立証責任があると考える。

この点，本東京地裁判決と同様の事案について，盛岡地裁平成11年12月10日判決（税資245号662頁）が旧様式の判決であるが，同様に要件事実を整理している。

(3)　保養目的の意義

所得税法施行令178条1項2号の「主として保養の目的で所有している」との要件をどのように判断するかが問題となる。この規定は，元々，所得税法62条の「生活に通常必要でない資産」を政令で具体化したものであり，その資産の客観的な性質を問題とするものである。また，本東京地裁判決が判示するとおり，生活に通常必要でない資産に係る損失を損益通算の対象としていないのは，「その資産に係る支出ないし負担の経済的性質を理由とするものである」すなわち個人の消費生活上の支出としての性格が強いことにあるのであるから，このような支出の経済的性質は，本来，個人の主観的な意思によらずに，客観的に判定されるべきである。そうすると，この「主として保養の目的で所有している」とは，所有者の内心の動機ではなく，客観的に認定される目的と考えるべきである。

なお，Xは，本件建物を購入することによる節税効果にも着目して，本件建物を所有していたもので，主として保養の用に供する目的で所有していたものではない旨主張する。これに対し，上記東京地裁判決は，「法施行令178条1項2号に規定する生活に通常必要でない不動産に該当するかどうかは，客観的にみて当該不動産の本来の使用，収益の目的が何かによって判断すべきものであり，右のような節税効果が得られるかどうかは，その本来の使用，収益の目的が何かによって決せられるべきものと解されるから，本来の使用，収益の目的が何かを判断するに当たって，右節税効果が得られるかどうかを主要な判断要素として考慮すべきものとすることは本末転倒の議論であって相当でないというべきである。」(下線筆者）とした。

「主として保養の目的で所有している」の認定に当たり，節税目的を有していることがどのような意味をもつかが問題となるが，事業目的を有するか否かでは，これを減殺する間接事実にはなり得るが，「保養の目的」を有するか否かには無関係であり，結論としては，本東京地裁判決に賛成である。

なお，本件と同種事例についての仙台高裁平成13年4月24日判決（税資250号8884頁）も，同じホテルの1室について，「生活に通常必要でない資産」に当たるとして，損益通算を否定している。

第3　最高裁平成27年7月17日判決

1　事案の概要

最高裁平成27年7月17日判決（民集69巻5号1253頁）は，米国デラウエア州のリミティッド・パートナーシップに投資した我が国の居住者が不動産所得の損失に当たるとして損益通算ができるか否かが争われた事件で，が我が国の租税法上「法人」に当たるか否かが問題となった。事案の概要は，次のとおりである。

（事例20）

Xらは，いずれも我が国の居住者たる個人であるが，下図のとおり，A証券の勧誘に応じて，米国所在の中古集合住宅を対象とした不動産賃貸事業に投資するため，それぞれ外国信託銀行であるB銀行との間で信託契約を締結した。この信託契約に基づき，B銀行は，自らがリミティッド・パートナーとなり，ジェネラル・パートナーである米国のリミティッド・ライアビリティ・カンパニーCとの間で，それぞれ1990年改訂されたデラウエア州リミティッド・パートナーシップ法（以下「州LPS法」という。）に準拠して，平成12年12月19日にLPS1契約を締結し，同14年3月28日にLPS2を組成する契約を締結し，Xらが拠出した現金資産を出資した。これらリミティッド・パートナーシップは，それぞれ米国金融機関からも融資を受け，LPS1において，甲建物を購入し，LPS2において，乙建物を購入して，それぞれ不動産賃貸事業を行った。

Xらは，平成13年ないし17年分の所得税の申告に当たり，本件不動産賃貸事業による損益が不動産所得に該当することを前提に，上記米国金融機関からの融資に対する支払利息や甲又は乙建物の減価償却費を損失として，他の所得と通算して所得税の申告をした。

Ｘらがこれらの損失を損益通算の対象とすることができるか。

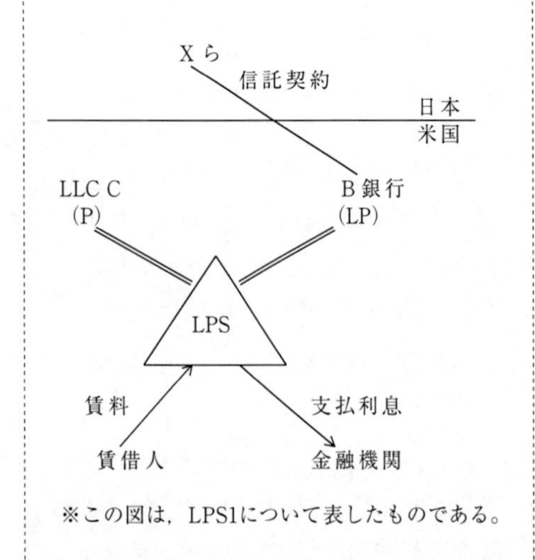

※この図は，LPS1について表したものである。

2　判旨

上記最高裁判決は，「…我が国においては，ある組織体が権利義務の帰属主体とされることが法人の最も本質的な属性であり，そのような属性を有することは我が国の租税法において法人が独立して事業を行い得るものとしてその構成員とは別個に納税義務者とされていることの主たる根拠であると考えられる上，納税義務者とされる者の範囲は客観的に明確な基準により決せられるべきであること等を考慮すると，外国法に基づいて設立された組織体が所得税法２条１項７号等に定める外国法人に該当するか否かについては，上記の属性の有無に即して，当該組織体が権利義務の帰属主体とされているか否かを基準として判断することが相当であると解される。」（下線筆者）としたものの，「その一方で，諸外国の多くにおいても，その制度の内容の詳細には相違があるにせよ，一定の範囲の組織体にその構成員とは別個の人格を承認し，これを権利義務の帰属主体とするという我が国の法人制度と同様の機能を有する制度が存在することや，国際的な法制の調和の要請等を踏まえると，外国法に基づいて設立された組織体につき，設立根拠法令の規定の文言や法制の仕組みから，日本法上の法人に相当する法的地位が付与されていること又は付与されていないことが疑義のない程度に明白である場合には，そのことをもって当該組織体が所得税法２条１項７号等に定める外国法人に該当する旨又は該当しない旨の判断をすることが相当であると解される。」として，「以上に鑑みると，外国法に基づいて設立された組織体が所得税法２条１項７号等に定める外国法人に該当するか否かを判断するに当たっては，まず，より客観的かつ一義的な判定が可能である後者の観点として，①当該組織体に係る設立根拠法令の規定の文言や法制の仕組みから，当該組織体が当該外国の法令において日本法上の法人に相当する法的地位を付与されていること又は付与されていないことが疑義のない程度に明白であるか否かを検討することとなり，これができない場合には，次に，当該組織体の属性に係る前者の観点として，②当該組織体が権利義務の帰属主体であると認められるか否かを検討して判断すべきものであり，具体的には，当該組織体の設立根拠法令の規定の内容や趣旨等から，当該組織体が自ら法律行為の当事者となることができ，かつ，その法律効果が当該組織体に帰属すると認められるか否かという点を検討することとなるものと解される。」（下線筆者）とした。

3　検討

(1)　要件事実

Kg

①Y 税務署長が，○年○月○日，X に対し，△年分の所得税の更正処分をした。	○
②この更正処分は違法である。	争う

↑

E（損益通算の否認）

①本件 LPS は米国でアパートを貸し付けて賃料を得て不動産貸付業を営んでいる。（LPS の事業）
②X は，本件 LPS のリミティッド・パートナーであり，当期の損失として○○円の損失の配賦を受けた。
（損失の配賦）
③本件 LPS は，その名で取引を行い本件アパートも所有していて，我が国の租税法上「法人」に当たり，上記配賦を受けた損失は，負の配当所得である。
（LPS の法人該当性）

※本ダイアグラムは，LPS1を「本件 LPS」とし，X らのうちの一人についてのものである。

(2)　租税法上の借用概念と抵触法ルール

ア．問題の所在

我が国の所得税や法人税法上の「法人」概念は，民法や会社法からの借用概念である。我が国では，借用概念については，統一説を採るのが通説であり（注112），筆者もこの立場を採るが，一般論として，借用概念において渉外関係が問題となる場合に，「法の適用に関する通則法」が規定する抵触法ルールが適用されるかが問題となる。

イ．内国私法準拠説と外国私法準拠説

これについては，私法上の取扱いを尊重して抵触法ルールが適用されるとする見解（外国私法準拠説，（注113））と租税法上借用概念を用いている場合であっても，当然に抵触ルールが適用されるのではなく，あくまでも内国私法を基準として判断すべきとする見解（内国私法準拠説，（注114））がある。これについては，筆者は，租税法上の借用概念については，当然に，抵触法ルールの適用はなく，原則として，内国私法準拠説によるべきと考える。なぜなら，外国私法準拠説のいうとおり，私法関係では，抵触法のルールを通じて，外国私法が準拠法とされるが，租税法は，公法であり，このような抵触法のルールが当然に当てはまるとはいえない。そもそも私法関係における抵触法のルールは，「サヴィニー的国際私法」といわれており，それまでの法規を中心として，法規を物に対する法規と人に対する法規などと分類して，その適用範囲を検討するとの考え方（法規中心説）に対して，法律関係を中心に適用すべき法規を探すという考え方（法律関係中心説）に基づくもので，コペルニクス的転回と言われている（注115）。一方，公法は，現在も法規を中心とする伝統的な法規中心説の考え方が採られていて，渉外関係については，当該公法が属地的ないし属人的に適用できるか否かで考えられている。刑法は，属地的及び属人的とされており（同法1条1項，3条），租税法も，国内源泉所得課税は，属地主義の表れであり，全世界所得課税は，属人主義の表れであり，同様と考えられる。

比較法的にみても，先進諸国は，内国私法準

注112　金子・租税法第24版127頁
注113　中里実「課税管轄権からの離脱をはかる行為について」フィナンシャル・レービュー平成21年2号13頁
注114　谷口勢津夫『税法基本講義第7版』（弘文堂，令和3年）54，64頁
注115　道垣内正人『ポイント国際私法総論第2版』（有斐閣，平成19年）60頁以下

拠説に立っている（注116）。

ウ．二段階アプローチ

しかし，一方で租税法は，公法といっても，課税関係を検討するに当たり私法関係を前提に考えている。そうすると，公法独自説は相当ではない。私法関係を無視するのではなく，我が国の私法に基づき，当該借用概念の本質的要素の確定を前提として，まず，準拠法とされている外国私法でどのような性質をもつとされているかを検討し（第1段），次に，その外国私法上の性質が当該借用概念の本質的要素と同等といえるか否かで決定する（第2段）との二段階アプローチ（two step approach）の方法によるべきであると考える（注117）。

これに対し，外国私法準拠説は，私法関係をより尊重しようとの立場であるが，我が国の租税法は，あくまでも我が国の私法を前提に立法されているのであるが，そのような前提で我が国の租税法が用いている概念と同じような概念が，当該外国私法にない場合には，そもそも当該私法にそのような概念がないのであるから決定不能となってしまう。本件で問題となっている「法人」概念が正にそのような概念であり，我が国の租税法は我が国の私法が用いている「法人」概念を前提に立法されているが，「法人」概念は大陸法系の国々の私法で用いている概念であり，英米法系の国である米国私法では用いられていない概念である。本件LPSの準拠法であるデラウエア州LPS法でも，「corporation」といった概念はあるが，「法人」に相当する概念はなく，本件LPSが我が国租税法上の「法人」であるか否かをデラウエア州LPS法に求めても決定不能である。したがって，我が国の租税法が我が国私法を前提に立法されていることを考慮して，二段階アプローチを採るべきと考える。

前記2「判旨」のとおり，上記最高裁判決は，内国私法準拠説と外国私法準拠説とを併用する立場を採っているが，外国私法上，我が国の私法上の「法人」への該当性が明白であれば，あえて二段階アプローチでの検討をする必要がないのであり，その点は筆者も異論はない。上記最高裁判決は，内国私法準拠説を原則としているのであり，内国私法準拠説の具体的適用に当たっては，筆者の主張する二段階アプローチの考え方を採っていると考えられる。

(3)　外国事業体の「法人」該当性の判断基準

ア．「法人」の本質的要素

そこで，二段階アプローチで，本件LPSが我が国租税法上「法人」に該当するかを検討する。

そうすると，まず我が国私法上の「法人」概念の本質的要素を抽出する必要がある。これは，実は，我が国の民法や会社法でも議論されているところであり，難しい問題である。そもそも民法上，「法人」とは，「自然人以外のもので，権利義務の主体となることのできるもの」とされている（注118）。一方，私法上「社団」という概念があり，構成員が変更しても団体自体は存続するというのがその本質的要素である（最判昭39・10・15民集18巻8号1671頁参照）。しかし，我が国私法上，「法人」と「社団」とは必ずしも一致せず，「社団」に当たらない組合であっても，法律上「法人」とされていれば，「法人」に当たることとなる（法人法定主義）。

そこで，「法人」の本質的要素は何かと考えると，法人とは，上記のとおり，権利義務の帰属の主体となるとの意味であり，これを分析すると，(i)まず，権利の帰属主体となることであ

注116　今村隆「外国事業体の『法人』該当性」税大ジャーナル24号（平成24年）15頁以下

注117　二段階アプローチについては，今村・前掲税大ジャーナル24号14頁及び同・租税回避否認規定編28～29頁を参照されたい。

注118　我妻栄『新訂民法総則』（岩波書店，昭和40年）45頁

り，具体的には，法人となることにより，団体の名前で取引を行い，その法的効果が直接団体に帰属し（取引能力），その所有する不動産について団体名で登記ができ，法的に団体に帰属する財産として第三者にも対抗することができること（登記能力）であり，(ii)次に義務の帰属主体となることであり，具体的には，団体が負担した債務は団体に帰属し，構成員は債務者とならず，また，団体が債務を履行するための団体の責任財産が創出されることである。もっとも，構成員の有限責任は，法人であるための本質的要素ではなく，団体に帰属する財産の創出がなされていれば足りると考えられる。

さらに，法人の設立が登記等によりその存在が公示されていることも「法人」の本質的要素である。「法人」は，自然人でないにもかかわらず，権利義務の帰属主体として認めるものであるが，第三者から見た場合，それが単なる組合であるのか権利義務の帰属主体としての「法人」であるが分からないことから，その点の公示が必要となると考えられるのである。

そうすると，法人の本質的要素は，①取引能力（登記能力を含む。），②団体財産の創出，③存在の公示の3つであり，これらが，我が国において，「法人」であるとすることの意味であると考える(注119)。

上記最高裁判決は，権利義務の帰属主体となることが我が国私法上の「法人」概念の本質的要素としているが，上記③の存在の公示を挙げてはいない。このことは，我が国が採っている法人法定主義では当然の前提となって埋没しているが，これも「法人」概念の本質的要素と考える。

イ．本件LPSの「法人」該当性

上記最高裁判決は，本件LPSのデラウエア州法上の性質を検討し，同法106条（a）（b）などの規定によると，「同法は，リミテッド・パートナーシップにその名義で法律行為をする権利又は権限を付与するとともに，リミテッド・パートナーシップ名義でされた法律行為の効果がリミテッド・パートナーシップ自身に帰属することを前提とするものと解され，このことは，同法において，パートナーシップ持分（partenrship interest）がそれ自体として人的財産（personal property）と称される財産権の一類型であるとされ，かつ，構成員であるパートナーが特定のリミテッド・パートナーシップ財産（以下「LPS財産」という。）について持分を有しない（…）とされていること（701条）とも整合するものと解される。」として，権利義務の帰属主体と認めらているとして，我が国の「法人」に当たるとした。

ここで「パートナーシップ持分」が何かが問題となるが，パートナーがLPS財産に直接権利を有せず，LPSから利益の配分を受ける権利を意味しており(注120)，LPSがパートナーとは切り離された独立の財産を有していることを意味しているのである。

上記最高裁判決が，本件LPSが公示が要求されていること見落としている点は残念であるが，権利義務主体性の判断については，上記アの本質的要素のうち①及び②を満たすとしているもので相当と考える。

第7節　雑損控除

第1　雑損控除の意義と要件

1　雑損控除の意義

雑損控除とは，生活用資産の一定の損失について所得控除を認めるものである。担税力の減少を理由とするものである。シャウプ勧告に従って，昭和25年の所得税法の改正で導入された制度である。所得税法72条は，生活用資産に

注119　今村・前掲税大ジャーナル24号10頁

注120　加藤友佳「米国事業体の性質と法人該当性」東北学院法学81号（令和3年）89頁

ついて，「災害又は盗難若しくは横領」によって損失を生じた場合に所得控除する旨規定している。いずれも，自己の意思に基づかない損失のみを控除の対象とするものである。これは，自己の意思に基づく損失は，消費であり担税力の減少に結びつかないが，自己の意思に基づかない損失は，担税力の減少に結びつくとの考え方に基づくものである。米国の内国歳入法典も，「火災，嵐，難破若しくはその他の災害又は盗難」によって生じた損失を控除すると規定しており（同法典165条（c)），この点は我が国と同様である。

我が国の所得税法は，事業用資産や業務用資産については，必要経費控除を認めているが（同法51条1，4項），生活用資産の損失についてもこれとの均衡上認められるものであり，「雑」と規定されているものの，所得税法において非常に本質的な制度であり，所得控除の中でも，最初に控除されるとしている（同法87条1項）。

2　雑損控除の要件

雑損控除の要件は，所得税法72条1項が規定しているが，①生活用資産の損失が生じたこと，②損失の原因が「災害又は盗難若しくは横領」であることである。

①の生活用資産については，生活用資産であっても「生活に通常必要でない資産」は，雑損控除の対象とはならないとされている（所得税法72条1項括弧書き)。生活に通常必要でない資産が除外されているのは，担税力の減少につながらないからである。もっとも，このような損失も，その年又は翌年に譲渡所得があるときには，譲渡所得の損失として控除できる（所得税法62条)。これは，生活に通常必要でない資産については，これらの資産を譲渡したときに譲渡損失として控除できることとのバランスから，災害等による損失を譲渡所得の計算上損失とみなすこととしたものである。

上記②のうち「災害」については，所得税法2条27号が規定し，詳細は政令に委任しているが，所得税法施行令9条は，「災害」について，「冷害，雪害，干害，落雷，噴火その他の自然現象の異変による災害及び鉱害，火薬類の爆発その他の人為による異常な災害並びに害虫，害獣その他の生物による異常な災害」と規定している。すなわち，自然災害，人災及び生物による災害の3種類の災害を規定している。

3　雑損控除の立証責任

所得控除は，雑損控除の他にも人的控除や寄付金控除など様々な控除がある。このような所得控除の立証責任については，古い下級審裁判例があるが，まだ十分には解明されているとは言いがたい。第1編・第2章・第2節の第3の3⑴（29頁）で論じたとおり，必要経費などの所得の減算項目は，所得の発生要件の一部であり，被告である税務署長に立証責任があると考える。一方，税額控除については，所得の発生要件ではなく，障害要件であり，納税者に有利な法的効果をもたらす事実であることから原告である納税者に立証責任があると考える。第4章・第1節の第2の3⑴（182頁）において，東京地裁平成11年3月30日判決（事例42）を検討し，消費税の仕入税額控除の対象となる課税仕入れの存在を納税者に立証責任があるとして再抗弁としているが，同じ考え方に基づくものである。

これに対し，所得控除は，被告が負うとする見解，原告が負うとする見解などに分かれている（注121)。また，雑損控除については，障害要件であるなどとして，原告が立証責任を負うとする裁判例（注122）もある。

前記1のとおり，雑損控除は，納税者の担税力の減少を理由とするものであり，所得税の本

注121　泉・審理第3版180頁

注122　高松地判昭41・11・17，大阪地判昭62・10・23LEXDB：22002548

質的な要請に基づく制度である。このように考えると，必要経費などの所得の減算項目に準じて，被告に立証責任があると考える。もっとも，雑損控除の対象となり資産損失が生じたかやその原因については，納税者の支配領域内にあることであり，原告である納税者側で一応雑損控除の要件に該当する事実を主張して明らかにする責任があると考える（注123）。

第2　大阪高裁平成23年11月17日判決

1　事案の概要

大阪高裁平成23年11月17日判決（訟月58巻10号3621頁）は，自宅のアスベストの除去費用が雑損控除の対象となるかが争われた事件である。これは，前記第1の2の「災害」のうちの人災に当たるかの問題であり，所得税法施行令9条の「人為による異常な災害」に当たるか否かが争われた事件である。事案の概要は，次のとおりである。

（事例21）

Xは，昭和51年以降自宅として使用していた本件建物を建て替えるために，平成18年9月ころ，A社に解体工事を請け負わせた。A社は，本件建物の解体工事を着手したが，本件建物の一部委アスベストが含有されているのが判明した，そこで，A社が，B社にアスベスト工事を行わさせ，Xがこの工事終了後の平成18年11月，アスベストの除去費用738万円余りを支払った。

Xは，平成18年分の所得税の申告に当たり，上記アスベスト除去費用を雑損控除の対象として申告した。

これに対し，Y税務署長は，平成19年9月19日，雑損控除の対象とならないとして更正処分をした。

※事実関係は，実際の事案を少し単純化している。

2　判旨

上記大阪高裁判決は，1審の大阪地裁平成23年5月27日判決（訟月58巻10号3639頁）を引用して「人為による異常な災害というためには，『異常』であること，すなわち，社会通念上通常ないといえることが必要である。そうすると，『異常な』災害というためには，納税者の意思に基づかないことが客観的に明らかな，納税者が関与しない外部的要因を原因とするものであるかどうかという前述の点のほか，納税者による当該事象の予測及び回避の可能性，当該事象による被害の規模及び程度，当該事象の突発性偶発性（劇的な経過）の有無などの事情を総合考慮し，社会通念上通常ないといえる『異常な』災害性を具備していると評価できることが必要というべきである。」とした上，「建築施工業者が本件建築部材を使用して本件建物を建築したことに関しては，本件建築部材は，昭和50年又は昭和51年当時，労働安全衛生法等の各法令において規制の対象とはされておらず，これを建築部材として使用することは何ら違法ではなかったことが認められる（弁論の全趣旨）。この点に加え，Xが，建築施工業者に対し，本件建築部材又はアスベストを含有する建材の使用を拒否したといったような特段の事情もうかがわれないことからすると，本件建物の建築工事において本件建築部材を使用することは，建築請負契約の内容に含まれていたか，少なくとも，包括的に建築施工業者の選択に委ねられていたと解するのが相当である。そうすると，建築施工業者が本件建築部材を使用して本件建物を建築したこと（その結果本件建物にアスベ

注123　伊藤滋夫教授も，裁判規範としての民法説に立った上ではあるが，同じ考えを述べている（同＝岩崎政明＝河村浩『要件事実で構成する所得税法』（中央経済社，平成31年）183～186頁）。

ストが含まれていたこと）は，建築請負契約又はXの包括的委託（承諾）に基づくものであって，Xの意思に基づかないことが客観的に明らかな，Xの関与しない外部的要因を原因とするものということはできない。また，上記のとおり，本件建物が建築された当時，アスベストを含む建築部材の使用は法的に何ら問題はなかったのであるから，予測及び回避の可能性，被害の規模及び程度，突発性偶発性（劇的な経過）の有無などを詳細に検討するまでもなく，建築施工業者が本件建築部材を使用して本件建物を建築したことが社会通念上通常ないということはできず，上記原因に異常性を認めることもできない。」（下線筆者）として，雑損控除に当たらないとした。

Xは，最高裁に上告受理申立をしたが，平成25年1月22日に不受理となっている。

3　検討

⑴　要件事実

Kg

① Y税務署長が，H19．9．19，Xに対し，平成18年分の所得税につき納付税額○○円の更正処分をした。	○
②この更正処分は違法である。	争う

↑

E（雑損控除の否認）

① Xが自宅のアスベスト除去費用として738万円余りを支払った（損失）。	○
② アスベストは，Xが昭和51年に自宅を建てた際に断熱材に含めることに承諾していた（人為性の否認）。	争う
③ Xが自宅を建てた時点では，アスベストの危険性は明らかになっておらず，断熱材にアスベストを含めたことに何ら問題はなかった（異常性の否認）。	争う

⑵　雑損控除における人為性，異常性の要件

雑損控除における「災害」のうちの「人為による」は，確かに上記大阪高裁判決が判示するとおり，他人の行為によるという意味であり，本件では，Xが昭和51年に自宅を建てた際に，断熱材にアスベストを含めることは承諾しており，人為性はないと考えられる。

一方，異常性の要件は，行為時点での納税者の予測可能性が重要であり，アスベストが使用された当時，Xはその危険性を予見できなかったのであり，異常性の要件を満たすと考える。上記大阪高裁判決は，異常性に予見可能性も判断要素としながら，単に使用時点で建築業者が使うことが異常であったかのみを問題にしているもので，問題があると考える。

第8節　実質所得者課税の原則

第1　実質所得者課税の原則の意義

1　経済的帰属説と法律的帰属説

所得税法12条や法人税法11条は，所得の帰属の判定に適用される「実質所得者課税の原則」について規定している。すなわち，所得税法12条は，「資産又は事業から生ずる収益の法律上帰属するとみられる者が単なる名義人であって，その収益を享受せず，その者以外の者がその収益を享受する場合には，その収益は，これを享受する者に帰属するものとして，この法律の規定を適用する。」（下線筆者）と規定し，法人税法11条も同様に規定している。

これらの規定の趣旨については，二つの理解の仕方がある。第1は，所得を法律上の帰属と経済上の帰属とが相違する場合に，あくまでも経済上の帰属に即して所得を決定すべきであるとする見解（経済的帰属説）であり，第2は，所得の法律上の帰属と経済上の帰属が相違する場合に，あくまでも法律上の権利者によって決定すべきとする見解（法律的帰属説）である。それぞれの見解の上記所得税法12条の下線部分や法人税法11条の読み方は，次表のとおりとなる。

所税12条 法税11条	経済的帰属説	法律的帰属説
「法律上帰属するとみられる者」	法律上の権利者	法律上の非権利者
「享受する者	経済上の享受者	法律上の権利者

文理解釈からすると，法律的帰属説は，「収益を享受する者」を法律上の権利者と読む点でいささか無理があり，経済的帰属説の方がむしろ文言には叶っていよう。また，法律的帰属説は，なぜ同説が主張しているような当然の事理を租税法に規定する必要があるのか疑問が生じる。他方，経済的帰属説は，所得税法12条や法人税法11条でわざわざ実質所得者課税の原則を定めた趣旨を説明するものである。

実は，昭和28年の旧所得税法３条の２や旧法人税法７条の３の新設の際には，大蔵省や国税庁の担当者は，経済的帰属説により課税することを意図していたと考えられる(注124)。このように国税当局が経済的帰属説にこだわるのは，法律的帰属説に立つと，当該取引の契約を検討して法的権利者が誰であるかの確定が必要となるが，国税当局の担当者は，契約の解釈や法的権利者の確定をする訓練を当時余り受けておらず実際上は困難な面があった反面，経済的帰属説に立つと，収益の資金の流れを検討し実際の資金の帰着を確定するのが決め手となるが，このような資金の流れの分析が国税当局の当時の担当者にとっては法的な権利者の確定より容易であったためではないかと考えられる。

しかし，その後，経済的帰属説の考え方に対しては，金子宏名誉教授らによる学説から強く批判され，大蔵省や国税庁も経済的帰属説を強く主張することはなくなり，法律的帰属説が通説となり，また，下級審の裁判例となっているのである(注125)。

2　実質所得者課税の原則の理解

このように所得税法12条や法人税法11条の意義や解釈は，立法経緯や文理などからかなり難しい問題である。そこで筆者としては，この問題については，次のように理解すべきと考える。

まず，所得税法12条や法人税法11条が，「資産から生ずる収益」と「事業から生ずる収益」とを区別している趣旨を尊重し，２つの収益を分けて考えるべきである。

次に，これらの規定は，前記１のとおり，昭和28年に所得税法や法人税法に導入された規定であるが，この規定の趣旨を検討するに当たっては，この規定の導入の契機となった「共栄企業組合事件」と呼ばれている後記最高裁昭和37年６月29日判決を理解することが重要であると考える。

⑴　資産から生じる収益

そこで，まず，「資産から生じる収益」について検討する。「資産から生ずる収益」は，実際上は，①預金利子について預金の名義人と受取者が異なる場合，②株式の取引について，取引名義人と収益の受取者が異なる場合，③不動産の譲渡について，不動産の所有名義人と譲渡代金の受取者が異なる場合などに問題となる。

この場合には，「法律上帰属するとみられる者」とは，預金名義人，株式の取引名義人や不動産の譲渡名義人であることは明らかであり，経済的帰属説は，預金の名義，株の取引名義や

注124　例えば，昭和29年に発刊された国税庁の担当者による所得税法の注釈書においては，「所得の帰属を確認するには名義主義と実質主義があるが，負担の公平からは所得をその名義の如何にかかわらず，経済上の実質から実際に所得が帰属した者を所得者とするのが正しいことはいうまでもない。このため，従来から，明文は無くても，実質主義によって実質的な所得者に対して課税するよう取り扱ってきたのであるが，最近の著しい経済社会の発展に伴い，一層この趣旨を徹底させる必要があるので，昭和28年法律第173号の改正によりその主旨を明文化したのである。」（岩尾一編『所得税法（Ⅰ）』（日本評論社，昭和29年）41頁，下線筆者）と説明されている。

注125　金子宏『租税法理論の形成と解明上巻』（有斐閣，平成22年）536頁

不動産の譲渡名義にとらわれずに，実際のそれらの場合の収益を受け取っている者に所得が帰属するとする見解であり，法律的帰属説は，預金の名義人，株の取引名義人や不動産の譲渡名義人が法律上の真の権利者であるのか，単なる名義人にすぎないかの確定を要するとの見解であると考えられる。

理論的に考えると，「資産から生じる収益」の所得の源泉は資産であり資産を所有しているからこそ所得が生じるのであるから当該資産の所有者に当該所得も帰属すると考えるのが相当である。その意味では，「資産から生じる収益」の場合には，当該資産の真の権利者に帰属するとする法律的帰属説が相当と考える。

⑵　事業から生じる収益

ア．事業主基準の意義

一方で，「事業から生じる収益」の場合には，「資産から生ずる収益」とは異なり，そもそも「法律上帰属するとみられる者」とはどのような場合であるかが問題となる。なぜなら事業の場合には何をもって「法律上帰属」とみるかが明確でないからである。例えば，行政法上の許可や免許を要する事業の場合には，一応それらの許可や免許の名義人を「法律上帰属するとみられる者」と考えることができるが，そのような許可や免許を要しない事業の場合には，商号や顧客との取引名義をもって「法律上帰属するとみられる者」と考えられるからである。

実は，このような「事業から生ずる収益」の帰属については，昭和28年に実質所得者課税の原則が所得税法や法人税法に導入される以前から事業主基準で考えられていた。そのことは，例えば，昭和26年制定の旧所得税基本通達（注126）において，「事業の所得が何人の所得であるかについては，必ずしも，事業の用に供する資産の所有権者若しくは賃借権者，免許事業の免許名義者若しくはその他の事業の取引名義者，当該事業に従事する形式等にとらわれることなく，実質的に当該事業を経営していると認められるものが何人であるかにより，これを判定するものとする。」（同通達1-158，下線筆者）と規定されていたのである。この昭和26年の通達がその後も引き継がれ，現行の所得税基本通達12－2において「事業から生ずる収益を享受する者がだれであるかは，その事業を経営していると認められる者（…）がだれであるかにより判定するものとする。」（下線筆者）と規定されているところである（注127）。

前記のとおり，昭和28年に実質所得者課税の原則が所得税法や法人税法に導入されたのは，共栄企業組合事件で代表される中小企業組合を濫用する場合に対抗するためのものであった。そこで，所得税法12条が意味しているところは，このような場合を想定するとより理解が可能となる。この共栄企業組合事件は，個人事業を営んでいる者が中小企業組合（法人）に店舗などの事業用資産を現物出資したように仮装して組員となり，給与所得ということで課税を過少にしたとの事案である。この場合，所得税法12条の「法律上帰属するとみられる者」とは，中小企業組合（法人）を指し，「収益を享受する者」とは，組合員のことであり，法的には，法人が事業を営んでいるようにみえるが，組合員がその収益を享受していることから「事業による収益」が組合員個人に帰属することを意味しているのである。所得税法12条は，「収益を享受する者」としか規定していないことから，収益を享受していさえすれば足りると読むと経済的帰属説となるが，事業主基準に立つと，「収益を享受する者」とは，「当該事業を営むことにより収益を享受する者」と読むこととなる。

注126　昭和26年1月1日付直所1-1「所得税に関する基本通達」157～160

注127　通達の制定経緯の詳細は，福田善行「実質所得者課税に関する一考察」税務大学校論叢84号（平成28年）367～372頁を参照されたい。

イ．事業主基準と法律的帰属説

ところで，このような事業主基準は，事業に当たっての個々の取引における名義と異なる場合もあり得る。例えば，東京高裁平成28年２月26日判決（判タ1427号133頁）で問題となったが，不動産取引を個人事業主が法人名義で行った場合である。取引の対象となった不動産の所有権は，名義人である法人にあるが，取引をするか否かの決定を背後にいる個人が決定している場合である。この場合は，不動産の所有権の所在に着目すると，法人に所得が帰属するようにみえる。確かに，不動産取引が単発の取引で譲渡所得に当たるか否かが問題となる事案では，「資産から生じる収益」であり，当該不動産の所有権者に所得が帰属することとなる。しかし，不動産取引を事業として行っている場合には，当該不動産の所有権の所在だけで決せられるのではなく，事業主が誰かで決定されると考える(注128)。

理論的に考えると，「事業から生じる収益」の所得の源泉は事業であり事業を営んでいるからこそ所得が生じるのであるから当該事業を支配している者に当該所得も帰属すると考えるのが相当である。その意味では，「事業から生じる収益」の場合には，当該事業主に帰属するとする考えるのが相当である。

このような事業主基準は，「事業による収益」を誰が受け取っているかで判定する基準ではなく，経済的帰属説とは異なる見解である。経済的帰属説は，私法上の法律関係を軽視し，資金の流れを重視し，「事業から生ずる収益」の受取りで所得の帰属を判定する基準であるが，事業主基準は，単に資金の流れだけではなく，詳細な事実認定によって当該事業における重要な意思決定をしていた者は誰かにより所得の帰属を判定する基準であり，「事業から生ずる収益」の性質に着目した法律的帰属説と考えられる(注129)。「事業から生じる収益」については，このような意味での法律的帰属説に立つべきである。

このように事業主基準は，最終的には，事業を支配しているのは誰かで判断するのであるが，下表のとおり，①取引の相手方に対する名義，②たな卸資産の所有者，③事業の危険と計算の負担者も重要な間接事実であり，これらの事実を踏まえて，最終的に，④重要な意思決定者で決すべきと考える。

①当該事業を行うに当たり，事業の相手方に対しどのような名義で行ったか。 ②当該事業の事業用資産あるいはたな卸資産の私法上の所有権者は誰か。 ③当該事業についての危険と計算は，誰の危険と計算で行っているか。当該損益は，誰に帰属しているか。 ④当該事業についての重要な意思決定は，誰が行っているか。誰が事業を支配しているのか。

(3)　勤労から生じる収益

ところで，所得税法12条は，「資産から生じる収益」と「事業から生じる収益」しか規定がなく，「勤労から生じる収益」については規定していない。勤労から生じる収益の場合には，私法上の雇用契約や委任契約により勤労を提供するのが一般的であることから，通常は，これらの契約において雇われたり委任を受けている者にその所得が帰属することとなる。しかし，「勤労から生ずる収益」は，労務提供に当たっての契約の名義や関係者との合意により決せられるではなく(注130)，当該労務の提供者に当該所得が帰属するとされる。これは，「稼得者

注128　今村隆「法人名義による不動産取引に係る事業収益の帰属判定」ジュリスト1513号（平成29年）132頁
注129　金子名誉教授は，法律的帰属説に立った上で，事業主基準を支持している（同・租税法第24版181頁**）。
注130　東京地裁昭和63年５月16日判決（判時1281号87頁）参照

課税の原則」と呼ばれている原則であり，勤労から生じる収益は，労務提供者に帰属すると考えられている。この場合も，所得の受取りではなく，労務提供者が誰かにより所得の帰属を判定するのであり，経済的帰属説ではなく，「勤労から生じる収益」に着目した法律的帰属説と考えることができる。

第2　最高裁昭和37年6月29日判決

1　事案の概要

最高裁昭和37年6月29日判決（判時359号1頁）は，刑事の脱税事件であるが，実質所得者課税の原則の意義を考える上で重要な事件である。事案の概要は，次のとおりである。この事件での論点は，多岐にわたるが，昭和28年に制定された所得税法3条の2制定前の事件であることから，同条が創設的規定であり，創設的規定に基づく遡及処罰ではないかの論点について検討する。

（事例22）

Xらは，中小企業等協同組合法に基づき，A企業組合（法人）を設立し，Bら個人事業者の所得税を軽減するため，またBらからその事業用資産を譲り受けたように仮装し，BらをA組合の組合員とし，一定額の給与を支払ったかのように仮装した。しかし，実際には，Bらは，従前と変わらず，自ら事業を営んでおり，上記給与の額よりも事業所得があったにもかかわらず，A組合に，組合経費とBらの源泉所得税に相当する額を支払い，Bらの事業所得に対する所得税課税を免れさせた。

BらがA組合の組合員として得た所得は，A組合に帰属するか，それともBら個人に帰属するか。

※事実関係は，実際の事案を単純化している。

2　判旨

本判決は，原審の福岡高裁昭和34年3月31日判決（高裁刑集12巻4号337頁）の「所得の帰属者と目される者が外見上の単なる名義人にしてその経済的利益を実質的，終局的に取得しない場合において，該名義人に課税することは収益のない者に対して不当に租税を負担せしめる反面，実質的の所得者をして不当にその負担を免れしめる不公平な結果を招来するのみならず，租税徴収の実効を確保し得ない結果を来す虞があるからかかる場合においては所得帰属の外形的名義に拘ることなく，その経済的利益の実質的享受者を以つて所得税法所定の所得の帰属者として租税を負担せしむべきである。これがすなわちいわゆる実質所得者に対する課税（略して実質課税）の原則と称せられるものにして，該原則は吾国の税法上早くから内在する条理として是認されて来た基本的指導理念であると解するのが相当である。」として，所得税法3条の2が創設的規定ではなく確認的な規定にすぎないとの判示を引用した上，「されば，所得税法2条1項にいう所得の帰属する『個人』の意義を，前記の基本的指導理念に従つて解釈し，そして所得税を課せらるべき納税義務者が誰であるかを確定し，その者が同法69条1項前段の所為をした場合，これを同条項によつて処罰することは，<u>その所為が所論の所得税法3条の2の規定制定以前のものであつても，所論のように，単なる慣習や常識で右69条1項前段所定の犯罪構成要件の不備空白を埋めるものでも，また刑罰を遡及して適用するものでもない。</u>」（下線筆者）と判示して遡及処罰ではないとした。

3　検討

(1)　要件事実

本件は，刑事事件であり，しかも，Bらについては，A組合が給与所得者として所得税の源泉徴収をして納付していて，Bらは所得税の申告をしていない事案である。そこで，Y税務署長が，Bに対し，決定処分をしたとして，その処分の取消訴訟の要件事実を検討することとする。

Kg

①Y税務署長が，○年○月○日，Bに対し，○年分の所得税の決定処分をした。	○
②この決定処分は違法である。	争う

↑

E（事業所得がBに帰属すること）

①Bが，店舗を構えて年間を通じて営利活動を行い，××円の収益を得た。	×
②Bは，この営利活動を自己の危険と計算で営んでいる。	×
③上記店舗は，Bが所有しており，A組合（法人）名義で上記収益を得ているとしているのは仮装であり，上記収益はBに帰属している	×

⑵ 本判決の意義

1審の福岡地裁昭和32年2月4日判決（税資39号219頁）と控訴審の福岡高裁昭和34年3月31日判決は，条理による実質所得課税の原則を根拠に，所得税法3条の2を確認規定としている。1審判決は，実質的所得者課税の原則の根拠について，「もつとも具体的にその帰属者を決定するにあたつては，私法各法に充分に依拠しなければならないと共に，租税実体法の趣旨に鑑み，慎重に決定されなければならない。この『所得』の帰属はあくまで租税法上の概念であるところから，私法上の権利関係に更に租税法上の経済的収得の享受の点を加味して判断する以上，必らずしも私法上の権利者が常に所得者になるとは限らないところに右原則が租税法上の独自のものであることが認められるのである。」（下線筆者）とし，私法上の法律関係から離れて所得の帰属を判定すべきとしているところから，経済的帰属説を採っていると考えられる。

これに対し，控訴審判決は，前記2「判旨」の最高裁判決引用の判示に続けて，「尤も，実質課税の原則は私法上の法律関係を前提とし乍ら，税法の目的と必要よりしてこれに実質的修正を加える結果をもたらし，個人の権利関係に重大なる影響を及ぼす関係からと，租税法律主義に厳格解釈を採用し，殊に租税法律関係につき権力関係説よりも債務関係説を強調する結果，納税義務者，課税物件，税率等すべての課税要件を法定すべきものとして課税当局の裁量的行為を極力排斥しようとする立場より，条理としての実質課税の原則の存在を否定し，所得税法第3条の2は創設的規定であると解する説もないではないが，税法が負担の公平を指導原理とし徴税の確保を目的とするものなることに深く思を致せば，かかる見解には到底左袒することはできない。」（下線筆者）と判示していることから，1審判決の上記判示を受けて経済的帰属説の考え方を承認しているように読むことができる。

しかし，金子名誉教授が分析しているとおり，本判決は，原審判決の上記判示部分は引用していないことから経済的帰属説の採用については，留保していると考えられる（注131）。

加えて，本件は，BらのA組合への現物出資が仮装の事案であり，法律的帰属説に立っても，A組合は，「単なる名義人」であり，「法律上帰属するとみられる者」とは当たらないと考えられ，Bらに帰属すると説明が可能な事案である。

このようなことから，本判決は，経済的帰属説は採用していないものの，一方で法律的帰属説に立っているかも明確ではなく，最高裁判例としては，刑事及び民事の両方において，いずれの立場に立っているかは明確でないといわざるを得ない。

注131 金子・前掲租税法理論の形成と解明上巻541頁

第３　東京高裁平成３年６月６日判決

１　事案の概要

東京高裁平成３年６月６日（訟月38巻５号878頁）は，親子で営む歯科医院の事業所得につき，所得の帰属が争われた事案である。所得税法12条の適用について，当該歯科医院経営の事業主が，親のみか否か争われた。事案の概要は次のとおりである。

（事例23）

Ｘは，歯科医で歯科医院を営む事業者である。Ｘの息子であるＡは，昭和56年５月，歯科医師国家試験に合格した後，Ｘが営む上記歯科医院にて診療に従事しており，翌年の昭和57年３月，Ａ名義の個人事業の開業届出書が所轄税務署に提出された。

Ｘは，昭和57年分および同58年分の所得税について，上記医院の総収入および総費用をＡと折半して申告したが，税務署長ＹはＡを独立の事業者と認めず，医院の事業所得がすべてＸに帰属するものとしてのとおり，各更正処分及び各加算税賦課決定処分（以下「本件各処分」という。）を行った。

Ｘらが歯科医院で得た所得は，すべてＸに帰属するか，それともＡにも帰属するか。

※事実関係は，実際の事案を単純化している。

２　判旨

上記高裁判決では，原審の千葉地裁平成２年10月31日判決（税資181号206頁）の，「親子が相互に協力して一個の事業を営んでいる場合における所得の帰属者が誰であるかは，その収入が何人の勤労によるものであるかではなく，何人の収入に帰したかで判断されるべき問題であって，ある事業による収入は，その経営主体であるものに帰したものと解すべきであり（最高裁昭和37・３・16第二小法廷判決，裁判集民事59号393頁参照），従来父親が単独で経営していた事業に新たにその子が加わった場合においては，特段の事情のない限り，父親が経営主体で子は単なる従業員としてその支配のもとに入ったものと解するのが相当である。これを本件についてみると，Ｘ夫婦とＡ夫婦及びその子は，同一建物の一階と二階に住み分けていること，…家事はＡの妻とＸの妻が相互に助けあい行っていること，Ａは…昭和57年の３，４月ころ原告が借り入れをして，前記のように住み分けるため家を改築したこと，昭和56年10月から同年12月の間は，松戸税務署にＸからＡが月25万円の給与を受けている旨の届出がなされていたけれども，実際は，医院の収入から借入金を返済したのちＡとＸで按分しており，按分割合は明確には決められていなかったこと，その状態はＡの開業届出書が提出された昭和57年３月11日以降も同様であったことが認められるから，そもそも，ＸとＡは全く別個の世帯とは認められず，更に，Ｘは前記住所地において昭和35年から現在まで医院を経営していること，Ａが開業にあたり必要とした医療器具，医院改装の費用は，Ｘ名義で借り入れられ，右医療器具等の売買契約等における当事者はＸであり，返済は前記のとおりＸ名義の預金口座からなされていること，右借入れにあたり，Ｘ所有の土地建物（医院の敷地及び建物）に根抵当権が設定されていること，本件各処分以前，医院の経理上ＡとＸの収支が区分されていなかったことが認められ」るとしたうえで，「Ａが同56年から医師として同医院の診療に従事することになり，それに応じて患者数が増え，Ａの固有の患者が来院するようになったこと，同医院の収入が昭和56年から飛躍的に増大していることが認められるとはいえ，…医院の実態は，Ａの医師としての経験が新しく，かつ短いことから言っても，Ｘの長年の医師としての経験に対する信用力のもとで経営されていたとみるのが相当であり，したがって，医院の経営に支配的影響力を有しているのはXであると認定するのが相当」（下線筆者）とする判断を引用している。

3 検討

⑴ 要件事実

Kg

①Y税務署長は，昭和59年10月31日付けで，Xに対し，昭和57年分及び昭和58年分の所得税について，納付税額○○円の更正処分をした。	○
②上記更正処分は違法である。	争う

↑

E（Xに帰属する事業所得）

①Xは，歯科医院を構えて，平成○年において，歯科医療活動を行い，一般診療及び矯正治療分で合計△△円の収益を得た。	×
② Xは，この営利活動を自己の危険と計算で営んだ。	×
③Aは，平成○年に，医院の矯正治療分について，所轄税務署に対しA名義での開業届出を提出しているが，Xが医院をAに提供して行わせているもので，同年以降も，Xが矯正治療分について意思決定を行っていた。	×

⑵ 本判決の意義

所得税法12条の実質所得者課税の原則については，本判決が参照している共栄企業組合事件（事例22参照）において，税法の基本的指導理念であること，同規定が確認的規定であることが是認されている。

本判決は，事業から生じる所得に係る実質所得者課税の原則の適用が問題となった事案であり，親子で営む事業について，親が単独経営していた事業に子が加わった場合においては，特段の事情のない限り，親が経営主体となり，子は単なる従業員としてその支配のもとに入ったものと解するのが相当であることから，Xらが歯科診療によって稼得した収益について，同医院の経営に対する支配的影響力に着目する事業主基準に依拠し，当該収益はXに帰属するものと判断した。

本判決は，実質所得者課税の原則が事業から生じる収益に適用された事例であり，その後の東京高裁平成28年2月26日判決（判タ1427号133頁）においても，「事業活動に属する取引（事業取引）の主体は誰かという観点から検討するのが相当」と判示されていることから，今日においても意義を有しているといえる。

⑶ 所得税基本通達12－5

本件のような親族間における所得の帰属については，所得税基本通達12－5が「生計を一にしている親族間における事業…の事業主がだれであるかの判定をする場合には，その事業の経営方針の決定につき支配的影響力を有すると認められる者が当該事業の事業主に該当するものと推定する」としたうえで，支配的影響力の有無が明らかでない場合には，「生計を主宰している者が事業主に該当するものと推定する」と規定する。

さらに，同通達（2）では，「生計を主宰している者以外の親族が医師，歯科医師…その他の自由職業者として，生計を主宰している者とともに事業に従事している場合において，当該親族に係る収支と生計を主宰している者に係る収支とが区分されており，かつ，当該親族の当該従事している状態が，生計を主宰している者に従属して従事していると認められない場合」には，当該親族の収支に係る部分の事業主が当該親族に該当すると定めている。

本判決では，その当てはめとして，①Xらが同一建物に居住していること，同建物はAがXから借入をして改築していること等から，XとAが全く別個の世帯とは認められず，さらに，②Xが20年以上同医院を経営しており，Aの開業に必要な医療器具等や医院改装費用も X 名義で借り入れられていること等について言及されている。これらのうち，前者は生計の主宰者，後者は事業における支配的影響力について，X と A の関係性を判断している。加えて，原審では，「X と A の診療方法及び患者が別であり，いずれの診療による収入か区分することも可能であるとしても，収入が何人の所得に属するかは，何人の勤労によるかではなく，何人の収入に帰したかによって判断されるものである」として，X が医院の経営主体である以上，上記事実によって所得帰属の認定が覆るものではないと判示されている。これらの判断は，上記通達の規定に合致するといえるだろう。

⑷　大阪高裁令和４年７月20日判決

親子間取引による資産から生じる所得については，大阪高裁令和４年７月20日判決（裁判所HP）がある。同事案では，親（A）が所有権を有している不動産につき，その子らと使用貸借契約及び贈与契約を締結し，親が当該不動産で営んでいた駐車場賃貸契約の地位を子（X）らに引き継いだ場合に，当該不動産から生じる駐車場収益が親と子のいずれに帰属するかが争われた。

原審の大阪地裁令和３年４月22日（税資271号順号13553）では，子らに親所有土地を無償で使用収益させる使用貸借契約が成立しており，当該土地の駐車場の収益は，X らが当該土地の使用収益権に基づき第三者との間で駐車場に係る賃貸借契約を締結して当該駐車場の収益を得ていること，A は当該駐車場の収益を得ていないこと等から，当該収益は所得税法上 X らに帰属すると判断された。これに対して上記大阪高裁判決では，「本件各取引後，本件各土地の駐車場の収益がX１ 及びX２の口座に振り込まれていたとしても，そのようにAが子であるX１及びX２に対する本件各土地の法定果実収取権の付与を継続していたこと自体が，Aが所有権者として享受すべき収益を子に自ら無償で処分している結果であると評価できるのであって，やはりその収益を支配していたのはAというべきであるから，平成26年２月以降の本件各駐車場の収益については，X１及びX２は単なる名義人であって，その収益を享受せず，A がその収益を享受する場合に当たる」（下線筆者）と判示した。

同事案では，不動産の所有権から収益権を分離させる契約に係る所得の帰属について，資産から生じる収益の性質が争われているため，上記⑵で示した事業主基準が適用された事案とはその性質が異なっている。

第９節　同族会社の行為計算否認

第１　所得税法157条の意義と要件

１　所得税法157条の意義

同族会社の行為計算否認の規定は，所得税法157条，法人税法132条及び相続税法64条などに規定されている。これらの規定は，いわゆる租税回避の個別否認規定であり，同族会社が少数の株主等によって支配されているため，当該会社又はその関係者の税負担を不当に減少させるような行為や計算が行われやすいことにかんがみ，税負担の公平を維持するため，そのような行為や計算が行われた場合に，それを正常な行為や計算に引き直して更正又は決定を行う権限を税務署長に認めるものである。ここでは，これらのうちの所得税法157条について検討することとする。

所得税法157条１項は，「税務署長は，次に掲げる法人の行為又は計算で，これを容認した場合にはその株主等である居住者又はこれと政令で定める特殊の関係にある居住者等（…）の所得税の負担を不当に減少させる結果となると認められるものがあるときは，その居住者の所得税に係る更正又は決定に際し，その行為又は計算にかかわらず，税務署長の認めるところにより，その居住者の各年分の120条１項１号若しくは３号から８号まで（…）又は123条２項１号，３号，５号若しくは７号（…）に掲げる金額を計算することができる。」（下線筆者）と規定している。

この規定から，所得税法157条の要件として，①同族会社であること，②同族会社の行為又は計算であることが要件であることは，文言上明らかである。ここで，②の「行為」とは，対外関係において法人の財産状態に影響を及ぼすべき法律的効果を伴う行為をいい，「計算」とは，対内関係において法人の財産状態の表示いかんにより財産上影響を及ぼすことがある計算をいうとされている（注132）。

問題は，上記下線の部分であり，この部分が1個の要件であるのか，それともいくつかの要件に分解されるのかが問題となる。

2　所得税法157条の要件

東京地裁平成9年4月25日判決（判時1625号23頁）は，所得税法157条1項の上記下線部分を2個の要件に分解し，①これを容認した場合にはその株主等の所得税の負担を減少させる結果となること，②右所得税の減少は不当と評価されるものであることとした。すなわち，①は，当該行為や計算を容認した場合には，その株主等の所得税の負担が減少するかとの事実を問うものであり，②は，そのような所得税の負担の減少が，「不当と評価されるものである」かとの評価を問うものである。これにより，所得税法157条1項の要件が明らかとなり，争点が明確となったのである。結局，上記東京地裁判決に従うと，所得税法157条1項の要件は，下記のとおりとなる。

①　同族会社であること
②　上記同族会社の行為又は計算であること
③　これを容認した場合にはその株主等の所得税の負担を減少させる結果となること
④　上記所得税の減少は不当と評価されるものであること

この東京地裁判決については，更に第2で検討することとする。

第2　東京地裁平成9年4月25日判決

1　事案の概要

東京地裁平成9年4月25日判決は，第1の2で引用した判決であるが，同族会社の株主が同社に対し巨額の資金を無利息で貸し付けたとの事案である。本件でなぜ株主であるXがこのような取引をしたかははっきりとはしないが，おそらく相続対策が主であったことがうかがわれる。本件では，同族会社への無利息貸付が「不当と評価されるものである」かが問題となる。本件の事案の概要は後記（**事例24**）のとおりである。

2　判　旨

上記東京地裁判決は，「本件規定によれば，①同族会社の行為又は計算であること，②これを容認した場合にはその株主等の所得税の負担を減少させる結果となること，③右所得税の減少は不当と評価されるものであることという3要件を充足するときは，右同族会社の行為又は計算にかかわらず，税務署長は，正常な行為又は計算を前提とした場合の当該株主等に係る所得税の課税標準等又は税額等の計算を行い，これに基づいて更正又は決定を行うというのである。」とした上，「株主等に関する右の収入の減少又は経費の増加が同族会社以外の会社との間における通常の経済活動としては不合理又は不自然で，少数の株主等によって支配される同族会社でなければ通常は行われないものであり，このような行為又は計算の結果として同族会社の株主等特定の個人の所得税が発生せず，又は

注132　同族会社の行為計算否認の規定は，大正12年に創設されたが，大正15年の改正で，「行為」と「計算」を区分して定められた。その趣旨は，「行為」の及ぼす効果がその「行為」の事実年度後において生じるような場合においても，その「行為」とは別個に「計算」を否認することができるようにするためであったと考えられる（村上泰治「同族会社の行為計算否認税定の沿革からの考察」税務大学校論叢11号（昭和52年）247頁）。

減少する結果となる場合には，特段の事情がない限り，右の所得税の不発生又は減少自体が一般的に不当と評価されるものと解すべきである。すなわち，右のように経済活動として不合理，不自然であり，独立かつ対等で相互に特殊な関係にない当事者間で通常行われるであろう取引と乖離した同族会社の行為又は計算により，株主等の所得税が減少するときは，不当と評価されることになるが，所得税の減少の程度が軽微であったり，株主等の経済的利益の不発生又は減少により同族会社の経済的利益を増加させることが，社会通念上相当と解される場合においては，不当と評価するまでもないと解すべきである。」（下線筆者）とし，結局，「ある個人と独立かつ対等で相互に特殊関係のない法人との間で，当該個人が当該法人に金銭を貸し付ける旨の消費貸借契約がされた場合において，右取引行為が無利息で行われることは，原則として通常人として経済的合理性を欠くものといわざるを得ない。」とした。

そして，上記東京地裁判決は，「当該個人には，かかる不自然，不合理な取引行為によって，独立当事者間で通常行われるであろう利息付き消費貸借契約によれば当然収受できたであろう受取利息相当額の収入が発生しないことになるから，結果的に，当該個人の所得税負担が減少することとなる。そして，右の消費貸借が株主等の所得税を減少させる結果となるときは，同族会社が当該融資金を第三者に対する再融資の用に供する場合でなくとも，不当に株主等の所得税を減少させる結果となるものというべきである。したがって，株主等が同族会社に無利息で金銭を貸し付けた場合には，その金額，期間等の融資条件が同族会社に対する経営責任若しくは経営努力又は社会通念上許容される好意的援助と評価できる範囲に止まり，あるいは当該法人が倒産すれば当該株主等が多額の貸し倒れや信用の失墜により多額の損失を被るから，無利息貸付けに合理性があると推認できる等の特段の事情のない限り，当該無利息消費貸借は本件規定（筆者注・所得税法157条）の適用対象となるものというべきである。」（下線筆者）と判示して，本件では，所得税法157条を適用して，利息相当額の所得を認定することができるとした。

3　検　討

(1)　要件事実

本件の要件事実は，次のとおりとなる。

Kg

①Y税務署長が，H4．6．18，Xに対し，平成元年分の所得税につき納付税額○○円の更正処分をした。	○
②この更正処分が違法である。	争う

↑

E（同族会社の行為計算否認）

①A社は，Xによって全株式が所有されていた。（同族会社）	○
②A社は，H1．3．15，Xから3,455億円を返済期限なしに無利息で借り入れた。（行為）	○
③無利息であることを容認した場合には，Xの所得税の負担を減少させる結果となると認められる。（所得の減少）	○
（不当であることの評価根拠事実）	
①本件貸付当時，法人に対し長期で3,455億円を貸付けた場合には，銀行の長期貸出約定平均金利5.58％の金利を受け取ることができた。（無利息の異常性）	△
②本件貸付は，A社にXの所有する甲社の株式を購入させるためであったが，本件貸付当時，A社は，何ら事業を行っておらず，Xの所有する甲社の株式を購入させて，保有させるためだけの会社であった。（反対給付の不存在）	×
③Xは，A社に甲社の発行済株式の51％を購入させることにより，甲社の支配を確保するとともに，将来，Xの相続が生じた場合の甲社株の散逸や相続税対策を意図していた。（反対給付の不存在）	×

※本ダイアグラムは，平成元年分の所得税についてのものである。

（事例24）

Xは，平成元年3月10日，その所有する甲社の株式のうち同社の発行済株式総数の51％に相当する3,000万株を，証券会社C社ほか4社を介して，同族会社であるA社に3,450億円で譲渡したが，その代金決済日である同月15日に，B銀行ほか3行から，利息3.375％の約定で約3,455億円を借り入れて（①貸付け），無利息かつ返済期限を定めないで，A社に同額を貸し付けたものである（②貸付け）。

そして，同日，A社は，株購入代金及び手数料として，C社等に約3,455億円を支払い（③支払い），C社等は，本件株式をA社に引き渡し，株購入代金から手数料と有価証券取引税を控除した後の約3,425億円をXに支払った（④支払い）。同日，Xは，借入金約3,455億円及びこれに対する利息約3,000万円をB行等に返済した（⑤返済）。この一連の取引の結果，本件株式は，XからA社に譲渡されたが，本件貸付けは引き続き無利息・無期限のままの状態で残存することとなった。これに対し，Y税務署長は，平成4年6月18日，Xに対し，所得税法157条を適用して，利息相当額の雑所得があるとして更正処分をした。

この場合，Xに利息相当額の所得があったとして課税できるか。

なお，本件当時，店頭銘柄株式について，発行済株式総数の25％以上に相当する株式を有する者の証券会社の媒介等による譲渡をした場合，その譲渡所得は非課税であった（昭和63年法律第109号による改正前の所得税法9条1項11号イ，ホ，同年政令362号による改正前の同法施行令26条3項4号，27条の3）。この非課税規定は，平成元年3月末まで適用されることとなっており，本件取引は，この非課税規定が失効する直前の駆け込み的な取引であった。

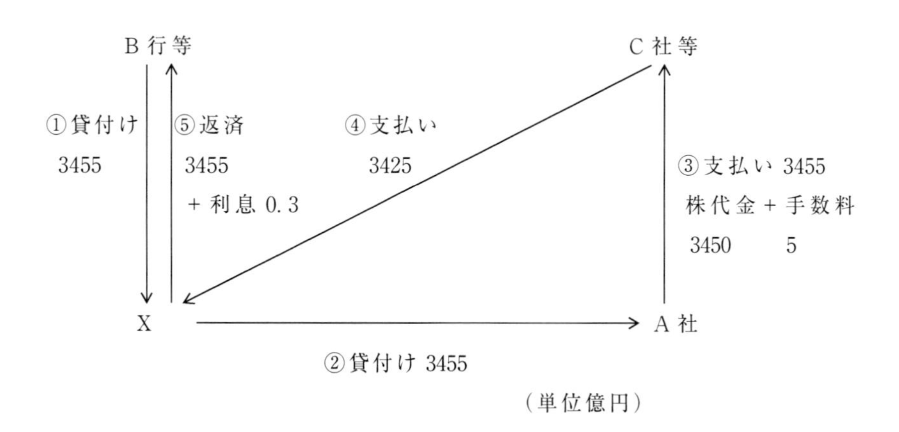

＊④の支払いは，株代金3450－手数料5－有価証券取引税19

※事実関係は，実際の事案を少し単純化している。

⑵　「不当と評価されるものであること」の判断基準

上記東京地裁判決は，前記2「判旨」の下線部分のとおり，「独立かつ対等で相互に特殊な関係にない当事者間で通常行われるであろう取引と乖離した同族会社の行為又は計算により，株主等の所得税が減少するときは，不当と評価されることになる」として，「不当と評価される」か否かを独立当事者間取引基準で判断するとした。これは，法人税法132条の場合には，「不当と評価されるものであること」は，同族会社である法人が法人の益金を減少させ又は損金を増加させて法人税を減少させるものと考えられ，端的に経済合理性基準を採って，当該法人にとって経済不合理な行為を「不当と評価される」と考えればいいの対し，所得税法157条の場合には，株主の収入の減少や経費の増加は，取引の相手方である同族会社からすると，むしろ利益となる場合もあるからである。すなわち，本件に即していうと，Xが無利息でA社に貸し付けた行為は，Xの収入を減少させる行為ではあるが，A社からみると，むしろ利息の支払いを免れていることから有利な行為となり，A社にとっては経済不合理な行為とはいえないのではないかが問題となり，A社に対する経済合理性基準では判断できないからである。

しかし，一方で，無理矢理，A社に対する経済合理性基準で判断するとすると，所得税法157条の適用がほとんど考えられないこととなる。そうすると，そもそもなぜ株主等と同族会社の行為が所得税法157条で否認するとされているのかに立ち返って考えるべきであり，株主等と同族会社との間の取引には，株主等の収入を減少させ，株主等に本来帰属すべき利益を同族会社に帰属させてその利益を留保する態様が考えられ，このような場合が所得税法157条の適用場面として想定されていると考えられる。

上記東京地裁判決は，このように考えて，所得税法157条について，経済合理性基準ではなく，独立当事者間取引基準で判断すべきとしたものと思われる。また，上記東京地裁判決は，不当性の判断の対象となるのは同族会社の行為であるとするXの主張に対し，「本件規定にいう同族会社の行為又は計算とは，同族会社と株主等との間の取引行為を全体として指し，その両者間の取引行為が客観的にみて経済的合理性を有しているか否かという見地からその適用の有無及び効果を判断すべきものというべきである。」と判示しているが，これも同じ考え方に基づくものと思われる。

上記東京地裁判決は，所得税法157条の「不当と評価されるものであること」について，経済合理性基準を安易に適用することなく，所得税法157条の特質に着目してその判断基準を検討したものであり，相当である。

⑶　所得の発生の要否

ア．さらに，本件では，無利息貸付の貸主には，所得の発生がなく，所得が発生していないにもかかわらず，所得税法157条を適用することができるのかの問題がある。

この点，本東京地裁判決は，「本件規定は，同族会社の行為又は計算の実体法的効力を否定するものではないから，同族会社の行為又は計算によって株主等に収入が発生せず，又は経費が発生していること等を前提にして，株主等の所得税の計算という場面において，通常の取引で認められる収入の発生又は経費の不発生等を擬制するものである。また，同族会社が正当な対価を負担することなく株主等の支配する財産，経済的価値の移転を受けることは，その財産，経済的価値が同族会社の利益発生の直接的な原因とはなっていない場合であっても，株主等の収入ひいては所得税の発生を抑制することとなり，株主等の所得税の負担を減少させる結果となる同族会社の行為ということができるから，株主等の所得税の負担減少の有無を検討するにつきXの主張する外部からの経済的価値の流入と目される事実を要するものではないというべきである。すなわち，株主等がその有する財貨を無償若しくは低廉な対価で，又は不相当に高額の委託料を支払って同族会社に貸与又は管理委託をし，同族会社においてこれを転貸又は管理して通常の対価を取得する場合には，外部からの経済的価値の流入が想定され，株主等の所得が同族会社の介在により分散されることになるが，この場合の外部からの経済的価値の流入を株主等の所得と観念することは，結局，同族会社への収入を株主等に対する収入と同視し，いわば本件規定を同族会社の法人格を否認する規定と解するに等しく，『同族会社の行為又は計算』を否認対象とする本件規定の文言と著しく乖離する結果となるから，このように観念し得ないことも明らかである。」（下線筆者）と判示している。

さらに，上記東京地裁判決は，「また，株主等から不動産の無償貸与を受け，これを事業の用に供する等，株主等から移転を受けた財貨を同族会社が事業に利用する場合でも，当該財貨を直接の原因とする外部からの経済的価値の流入はないものの，当該財貨の通常の利用によって私人が取得すべき収入の発生は抑制され，他方で営利法人である会社は利用し得る財貨を合理的に運用することが期待されるから，結局，株主等から移転を受けた財貨は同族会社による利益の原因となり，株主等の得べかりし所得を減少させる結果となるのであって，右事例を転貸等の場合と区別する理由はない。」と，いわゆる不動産の又貸しの場合を例に出して検討しているが，この点，金銭の貸付けで検討すると次のとおりとなる。

Ⅰ）Xが独立当事者A社に金銭を貸し付けて，利息100を収受できる場合に，同族会社S社を間に入れた場合

X ―貸付け（利息0）→ S社 ―貸付け（利息100）→ A社

上記の場合は，Xに所得発生せず，外部からの経済的価値の流入もないが，本来Xが得られる経済的利益をS社に帰属させることにより，Xの所得税を減少させているのである。この場合には，所得税法157条の適用対象というべきである。

Ⅱ）Xが同族会社S社に株式を保有させるため無利息で貸し付けた場合

X ―貸付け（利息0）→ S社

一方，本件は，上記の場合であるが，Xは，S社に自己が所有していた株式を保有させるために，無利息で貸し付けているのであるが，S社は，株式を保有することにより，配当を受けることができたり，キャピタル・ゲインも生じるのであり，本来Xが得られる経済的利益をS社に帰属させることにより，Xの所得税を減少させているのであり，上記Ⅰの場合と異なるところはないと考えられる。

このように考えると，実質的にも本件のような無利息貸付けに所得税法157条を適用すべきと考える。

イ．また，同様の問題は，法人税法22条2項における「無償による役務提供」の場合にも生じる。すなわち，ある法人が他の法人に無利息で貸し付けた場合，貸主である法人には所得の発生はなく，所得を得る機会を喪失したにすぎない。このような場合にも，「収益」の発生を認めることができるかが問題となる。

この点，金子教授は，法人税法22条2項について，適正所得算出説に立ち，「無償取引について通常の対価相当額の収益を擬制する論拠と目的は，どこにあると考えるべきであろうか。それは，結局は，通常の対価で取引を行った者と無償で取引を行った者との間の公平を維持する必要性にあると考える。すなわち，法人は営

利を目的とする存在であるから，無償取引を行う場合には，その法人の立場からみれば何らかの経済的な理由や必要性があるといえようが，しかし，その場合に，相互に特殊関係のない独立当事者間の取引において通常成立するはずの対価相当額―これを『正常対価』ということにする―を収益を加算しなければ，正常対価で取引を行った法人との対比において，税負担の公平（より正確にいえば，競争中立性）を確保し維持することが困難となってしまう。したがって，無償取引につき収益を擬制する目的は，法人の適正な所得を算出することにあるといえよう。」(注133)（下線筆者）としているのが参考となる。

所得税法157条も同様に考えることができるかが問題となるが，少なくとも，法人税法22条2項は，「無償による役務提供」の場合には，役務提供者側に所得の発生はないものの，収益を認識すべきとしているのであり，貸主に所得の発生することが必ずしも必要ではなく，貸付けが不合理であれば，所得の発生自体を擬制することもあり得ることが認められている。

法人税法22条2項の場合に上記のように所得の発生がないのに収益を認識すべきなのは法人は営利活動をしており，対価なしに役務を提供することは通常あり得ないのである。個人が個人に貸し付ける場合は，親族や友人間の貸付けにみられるように無利息の場合も通常あり得るが，貸付けの相手方が営利活動を行っている法人の場合まで同様とみることはできず，結局個人が法人に無利息で貸し付けた場合には，収入を認識すべきと考える。

(4) 「不当と評価されるものであること」の要件事実

上記東京地裁判決は，第1編・第1章・第3節（13頁）で論じた規範的要件について，法的評価の成立を基礎づける事実や妨げる事実は，間接事実であるとの見解（間接事実説）に立ち，無利息貸付けに合理性があると推認できる事情を反証と考えているようである。

しかし，この点は，第1編・第1章・第3節の第2（13頁）で論じたとおり，法的評価の成立を基礎づける事実や妨げる事実が主要事実であるとする見解（主要事実説）に立つべきであり，このように考えると，上記東京地裁判決の判示する①同族会社に対する経営責任若しくは経営努力又は社会通念上許容される好意的援助の場合，②同族会社が倒産すればその株主等が多額の貸し倒れや信用の失墜により多額の損失を被る場合などの特段の事情は，「不当に減少させる結果となると認められる」評価をマイナス方向に根拠付けるものであり，評価障害事実であるので，原告側の再抗弁と考えるべきである。

ある要件が規範的要件であるか否かを決定するのは難しく，例えば，民法570条の「瑕疵」などが規範的要件であるか否かが争われている。規範的要件であるか否かは，単に評価を含む要件ということで決せられるのではなく，第1に，その評価を成立せしめる事実が類型的に記述できない場合であり，かつ，その評価の成立を基礎づける事実のほかに，そのような事実と両立する評価の成立を妨げる事実をも観念できること，第2に，そのような評価が成立するか否かは，最終的にこれら評価の成立を基礎づける事実と妨げる事実との総合判断で決まることを要するというべきである(注134)。

本件では，このように評価障害を考えることができるが，それについては，X側の主張が特にないのである。

結局，前記(1)のブロック・ダイアグラムに書いたとおり，本件では，評価根拠事実としては，まず，法人に対する多額で長期間の無利息貸付の異常性がまず挙げられる（評価根拠事実①）。そのほか，無利息で貸し付ける場合，直接の反

注133　金子宏「無償取引と法人税」『所得課税の法と政策』（有斐閣，平成8年）345頁
注134　村田＝山野目・30講第4版90頁*，98～99頁，吉川，前掲（注12）司法研修所論集110号162頁

対給付がなくとも，将来あるいは広い意味での反対給付といえる場合であれば不合理とはいえないこととなるが，前記(1)のブロック・ダイアグラムに評価根拠事実として書いた②及び③は，そのような反対給付がないとの事実である。

これに対し，Xは，安定株主対策であり正当なことである旨主張しているが，これは，評価根拠事実③に対する反論であるが，そのような行為が正当であるか否かではなく，無利息で貸し付ける反対給付となるかが問題と考えられる。

なお，上記東京地裁の上告審である最高裁平成16年7月20日判決（判時1873号123頁）は，本件における過少申告加算税の「正当の理由」の有無についての判断ではあるが，その中で，「本件規定は，同族会社において，これを支配する株主又は社員の所得税の負担を不当に減少させるような行為又は計算が行われやすいことにかんがみ，税負担の公平を維持するため，株主又は社員の所得税の負担を不当に減少させる結果となると認められる行為又は計算が行われた場合に，これを正常な行為又は計算に引き直して当該株主又は社員に係る所得税の更正又は決定を行う権限を税務署長に認めたものである。このような規定の趣旨，内容からすれば，株主又は社員から同族会社に対する金銭の無利息貸付けに本件規定の適用があるかどうかについては，当該貸付けの目的，金額，期間等の融資条件，無利息としたことの理由等を踏まえた個別，具体的な事案に即した検討を要するものというべきである。そして，前記事実関係等によれば，本件貸付けは，3,455億円を超える多額の金員を無利息，無期限，無担保で貸し付けるものであり，Xがその経営責任を果たすためにこれを実行したなどの事情も認め難いのであるから，不合理，不自然な経済的活動であるというほかはないのであって，税務に携わる者としては，本件規定の適用の有無については，上記の見地を踏まえた十分な検討をすべきであったといわなければならない。」（下線筆者）としているが，この最高裁判決の挙げている下線部分は，無利息貸付けが「不当と評価されるものであること」の評価根拠事実や評価障害事実を考える際に参考となろう。

第2章　法 人 税

第1節　公益法人の収益事業

第1　収益事業の意義と要件

1　収益事業の意義

昭和25年の法人税法の制定の際に公益法人等の収益事業に対する課税制度が導入されたが，その後，平成18年の公益法人三法の制定に基づき，法人税法も平成20年に改正され，(i)特別法に基づく公益法人については，平成25年12月までに①公益法人認定を受けた公益社団法人，公益財団法人又は②非営利型法人（同法2条9号の2）に移行することが必要とされ，(ii)上記①の公益社団法人，公益財団法人については，当該公益目的事業を除く収益事業のみが課税され（法人法施行令5条2項），(iii)上記②の非営利型法人（同法2条9号の2）については，収益事業のみ課税とされた。これは，公益法人についての従来の特許主義を改め，準則主義に基づくことにした上，公益性の認定について公正中立な機関にその認定を委ねて，公益法人であることによる特典を受けさせることとしたものである。

このように公益法人等に対する課税は，平成20年の改正により大幅に改正されたが，収益事業によって課税対象を画するとの仕組みは変更がなく，収益事業であることの意義に変わりはない。

2　収益事業の要件

法人税法4条1項は，「内国法人は，この法律により，法人税を納める義務がある。ただし公益法人等又は人格のない社団等については，収益事業を行う場合，…に限る。」と規定し，公益法人等について収益事業にのみ課税するとの原則を定め，同法2条13号が，収益事業について，「販売業，製造業その他の政令で定める事業で，継続して事業場を設けて行われるものをいう。」と規定しているが，同法施行令5条1項が，これを受けて，34事業を列挙している。

そこで，法人税法2条13号から収益事業の要件を抽出すると，34事業共通の要件としては，下記のとおりとなる。

①　法人税法施行令5条1項各号に列挙された一定の事業であること（特掲事業）

②　事業場を設けて営まれるものであること

③　継続して営まれること

第2　千葉地裁平成16年4月2日判決

1　事案の概要

千葉地裁平成16年4月2日判決（訟月51巻5号1338頁）は，NPO法人（特定非営利活動法人，Non Profit Organization）である法人の行っている事業が，収益事業であるか否かが問題となった事案である。NPO法人は，その設立に当たり，認証で足りる（特定非営利活動促進法10条1項）とされ，法人税法等の適用上は，「公益法人等」とみなすとされている（同法70条12項）。ただし，収益事業の税率については，軽減税率ではなく，普通税率が適用される。平成20年の法人税法の改正後も，NPO法人については同様とされており，NPO法人について，収益事業のみ課税との原則は変更はない。本件は，法人税法施行令5条1項10号の「請負業」に当たるか否かが問題となった事案である。

事案の概要は，下記のとおりである。

（事例25）

X法人は，NPO法人であるが，会員にふれあい切符を販売することによって，X法人の運営細則で定めるサービスを受ける権利を付与し，この切符を購入した会員Aの依頼により，サービス提供に協力する会員Bを履行補助者として，サービスの提供を行い，その対価として，サービス提供の時間に応じたふれあい切符の点数（1時間当たり8点（800円相当））の支払いを受け，このうち提供者Bの選択に応じて，1時間当たり6点（600円相当）をBに支払って精算し，その差額である1時間当たり2点（200円相当）の点数を利益として取得するものである。

なお，提供者Bは，上記のとおり，1時間当たり600円の支払いを受けることもできるが，これを預託し，自分がこのサービスを利用する際に備えて預託しておくこともできることとされていた。

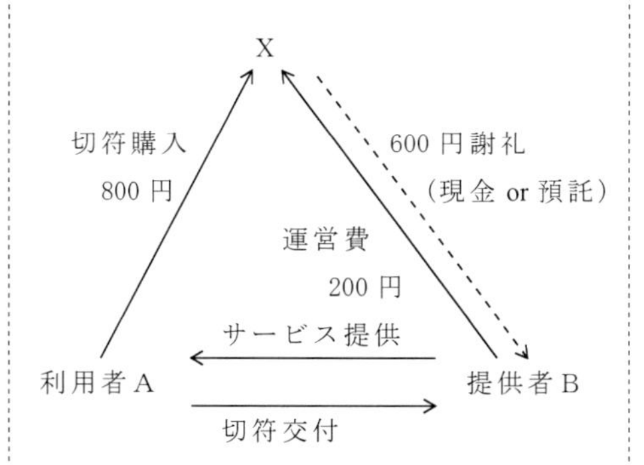

この場合，X法人が，提供者Bを通じて受け取る1時間当たり800円の支払いは，X法人が提供するサービスに対する対価となり，収益事業の一つの「請負業」に当たるか。

なお，本件は，X法人において，平成13年5月29日，同年3月期の法人税について納付税額を291万円とする申告をし，同年7月3日，納付税額を155万円とする更正の請求をしたのに対し，Y税務署長において，同年12月11日，納付税額を241万とする更正処分をしたのに対する取消訴訟である。

※事実関係は，実際の事案を少し単純化している。

2　判　旨

上記千葉地裁判決は，「法人税法施行令5条1項10号の文言からすれば，同号にいう『請負業』は，民法632条所定の請負を反復継続して業として行うものに限定されず，委任（民法643条）あるいは準委任（同法656条）を反復継続して業として行うものをも含むことが，文理上明らかというべきであり，また，公益法人等が委任あるいは準委任を業として営む営利法人等との間に競合関係が生じることからすれば，このような解釈は，前記のとおりの法人税法7条及び2条13号の趣旨にも適うものである。」（下線筆者）と判示し，本件は「請負業」に当たるとした。

控訴審の東京高裁平成16年11月17日判決（判例地方自治262号74頁）も1審の判断を是認している。

なお，本件は，控訴審で確定している。

3　検　討

⑴　要件事実

本件の要件事実は，次のとおりとなる。

Kg（請負業非該当）

①Xが，H13.7.3，H13/3期の法人税につき納付税額を155万円とする更正の請求をしたのに対し，Y税務署長が，H13.12.11，Xに対し，納付税額241万円とする更正処分をした。	○
②Xの営んでいるサービス提供は，仕事の完成を目的としていない（「請負業」非該当）	×

③Xの営んでいるサービス提供に対し，利用者が提供者に交付するふれあい切符は，上記サービス提供に対する対価ではない。（報酬性）	×

↑

E（準委任）

①Xの営んでいるサービス提供は，仕事の完成を目的としていないとしても，利用者から事務の委託を受けたことに基づくものである。（準委任契約）	×
②Xは，利用者に対し，上記委託に基づきサービス提供をした。（準委任契約の履行）	×
③Xは，事業場を設け，継続的に本件サービス提供を営んでいる。（事業場，継続性）	○
④X法人は，ふれあい切符の交付を受けることにより，上記サービス提供に係る対価を受け取った。（報酬性）	×

(2)　更正の請求に対する通知処分等に対する取消訴訟の立証責任

本件は，前記1の事案の概要でも書いたとおり，Xが当初納付税額291万円とする申告をし，その後納付税額を155万円とする更正の請求をしたのに対し，Y税務署長が，納付税額241万円とする更正処分をした事案である。この更正処分は，1つの処分としてなされているが，更正の請求に対する理由のない通知処分（通則法23条4項）を含む処分と考えられる。この更正処分は，当初の申告からみると，減額更正処分となり利益を与える処分のようにもみえるが，Xは，この更正処分のうちの更正の請求額155万円を超える部分の取消しを求めているのであり，Xに対する不利益処分となる。この場合，第1編・第2章・第1節の第2（17頁）で論じた取消しの対象適格性が問題となるが，同第2の2（20頁）の更正処分と減額更正処分の場合と異なり，減額更正処分を申告の訂正処分とみることはできないので，納付税額241万円とする更正処分が独自に取消訴訟の対象となると考える。

この場合の立証責任が問題となる。第1編・第2章・第2節の第1（24頁）で論じたとおり，一般には，更正処分の取消訴訟において，当該更正処分の適法性について課税庁に立証責任がある。しかしながら，更正の請求に対する更正すべき理由がない旨の通知処分の取消訴訟において，確定申告書の記載が事実と異なることの立証責任は納税者にあると考える[注135]。納税者が自己に有利な処分を求めるものであり，また，納税者の申告によりいったんは租税債権は確定しており，これを減額するものであることから，障害要件又は消滅要件に該当すると考えられるためである。

本件は，単純な通知処分ではなく，通知処分より金額を上回る更正処分であり，上記通知処分と同様に考えられるかは議論があり得るが，基本的には同様と考える。

そうすると，前記(1)の要件事実のとおり，Xにおいて，Xの営んでいる本件サービス提供が収益事業に当たらないこと，すなわち本件サービス提供が仕事の完成を目的としていないことから，請負契約に基づくものではなく，法人税法施行令5条1項10号の「請負業」に当たらないことを主張・立証すべきということになる。

これに対し，Y税務署長は，仮に，本件サービス提供が，仕事の完成を目的としていないとしても，準委任契約に当たり，「請負業」に当たることを主張・立証することとなる。

このY税務署長の主張は，「請負契約でなかったとしても」ということで，上記Xの請負契約ではないとの主張と両立するものであり，抗弁である。

(3)　収益事業課税の趣旨

本件で問題となるのは，法人税法施行令5条1項10号が，「請負業」に仕事の完成を目的としない委任契約や準委任契約に基づく事業も含

注135　広島高判昭63・8・10税資165号491頁，京都地判昭49・4・19訟月20巻8号109頁

んでいるのかである。これは，「請負業」という要件の解釈問題であり，民法上の借用概念であるのか，税法上の固有概念であるのかが問題となる。

そのためには，「請負業」という要件が，課税の根拠との関係でどのような意味をもっているのかを検討すべきである。このように考えると，そもそも公益法人の収益事業課税における事業区分の立法趣旨を検討する必要がある。我が国における公益法人の収益事業に対する課税は，昭和24年のシャウプ勧告を受けた同25年の法人税法により導入されたものである。シャウプ勧告は，「現在では，法人税法第18条は，宗教法人および労働組合の収益事業に関して申告し，その利益については納税をしなければならないことを規定している。

この規定は，非課税法人を含むあらゆる法人が，毎年その一切の収入および支出を網羅する申告書を提出するよう，その適用範囲を拡張すべきである。…多くの非課税法人が収益を目的とする活動に従事し，一般法人ならびに個人と直接競争している。もし利益がなかったとすれば，または非課税法人がその利益を全部分配したとすれば，非課税法人の収益事業はさして重要な問題とはならない。…しかしながら，抽出結果によると，このような非課税法人のあげる収益は，その活動をさらに拡張するかまたは交際費のために用いられていることが明らかにされている。しかし，そのいずれもが非課税を正当化する目的を推進するためには，ほとんどあるいは全く無価値なものである。」（下線筆者(注136)）として，すべての公益法人の収益事業に対する課税を勧告した。

ここで上げられているのは，課税法人との競争中立性（equal footing）である。この点は，ペット葬祭業が「請負業」かが争われた最高裁平成20年９月12日判決（判時2022号11頁）でも，「法人税法が，公益法人等の所得のうち収益事業から生じた所得について，同種の事業を行うその他の内国法人との競争条件の平等を図り，課税の公平を確保するなどの観点からこれを課税の対象としていることにかんがみれば，宗教法人の行う上記のような形態を有する事業が法人税法施行令５条１項10号の請負業等に該当するか否かについては，事業に伴う財貨の移転が役務等の対価の支払として行われる性質のものか，それとも役務等の対価でなく喜捨等の性格を有するものか，また，当該事業が宗教法人以外の法人の一般的に行う事業と競合するものか否か等の観点を踏まえた上で，当該事業の目的，内容，態様等の諸事情を社会通念に照らして総合的に検討して判断するのが相当である。」（下線筆者）とされているところである。

シャウプ勧告は，公益法人等の収益事業に課税するよう勧告するとともに，公益法人等の免税については，大蔵省において公益法人等を個別に審査して，免税資格を付与する制度を勧告した(注137)。しかし，膨大にある公益法人等を個別審査することは当時においては事実上不可能であったため，昭和25年の法人税法の改正の際には，昭和22年に廃止された旧営業税法において課税されていた29の業種を収益事業として列挙し，これに該当した場合のみ課税することとしたのである。

この営業税というのは，農民に対する地租に対応する商人に対する税として，明治11年に地方税規則で導入され，明治39年の営業税法で国税として位置づけられ，その際，物品販売業等の24業種が列挙されたのである。この営業税は，昭和23年に廃止されたが，同年に地方税としての事業税に実質的に引き継がれていくのである。この営業税で列挙されていた業種は，一般に営利として行われている事業を列挙していたのであり，昭和25年の法人税法は，そこに着目して，

注136　福田幸弘監修『シャウプの税制勧告』（霞出版社，昭和60年）141，142頁
注137　福田・前掲シャウプの税制勧告141

旧営業税法の事業区分を利用したものである。このような立法趣旨から，収益事業の事業区分は，課税法人との競争中立性を問題としており，一般に営利として行われている事業であるか否かを判定するための要件である。

そうすると，「請負業」というのは，民法上の「請負」の借用概念ではなく，事業実態という事実状態を問題とする要件であり，税法上の固有概念であると考えるべきである。このように考えると，「請負業」というのは，狭く請負契約に基づく事業のみを意味するのではなく，営利として役務提供をして報酬を得ている事業も含むというべきであり，準委任契約の場合も含むと考える。したがって，前記(1)の要件事実で書いたＹ税務署長の抗弁が抗弁として意味をもち，これが認定されるのであれば，収益事業になるというべきである。上記千葉地裁判決もこのように考え，本件更正処分を適法としたものであり，相当と考える。

第２節　無償取引

第１　無償取引の意義と要件

１　無償取引の意義

法人税法22条２項は，益金について，「内国法人の各事業年度の所得の金額の計算上当該事業年度の益金の額に算入すべき金額は，別段の定めがあるものを除き，資産の販売，有償又は無償による資産の譲渡又は役務の提供，無償による資産の譲受けその他の取引で資本等取引以外のものに係る当該事業年度の収益の額とする。」（下線筆者）と規定し，無償による資産の譲渡及び無償による役務提供のような無償取引の場合にも収益を認識して，益金とすべき旨規定している。このような無償取引の場合に収益を認識すべき根拠については，争いがあり，特に無償による役務提供の典型例である無利息貸付の場合には，貸主側に所得の発生を観念できないことから問題となる。この点は，第１章・第９節の第２の３(3)イ（97頁）の所得税法157条でも検討した問題であるが，筆者は，無償による資産の譲渡の場合には，キャピタル・ゲインが発生していることから二段階説による構成も可能と考えるが，無償による役務提供は，所得の発生は観念できないものの，競争中立性の確保のために，適正な収益の発生を擬制していると考える。すなわち，法人は，営利活動をしているのであり，通常，対価なしに役務の提供をすることは考えられず，役務の提供をしたのであれば，対価を取るはずと考えられる。それにもかかわらず，法人が対価を得ていないのは，法人の立場からすると，何らかの経済的理由や必要性があるといえようが，対価を得て役務の提供をしている法人との対比において，税負担が異なることとなり，競争中立性を害することとなってしまう。そこで，法人税法22条２項は，無償による役務提供の場合にも収益を認識すべきとしていると考える。

法人税法22条２項で更に問題となるのは，下線を付した「その他の取引」として，一般には，債務免除益，税法がその計上を認める場合の評価益，引当金の取崩益などが挙げられているが(注138)，無償による「その他の取引」の場合も収益を認識すべきかである。

２　無償取引の要件

まず，「無償」とは，第１章・第３節の第１の２（49頁）でも論じたとおり，対価その他の経済的利益を得ないことである。

次に，「取引」については，以下の見解に分かれている。

Ａ説（簿記取引説）：簿記上の取引であるとする見解

Ｂ説（固有概念説）：税法上の固有概念であるとする見解

注138　吉牟田勲『法人税法詳説平成９年度版』（中央経済社，平成９年）51頁

C説（借用概念説）：私法上の取引行為すなわち法律行為であるとする見解

これらの見解のうち，立法担当者はA説である[注139]。一方，「オウブンシャ事件」と呼ばれている最高裁平成18年1月24日判決（判時1923号20頁）の1審の東京地裁平成13年11月19日判決（判時1784号45頁）は，「本件決議は，B社の機関である同社の株主総会が内部的な意思決定としてしたものにほかならず，その段階では未だ増資の効果は生じていないのであって，B社が本件増資により資産価値を取得したとすれば，それは，法形式においては，B社の執行機関が本件決議を受けて同社の行為として増資を実行し，B社が新株の引受人として払込行為をしたことによるものである。そうすると，本件増資は，B社自体による本件増資の実行という行為とそれに応じてB社がA社に対して新株の払込をするという行為により構成されており，本件増資の結果，B社の払込金額と本件増資により発行される株式の時価との差額がB社に帰属することとなったことを取引行為としてとらえるとすれば，本件増資をして新株の払込を受けたB社と有利な条件でA社から新株の発行を受けたB社の間の行為にほかならず，X社はB社に対して何らの行為もしていないというにほかならない。」（下線筆者）と判示し，C説に立っている。

これに対し，上記最高裁判決の控訴審の東京高裁平成16年1月28日判決（判時1913号51頁）は，「上記『持分の譲渡』は，同項に規定する『資産の譲渡』に当たるとすることに疑義を生じ得ないではないが，『無償による…その他の取引』には当たると認定判断することができるというべきである。すなわち，上記規定にいう『取引』は，その文言及び規定における位置づけから，関係者間の意思の合致に基づいて生じた法的及び経済的な結果を把握する概念として用いられていると解せられ，上記のとおり，XとB社の合意に基づいて実現された上記持分の譲渡をも包含すると認められる。そして，本件において，法22条2項に規定する無償による『資産の譲渡』又は『その他の取引』は，遅くとも，A社により引き受けた増資の払込みがされた時に発生したものと認められる。」（下線筆者）と判示し，B説に立っている。最高裁平成18年1月24日判決もこのB説に立っていると考えられる。

ここで，「取引」との要件が，課税根拠との関係で，どのような意味をもっているかを考えてみるべきである。そもそも「取引」というのは，所得の発生要件の一つである益金の範囲を画するものであるが，法人税法は，所得を包括的所得概念に基づき純資産の増加に当たるものすべてを所得としてとらえていると考えられる（純資産増加説）。さらには，「取引」には，無償による役務提供の場合のように，所得の発生しない場合も「収益」として認識するものであり，税法上の純資産増加説や無償役務の提供の場合に所得の発生を擬制するものであり，税法上の固有概念と考えるべきである。その意味で，筆者はB説を採るが，さらに厳密に分析すると，取引には，対外的な取引の場合と内部的な計算の場合があり，内部的な計算に，準備金の取崩益や資産の評価益などが含まれると考える[注140]。その意味では，A説の考え方も取り入れるべきであるが，対外的な取引の場合には，

注139　大蔵財務協会編『改正税法のすべて（昭和40年版）』102頁

注140　「その他の取引」にデット・エクイティ・スワップのように混同を含むかが問題となるが，東京地判平21・4・28・判決（訟月56巻6号1848頁）は，「同項の『その他の取引』には，民商法上の取引に限られず，債権の増加又は債務の減少など法人の収益の発生事由として簿記に反映されるものである限り，人の精神作用を要件としない法律事実である混同等の事件も含まれると解するのが相当である。」としている。この判決は，簿記取引説に立って，混同という事実も「取引」に当たるとしているものであるが，固有概念説に立つべきであり，そうすると，①債権（時価）の現物出資，②その債権と債務（額面）との混同による消滅によって純資産の増加があることから「取引」に当たると考えるべきである。

単なる簿記上の取引ではなく，納税者の行為と評価されるものであることを要することが必要と考える。

そうすると，対外的取引の場合には，①無償であること，②経済的利益が移転すること，③納税者の意思による取引であることが要件と考える。

第２　最高裁平成18年１月24日判決

１　事案の概要

最高裁平成18年１月24日判決は，前記第１で引用した判決であるが,「無償によるその他の取引」が問題となった事件である。事案の概要は，下図のとおりである。

（事例26）

Ｘ社は，平成３年９月４日，旧法人税法51条の圧縮記帳制度を利用して，多額の含み益を有する甲社等の株式を現物出資して，オランダに100％出資の海外子会社Ａ社を資本金1,500万円で設立した。その後，Ｘ社は，Ａ社の保有する甲社の株式を売却して利益を得ようとしたが，このままＡ社をして甲社株を売却させると，Ｘ社に我が国からタックス・ヘイブン税制の適用をされて課税されるおそれがあった。そこで，Ｘ社は，Ａ社の株式総数は200株であったにもかかわらず，平成７年２月13日，Ａ社の株主総会において，Ｘ社の関連会社であるオランダ所在のＢ社（Ｘ社の筆頭株主であるＣ財団の100％出資の子会社）に１株約６万円（時価約850万円）で株式3,000株を有利発行した。Ｂ社は，平成７年２月15日，Ａ社から割り当てられた新株を引き受けて払込みをし，その結果，Ｘ社のＡ社に対する持株割合が，200／200から200／3200に減少し，Ｘ社の保有するＡ社株200株の時価が合計約272億円から合計約17億円に下がり，Ｂ社保有のＡ株式3,000株に約255億円が移転した。

これに対し，Ｙ税務署長は，Ｘ社の平成７年９月期の法人税の申告に当たり，Ｘ社が保有していたＡ社の株式の含み益をＢ社に移転させたと認定し，平成10年12月18日，Ｘ社に対し，約250億円の益金の申告が漏れているとして法人税の更正処分をした。この更正処分は適法か。

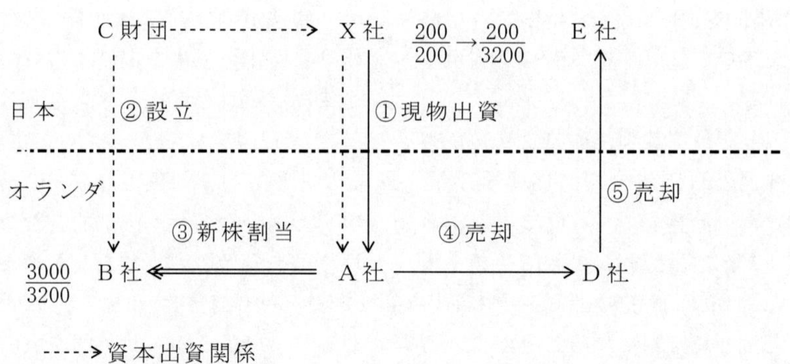

※事実関係は，実際の事案を少し単純化している。実際の事案は，法人税法132条に基づきＸ社からＢ社への寄附金であるとして更正処分をしているが，国は訴訟段階で，主位的主張として，法人税法22条２項に基づき主張をしていることから，同様の問題として検討する。

2　判　旨

上記最高裁判決は，「前記事実関係等によれば，X社は，A社の唯一の株主であったというのであるから，第三者割当により同社の新株の発行を行うかどうか，だれに対してどのような条件で新株発行を行うかを自由に決定することができる立場にあり，著しく有利な価額による第三者割当増資を同社に行わせることによって，その保有する同社株式に表章された同社の資産価値を，同株式から切り離して，対価を得ることなく第三者に移転させることができたものということができる。そして，X社が，A社の唯一の株主の立場において，同社に発行済株式総数の15倍の新株を著しく有利な価額で発行させたのは，X社のA社に対する持株割合を100%から6.25%に減少させ，B社の持株割合を93.75%とすることによって，A社株式200株に表章されていた同社の資産価値の相当部分を対価を得ることなくB社に移転させることを意図したものということができる。また，前記事実関係等によれば，上記の新株発行は，X社，A社，B社及び財団法人Eの各役員が意思を相通じて行ったというのであるから，B社においても，上記の事情を十分に了解した上で，上記の資産価値の移転を受けたものということができる。以上によれば，X社の保有するA社株式に表章された同社の資産価値については，X社が支配し，処分することができる利益として明確に認めることができるところ，X社は，このような利益を，B社との合意に基づいて同社に移転したというべきである。したがって，この資産価値の移転は，X社の支配の及ばない外的要因によって生じたものではなく，X社において意図し，かつ，B社において了解したところが実現したものということができるから，法人税法22条2項にいう取引に当たるというべきである。」（下線筆者）と判示し，本件更正処分を適法とした。

3　検　討

(1)　要件事実

本件の要件事実は，次のとおりとなる。

Kg

①Y税務署長が，H10.12.18，X社に対し，H7／9期の法人税につき，それぞれ納付税額○○円の更正処分をした。	○
②この更正処分が違法である。	争う

↑

E（その他の取引）

①A社からB社に新株3,000株が発行されて，B社がこれを引き受けたことにより，X社の保有していたA社の株式200株の経済的価値がB社に移転した。（経済的利益の移転）	○
②上記経済的価値の移転が，X社とB社との合意に基づくものであった。（取引）	×
③X社は，上記経済的利益の移転に当たり，B社から対価を得ていない。（無償）	○

(2)　黙示の意思表示の要件事実

本件で，控訴審は，経済的利益移転の合意があったと認定し，上記最高裁判決もこの控訴審の認定に基づいて判断をしている。この合意は，X社は認めていないもので，黙示の意思表示と考えられる。

そもそも黙示の意思表示とは，身体的動作などのように，意思表示の表示行為のうち表示価値（効果意思を表していることの明確性）の小さいものである。黙示の意思表示の場合，いくつかの具体的事実で意思表示があったと認定するものであり，評価が入っていることから，これらの具体的事実を主要事実とみる見解（主要事実説）と間接事実にすぎないとみる見解（間接事実説）とに分かれている。当事者の一方が黙示の意思表示の主張をしたときに，相手方は，どのような事実で黙示に意思表示と主張するのか明確でなく，攻撃防御の対象が定まらないこととなるから，主要事実説が相当であり，司法研修所も，主要事実説を採っている（注141）。もっとも，黙示の意思表示の場合に，黙示の意思表示の成立を基礎づける事実と両立し，かつ，この成立を妨げる事実を観念できるかは争いがあり（注142），第１編・第１章・第３節の第２（13頁）で論じた規範的要件と同列に論じることはできない。

ここで問題は，意思表示の擬制としての黙示の意思表示である。すなわち，黙示の意思表示とされる場合には，単に表示価値の小さい表示行為による意思表示ではなく，意思表示といえる行為がない場合であっても，意思表示がされて当然であるという事実関係が存在するときに，意思表示がなされているとみなす法技術として用いられることがある。例えば，最高裁平成10年２月26日判決（民集52巻１号255頁）は，「内縁の夫婦がその共有する不動産を居住又は共同事業のために共同で使用してきたときは，特段の事情のない限り，両者の間において，その一方が死亡した後は他方が右不動産を単独で使用する旨の合意が成立していたものと推認するのが相当である。」としているが，これはそのような意思表示の擬制としての黙示の意思表示を認めたものと考えられる。このような意思表示の擬制としての黙示の意思表示とは，いわば「阿吽の呼吸」や「以心伝心」といった形での意思表示の一致であり，このような意味での黙示の意思表示の合致が認められるかは議論があり，消極に解する見解（注143）と積極に解する見解（注144）とに分かれている。

上記東京高裁判決は，ＸからＡ社に経済的利益が移転したとした上，「上記認定事実の下においては，Ａ社における上記持株割合の変化は，上記各法人及び役員等が意思を相通じた結果にほかならず，Ｘ社は，Ｂ社との合意に基づき，同社からなんらの対価を得ることもなく，Ａ社の資産につき，株主として保有する持分16分の15及び株主としての支配権を失い，Ｂ社がこれらを取得したと認定評価することができる。」として，Ｘ社とＢ社との合意を認定している。上記最高裁判決も，「Ｘ社が，Ａ社の唯一の株主の立場において，同社に発行済株式総数の15倍の新株を著しく有利な価額で発行させたのは，Ｘ社のＡ社に対する持株割合を100％から6.25％に減少させ，Ｂ社の持株割合を93.75％とすることによって，Ａ社株式200株に表章されていた同社の資産価値の相当部分を対価を得ることなくＢ社に移転させることを意図したものということができる。」とした上，「また，前記事実関係等によれば，上記の新株発行は，Ｘ社，Ａ社，Ｂ社及び財団法人Ｃの各役員が意思を相通じて行ったというのであるから，Ｂ社においても，上記の事情を十分に了解した上で，上記の資産価値の移転を受けたものということができる。」として，Ｘ社，Ａ社，Ｂ社及び財団法人Ｃの各役員が共通で，それぞれ意思を相通じて行った事実をＸ社のＢ社との間での合意認定の根拠としている。

このようなことからみて，東京高裁判決も最高裁判決も，Ｘ社のＢ社との間での合意認定について，①Ｘ社，Ａ社，Ｂ社及び財団法人Ｃの各役員が共通であった事実，②それぞれの会社や法人が意思を相通じて行った事実を根拠としており，意思表示の擬制としての黙示の意思表示の認定をしたものと考えられる。

(3)　無償による「その他取引」による収益発生の根拠

ア．二段階説による検討

本件で問題は，Ｘ社からＡ社への経済的利益の移転が両社の合意によってなされていると

注141　司法研修所・要件事実第１巻増補版41頁
注142　村田＝山野目・30講第４版100頁
注143　司法研修所・要件事実第１巻増補版42頁
注144　伊藤滋夫・要件事実の基礎新版329頁，吉川・前掲（注12）司法研修所論集110号170頁

しても，X社が無償で移転していることから，X社に収益を認識できるかである。この点，参考となる判例として，「相互タクシー事件」と呼ばれている最高裁昭和41年6月24日判決（民集20巻5号1146頁）がある。

これは，下図のとおり，納税者である甲社が，その所有する乙社及び丙社の株式について，増資による新株の割当てがなされることになったものの，独禁法10条により新たに他社の株式を取得することが禁止されていたことから，これらの新株を自社の取締役丁及び戊に取得させることとし，乙社の株式については，増資新株を取締役丁に信託的に譲渡して新株を引き受けさせた後に甲社に復帰させ，丙社の株式については，丙社に対し，第三者指名権を行使して取締役戊に引き受けさせたとの事案で，甲社は，丁と戊に対し，新株プレミアを無償譲渡したとして，益金課税をされるかが問題となった事案である。

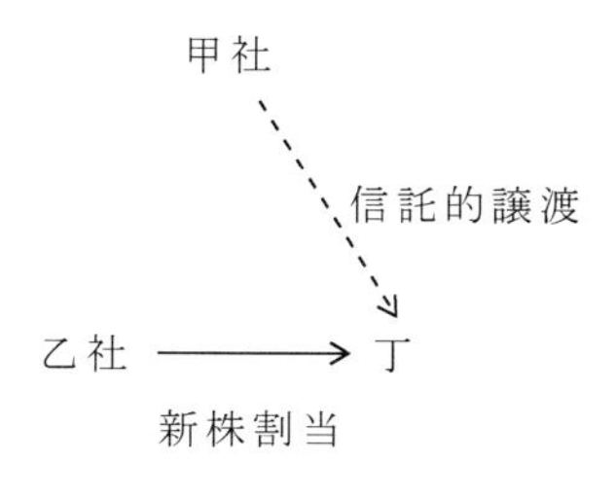

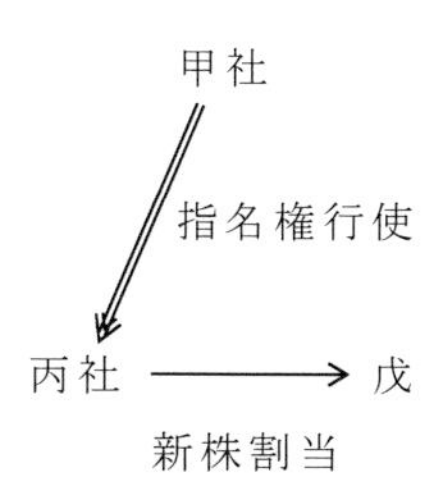

上記最高裁判決は，「その移転の対象となった経済的利益は，いわば甲社所有の増資会社株式について生じる新株プレミアムから構成されるものとみられ，その利益の移転は，同社所有の増資会社株式の値上り部分（同社の取得した第三者指名権も株式の増価部分と同視して妨げない。）の価値の社外流失を意味するものということができる。そこで，これら株式の値上りが甲社の右株式の取得価額（記帳価額）を上回るものがあるならば，その部分は同社の未計上の資産であり，前叙の行為により移転する経済的利益の全部または一部は，かかる未計上の資産から成ることが考えられる。そうであるとすれば，かかる未計上の資産の社外流失は，その流出の限度において隠れていた資産価値を表現することであるから，右社外流出にあたって，これに適正な価額を付して同社の資産に計上し，流出すべき資産価値の存在とその価額とを確定することは，同社の資産の増減を明確に把握するため当然に必要な措置であり，このような隠れていた資産価値の計上は，当該事業年度において資産を増加し，その増加資産額に相当する益金を顕現するものといわなければならない。」（下線筆者）として，新株プレミアムが移転したとして，益金課税を肯定した。これは，昭和40年の法人税法改正前の事案であるが，無償による「その他の取引」に当たる事案であり，無償による「その他の取引」であっても収益を認識できるとした判例である。

この判例を参考にすると，本件については，二段階説の立場に立っても，X社は，キャピタル・ゲインの発生しているA社の株式のキャピタル・ゲインを無償でB社に移転したものであり，Xの手元で発生していたキャピタル・ゲインを処分したと認められる事案であり，収益を認識できると考える。

イ．適正所得算出説による検討

また，法人が無償による役務提供をした場合，役務提供者側に所得の発生がないにもかかわらず，収益を認識すべきであるのは，第1の1で論じたとおり，営利活動をしている法人が対価なしに役務提供をすることは通常あり得ないからである。そうすると，本件のように，本来営利活動を行っているX社が，対価なしに経済的利益を移転することは通常はあり得ないと考えられ，適正所得算出説に立っても，同様に収益を認識すべきということになる。

結局，筆者としては，本件のような「無償による経済的利益の移転」の場合には，二段階説の立場に立っても，適正所得算出説の立場に立っても，X 社に収益を認識すべきという結論になると考える。

⑷　資産の意義

ところで，本最高裁判決の差戻審の東京高裁平成19年１月30日判決（判時1974号138頁）は，「A 社の株式に表彰された資産価値は，X 社において支配し，処分することができたところ，…この資産価値の移転は，X 社が意図し，B 社が了解したところが実現したものということができるから，法22条２項の取引，すなわち『無償による資産の譲渡』に当たるということができる。」として，本件を無償による資産の譲渡であるとした。

すなわち，X 社が保有している A 社の株式に表象された資産価値自体を「資産」に当たるとしたものであるが，この判示部分は，そもそも本最高裁判決が A 社の保有していた甲社等の株式の評価方法について審理し直すようにとの理由で差し戻したのに対し，この差戻理由ではない部分であり，いわゆる傍論にすぎない。その点を措くとしても，この差戻審判決は，株式自体からその株式に表象された経済価値を分離して，「資産」としてとらえることができるとするものである。

「資産」概念は，法人税法22条２項だけではなく，国内源泉所得として挙げられている法人税法138条１号の「国内にある資産の運用，保有若しくは譲渡により生ずる所得」や移転価格税制の国外関連取引として挙げられている措置法66条の４第１項の「資産の販売，資産の購入」でも用いられており，これらの「資産」概念にも関係し，「資産」概念を上記差戻審判決のように考えることができるかは，容易には決し難い非常な難問である。

しかし，これは，株式のキャピタル・ゲインという所得の帰属を株式自体から分離して移転することが可能ということを意味しており，アメリカの Horst 事件連邦最高裁判決[注145]で争われた問題と同様の問題が生じ，稼得者課税の原則の１つである「資産による所得は，資産の保有者に帰属する。」との原則に反することとなる。したがって，「資産」の概念を差戻審判決のように拡張するのは問題であろう。

第３節　役員給与，退職給与

第１　役員給与，退職給与の意義と要件

１　役員給与，退職給与の意義

平成18年の法人税法改正により，それ以前の法人税法上の役員報酬・賞与の制度が大きく改正され，役員報酬と役員賞与の区別がなくなり，「役員給与」という概念でくくられ，一定の例外を除き，役員給与は損金に算入しないこととされた（法人税法34条１項）。そして，例外として損金算入される給与は，①定期同額給与，②事前確定届出給与，③利益連動給与の３つとされた（法人税法34条１項１ないし３号）。この例外の給与は，法人税法34条２項の対象となり，不相当に高額でない限りは，損金算入されることとなる。

これら役員給与が，一定の場合を除いて，損金算入されないのは，利益処分だからである。

また，退職給与については，旧法人税法36条が削除され，法人税法34条２項の対象となり，損金経理要件が不要とされ，過大なものは損金に算入されないこととなった。

以上を図示すると，次図のとおりとなる。

その後，平成28年及び同29年の２年にわたり，

注145　Helvering v Horst, 311 U.S.112（1940），この事件の詳細については，金子宏「租税法における所得概念の構成」『所得概念の研究』（有斐閣，平成７年）69頁以下を参照されたい。

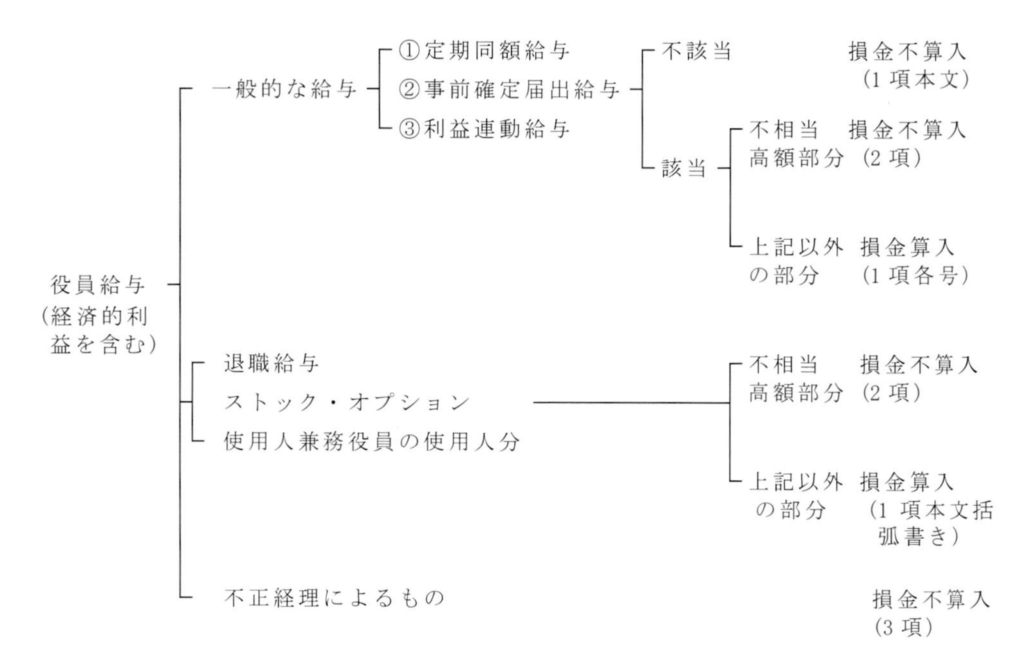

上記平成18年の改正の基本的な枠組みは維持しつつ，若干の改正がなされた。これは，平成27年6月30日に閣議決定された「『日本再興戦略』改訂2015―未来への投資・生産性革命―」において，「攻めの経営」の促進とコーポレート・ガバナンスの強化がうたわれたが，このうち「攻めの経営」を促す観点から，経営者に中長期のインセンティブを付与するため，これまでの事前確定届出給与にリストリクテッド・ストック（譲渡制限付株式）やリストリクテッド・ストック・ユニットを加えたほか，それまでの法人の利益に連動した「利益連動給与」に株価に連動するものなども含めて「業績連動給与」とした上，確定した指標で交付される株式による給与も損金算入の対象とすることとしたものである。

2　役員給与の要件

役員給与のうち，例えば，過大役員給与の場合の要件は，第1章・第1節の第1の2(4)（39頁）で述べた給与所得の要件と共通の部分があり，①給付がなされたこと，②当該給付が労務提供に対する対価又はこれに準じるものであること（対価性），③当該労務提供が委任契約又はこれに類する原因に基づいてなされたこと（原因），④当該労務提供が非独立的（自己の危険と計算によらないこと）であること（態様）の4つは，共通する。さらに，過大役員給与の場合であれば，⑤株主総会で決議された支給限度額を超えていること又は同種の会社と比較して過大であることである。

3　退職給与の要件

退職給与は，法人税法34条1項柱書で規定しているだけで，その要件については特に規定はない。しかし，退職給与の支給を受けた取締役の側からみると退職所得に当たると考えられることから，第1章・第2節の第1の2（45頁）で述べた退職所得の要件と共通していると考えられる。そうすると，退職給与の要件は，前記2の役員給与の4つの要件に加えて，⑤退職（勤務関係の終了という事実）を基因としていること（退職），⑥一時金として支払われること（一時的）の2つが付け加わることとなる。

問題は，第1章・第2節の第1の1（44頁）で述べたとおり，退職所得の場合には，「本来の退職所得」に加えて，「退職所得の性質を有する給与」も含まれているが，退職給与にもこのような「退職所得の性質を有する給与」も含まれるかである。この点は，第3の東京地裁平成27年2月26日判決（事例28）で争われているのでそこで検討することとする。

第2　東京地裁平成8年11月29日判決

1　事案の概要

東京地裁平成8年11月29日判決（判時1602号56頁）は，平成18年の法人税法改正前の事件であるが，過大役員給与に当たるかが問題となった事件である。事案の概要は，次のとおりである。

（事例27）

X1社は，不動産の売買等を目的とする青色申告承認を受けている株式会社であり，X2及びX2の三男A（高校3年生），四男B（高校2年生）及び長女C（中学校3年生）が全株式を有する甲社が全株式を有する同族会社であり，X2を代表取締役とし，A，B及びCを取締役ないし監査役として登記していた。X1社は，下図のとおり，昭和62年12月期及び昭和63年12月期の法人税の申告に当たり，Aらに月額20万円の役員報酬（総額720万円）を支給したとして，これらの役員報酬を損金に算入して，法人税の申告をした。

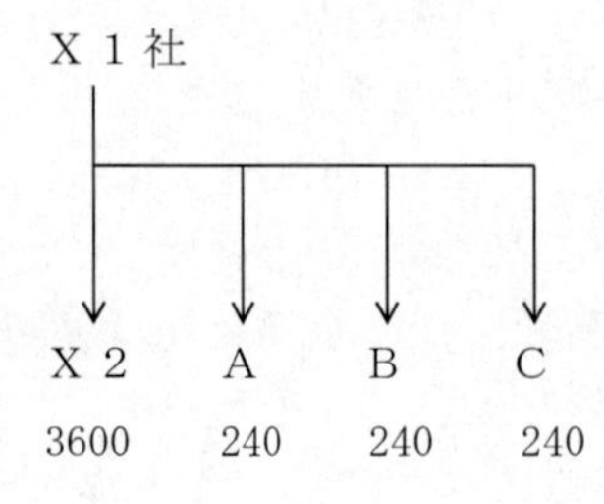

Y税務署長から，これらの役員報酬について，下記のとおりの付記された理由により，X2に対する過大役員報酬であるとして，損金算入を否認する更正処分を受けた。

（更正理由）

下記の取締役三名に対する役員報酬は，次の理由から実質的に代表取締役X2の報酬と認められ，また当該金額は，取締役会で決議された支給限度額を超えているので，全額が過大な役員報酬となり損金の額に算入されないので所得金額に加算した。

⑴　三名はいずれも勉学中であり，取締役として貴社の経営に参画していないこと。

⑵　役員報酬の振込口座である三名名義の普通預金は代表取締役X2が支配管理していること。

⑶　取締役会で各人毎の「報酬限度額」及び「当面の支給額」を決議しているが，「当面の支給額」を法人税法上の「支給限度額」とみるのが相当であること。

また，X2は，これらの役員報酬を収入に計上せずに，昭和62年，昭和63年及び平成元年分の所得税の申告をしたが，Y税務署長から，平成3年3月29日付で，これらの役員報酬を収入に計上する更正処分を受けた。そこで，X1社及びX2は，これらの更正処分等の取消訴訟を提起した。

国は，訴訟の段階で，過大役員報酬であるとの主張に差し替えて，法人税法132条の同族会社の行為計算否認を適用して，取締役Aらに対する報酬の支払いを否認する旨の主張をした。

上記理由の差替えは許されるか。また，Aらへの役員給与の支払いは，損金算入されるか。

※事実関係は，実際の事案を少し単純化している。

2　判　旨

上記東京地裁判決は，理由の差替えについては，「本件更正理由は，①（Aらは就学中であり，取締役として経営に参加していないこと），②（Aらの振込口座をX2が支配管理していること）及び③（X2との続柄，生年月日，就学中の学年次，役員報酬額）の事実から，本件X1社役員報酬はX2に実質的に帰属し，取締役会で決議されている役員報酬に係る『当面の支給額』が法人税法施行令69条2号所定の支給限度額に当たるから，本件X1社役員報酬の全額をX2に対する過大な役員報酬と認定する，というものであるのに対し，訴訟においてY税務署長が主張する更正根拠は，X1社が法人税法2条10号に該当する同族会社であることに加え，右①ないし③の事実から，Aらに対して役員報酬を支払うことは，経済的実質的見地において，通常の経済人の行為として不合理かつ不自然なものと認められることである。そうすると，本件更正理由と本件訴訟における更正の根拠との間には，事実的争点について共通性があり，X1社が同族会社であることは争いがないのであるから，右理由の差し替えによってX1社の防御に格別の不利益を与えるものではないと認められる。」とし，「また，Y税務署長が本件法人税処分時において主張した経済的実質的観点からの評価否認とするか，本件訴訟において主張する同族会社の行為計算の否認とするかによって，理由に附記すべき基本的事実，資料に相違がないこと，及び弁論の全趣旨によれば，本件において，更正処分庁が，理由の差し替えによって救済されることを前提に，敢えて恣意的な理由を記載したと認めることもできない。また，過大役員報酬かどうかについては，本件訴訟におけるY税務署長の主張を前提とすれば判断する必要がないことになるが，右は本件訴訟における争点を本件更正理由より絞るものではあっても，新たな争点を付け加えるものではない。そうであるとすれば，右のような理由の差し替えを認めても，X1社に格別の不利益を与えることにはならないものというべきである。」（下線筆者）として許されるとした。

そして，上記東京地裁判決は，法人税法132条の該当性については，「私法上Aらが取締役等に選任されていたことを前提としても，X1社程度の規模を擁する株式会社において，年齢，就学状況及び居住状況等に照らし，実質的に業務に参画することがないAらのような取締役等に対し本件原告会社役員報酬を支払うことは，その全額について純経済人の行為としては不合理，かつ不自然な行為又は計算といわざるを得ず，本件X1社役員報酬を損金に算入することは，X1社の法人税負担を不当に減少させるものというほかない。」として適用されるとし，Aらに対する役員報酬の支払いは，損金算入されないとした。

3　検　討

(1)　要件事実

本件の要件事実は，次のとおりとなる。

Kg

①Y税務署長が，H3.3.29，X1に対し，S62／12期につき，納付税額○○円の法人税の更正処分をした。	○
②この更正処分は違法である。	争う

↑

E1（過大役員給与）

①X2が，X1社の代表取締役として，同社の経営に参画した。（原因，職務執行）	○
②Aらに支払われた役員報酬720万円の振込先である甲銀行のAら名義の普通預金口座はX2に帰属している。（給付）	×
③②が①の対価であった。（対価性）	○
④X2について，Aら名義で支給された720万円は，法人税法上の役員給与の支給限度額3,600万円を超えている。	○

E2（同族会社の行為計算否認）

①Ｘ１社は，Ｘ２とその家族で全株式を保有されている。（同族会社）	○
②Ｘ１社が，S62.1からS62.12にかけて，Ａらに役員報酬として720万円を支払った。（同族会社の行為）	○
③①の支払いを容認した場合には，Ｘ１社のS62/12期の法人税の負担を減少させる結果となると認められること（法人税の減少となる結果）	○
④Ａらは，いずれも本件事業年度において，高校又は大学及び日本の中学に就学中の未成年者であり，取締役として経営に参画することが困難であること（不当評価の評価根拠事実）	×
⑤Ａらは，Ｘ１社の取締役会に出席した形跡がないこと（同上）	×
⑥Ａらに支払われた役員報酬720万円の振込先であるＡら名義の普通預金口座はＸ２が支配しており，Ａらが受け取った形跡がないこと（同上）	○

⑵　実質所得者課税の原則の意義

本件でまず問題なのは，更正処分が経済的帰属説の考え方に基づき処分がなされたことである。すなわち，Ｘ2がＡら名義の預金口座の通帳や印鑑を所持していて支配していたことから，Ｘ2に帰属するものと認定して，Ｘ2に対する過大役員給与として，損金算入を否認したのである。

そこでＡら名義の預金口座の金員が誰に帰属するのかが問題となる。これは，第８節・第１の２（85頁）で論じた実質所得者課税の原則のうち「資産から生ずる収益」についての問題である。

これについては，(A)経済的帰属説（所得を法律上の帰属と経済上の帰属とが相違する場合に，経済上の帰属に即して所得を決定すべきであるとする見解）と，(B)法律的帰属説（所得の法律上の帰属について，形式（外観）と実質とが相違している場合に，あくまでも法律上の権利者であるかで帰属を決定すべきであるとする見解）との対立がある。

この法律的帰属説と経済的帰属説は，実際上は，①預金利子について預金の名義人と受取者が異なる場合，②株式の取引について，取引名義人と収益の受取者が異なる場合，③不動産の譲渡について，不動産の所有名義人の譲渡代金の受取者が異なる場合などに問題となる。経済的帰属説は，預金の名義，株の取引名義や不動産の所有名義人にとらわれずに，実際のそれらの場合の収益を受け取っている者に所得が帰属するとする見解であり，法律的帰属説は，預金の名義，株の取引名義や不動産の所有名義人が法律上の真の権利者であるのか，単なる名義人にすぎないかの確定を要するとの見解である。経済的帰属説は，法律上の帰属というやっかいな認定なしに帰属を認定できるとの実務的な考慮から提唱された考えであるが，契約を無視する考え方であり，租税法律主義の観点から問題がある。それで，第１章・第８節の第１の１（84頁）で論じたとおり，通説は，法律的帰属説であり（注146），裁判実務も，法律的帰属説に立っており，筆者も法律的帰属説に立っている。

本件でいうと，Ａら名義の預金口座の金員の帰属の問題であるが，経済的帰属説だと，金員をおろしたりして受け取っている者に帰属すると認定することとなるが，本件では，Ｘ2が預金を引き出していないため，そのことが断定できない。また，Ｘ2が預金通帳や印鑑を管理していたとしても，それは未成年の子どもに対する親権の行使としての管理であるともみることができ，Ｘ2が預金通帳や印鑑を管理していることだけでＸ2に帰属するとは断定できない。法律的帰属説だと，Ａら名義の預金が法的に誰に帰属するとみるかの問題となるが，民

注146　金子・租税法第24版183頁

法上の最近の判例は，誰が出捐したのではなく，預金の名義を重視する（注147）。

Ｘ２が，Ａらの承諾なしに預金口座を開設したのであれば，名義人の申込みがないことからＡらの預金とのみることはできないが，預金口座の開設に承諾しているのであれば，Ａらの預金であると認定せざるを得ない。そうすると，Ａら名義の預金口座の金員をＸ２に帰属すると認定するのは無理であり，過大役員給与であるとの主張は無理といわざるを得ない。

⑶　理由の差替え

前記⑵のとおり，過大役員給与の主張は無理といわざるを得ず，そこで法人税法132条の行為計算否認の主張を検討することとなる。第１編・第２章・第１節の第３の２（22頁）で論じた総額主義か争点主義かの問題で論じたとおり，更正処分の同一性は，処分理由ではなく，税額で特定されるのであり，訴訟物との観点でみたときには，処分理由を差し替えることは，攻撃防御得方法を差し替えることにすぎず，許されることとなる。しかし，「理由の差替え」が許されるかとの問題は，訴訟物だけの問題ではなく，青色申告をしている納税者の場合，更正処分の際に理由を付記することとなるが，「理由の差替え」は，更正処分の処分理由と異なる処分理由を訴訟において主張することを意味している。そもそも理由付記が要求される趣旨は，「処分庁の判断の慎重・合理性を担保してその恣意を抑制するとともに，処分の理由を相手方に知らせて不服の申立に便宜を与える趣旨」に出たものである（注148）。すなわち，理由付記の趣旨は，①処分の適正化，②争点明確化にある。この理由のうち，処分の適正化が重要な機能であり，理由付記を要求することにより，課税庁が恣意的な処分をするのを抑制することとなるのである。それ故，理由の追完も許されないのである（注149）。

そこで，訴訟段階で，理由付記と異なる主張をすることが許されるかが問題となるが，最高裁昭和56年７月14日判決（民集35巻５号901頁）は，「Ｙは，本訴における本件更正処分の適否に関する新たな攻撃防禦方法として，仮に本件不動産の取得価額が7,600万9,600円であるとしても，その販売価額は9,450万円であるから，いずれにしても本件更正処分は適法であるとの趣旨の本件追加主張をした，というのであって，このような場合にＹに本件追加主張の提出を許しても，右更正処分を争うにつき被処分者たるＸに格別の不利益を与えるものではないから，一般的に青色申告書による申告についてした更正処分の取消訴訟において更正の理由とは異なるいかなる事実をも主張することができると解すべきかどうかはともかく，被上告人が本件追加主張を提出することは妨げないとした原審の判断は，結論において正当として是認することができる。」（下線筆者）としている。この最高裁判決は，一般論の判断を留保したものであり，いわゆる事例判断である。本件の東京地裁判決は，この判例を前提にする判断である。

一方，情報公開条例の事件ではあるが，最高裁平成11年11月19日判決（民集53巻８号1862頁）は，「本件条例９条４項前段が，前記のように非公開決定の通知に併せてその理由を通知すべきものとしているのは，本件条例２条が，逗子市の保有する情報は公開することを原則とし，非公開とすることができる情報は必要最小限にとどめられること，市民にとって分かりやすく利用しやすい情報公開制度となるよう努めること，情報の公開が拒否されたときは公正かつ迅速な救済が保障されることなどを解釈，運

注147　最判平15・２・21民集57巻２号95頁，最判平15・６・12民集57巻６号563頁

注148　最判昭38・５・31民集17巻４号617頁等

注149　最判昭47・３・31民集26巻２号319頁，最判昭47・12・５民集26巻10号1795頁

用の基本原則とする旨規定していること等にかんがみ，非公開の理由の有無について実施機関の判断の慎重と公正妥当とを担保してそのし意を抑制するとともに，非公開の理由を公開請求者に知らせることによって，その不服申立てに便宜を与えることを目的としていると解すべきである。そして，そのような目的は非公開の理由を具体的に記載して通知させること（…）自体をもってひとまず実現されるところ，本件条例の規定をみても，右の理由通知の定めが，右の趣旨を超えて，一たび通知書に理由を付記した以上，実施機関が当該理由以外の理由を非公開決定処分の取消訴訟において主張することを許さないものとする趣旨をも含むと解すべき根拠はないとみるのが相当である。」（下線筆者）としている。

この判例は，理由付記の趣旨が①処分適正化，②争点明確化にあるとした上，①の処分適正化は，下線を付した判示部分であるが，行政処分の時点で非公開の理由を具体的に記載して通知させること（…）自体をもってひとまず実現されるとしているのである。結局，訴訟段階で，理由付記と異なる主張をすることが許されるかは，理由付記の趣旨である①処分適正化，②争点明確化に反するか否かで判断すべきであり，まず処分適正化の観点でみると，処分段階できちんとした理由を書いてなければ，理由付記が不備であるということで当該処分は違法となり，次に争点明確化の観点でみると，納税者の不意打ちにならないかの観点で判断すべきである。

本件では，前記(1)の要件事実に書いたとおり，過大役員給与と行為計算否認では，基本的事実は同一であり，納税者に対し不意打ちにはならないと考える。

このように理由の差替えを検討するに当たっても要件事実の検討は重要な意味をもつのである。

(4)　法人税法132条の要件事実

法人税法132条の要件事実は，第2編・第1章・第9節の第2の事例24（95頁）でも検討したとおり，①同族会社であること，②上記同族会社の行為又は計算であること，③これを容認した場合には上記同族会社の法人税の負担を減少させる結果となること，④上記法人税の減少は不当と評価されるものであることとなり，④は規範的要件と考える。本件に即していうと，前記(1)のブロック・ダイアグラムに書いたとおりである。

そうすると，本件では，不当と評価されるというべきであり，本東京地裁判決は相当と考える。

第3　東京地裁平成27年2月26日判決

1　事案の概要

東京地裁平成27年2月26日判決（税資265号順号12613）は，退職給与を分割支給した場合に支給した法人が損金算入できるか否かが問題となった事件である。事案の概要は，次のとおりである。

（事例28）

X社は，機械の製造業を営んでいる株式会社であり，事業年度は，9月1日から翌年8月31日である。X社は，長年Aが創業者であり代表取締役社長を務めてきていたが，平成25年8月31日，Aが同社の代表取締役社長を辞任して非常勤取締役になることに伴い，同年6月30日，Aの代表取締役としての長年の功績に対し，株主総会の決議（以下「本件決議」という。）に基づき，退職金として2億円を支給することを決議した。しかし，X社が，資金が不足しているとの理由で，株主総会で2億円と決定された退職金について，平成25年8月31日に1億円，平成26年3月31日に1億円を分割で支給した場合，後者の支給も退職給与して損金算入をした。

なお，Aは，非常勤取締役となったことにより，給与は，代表取締役当時の4割に減少した。

これに対し，Y税務署長は，前者の1億円については，退職給与として損金算入を認めたが，後者の1億円については，これを否認する更正処分（以下「本件更正処分」という。）をした。Y税務署長は，本件更正処分においては，本件決議の際の議事録が事後的に作成されたものであり，同決議の際には1億円を支給するとの決議しかされておらず，後者の1億円は，同決議で支給するとはされていなかったことを理由とした。

しかし，訴訟段階で本件決議の際に2億円を支給するとの決議がなされた可能性が認められたため，Y税務署長において，後者の1億円は，分掌変更による退職給与であるが，法人税基本通達9-2-28は，「取り扱うことができる」と規定していることから特例的な通達であり，同通達9-2-28の「退職給与」にはこのような特例的な退職給与は含まず，同通達9-2-28の但書は適用されないと主張した。

※事実関係は，年月日など少し変え，実際の事案を少し単純化している。

本件では，法人税基本通達9-2-28と9-2-32の意義が問題となる。両通達は，次のとおりである。

※法人税基本通達9-2-28

「退職した役員に対する退職給与の額の損金算入の時期は，株主総会の決議等によりその額が具体的に確定した日の属する事業年度とする。ただし，法人がその退職給与の額を支払った日の属する事業年度においてその支払った額につき損金経理をした場合には，これを認める。」（下線筆者）

※法人税基本通達9-2-32

「法人が役員の分掌変更又は改選による再任等に際しその役員に対し退職給与として支給した給与については，その支給が，例えば次に掲げるような事実があったことによるものであるなど，その分掌変更等によりその役員としての地位又は職務の内容が激変し，実質的に退職したと同様の事情にあると認められることによるものである場合には，これを退職給与として取り扱うことができる。

(1)　常勤役員が非常勤役員（…）になったこと。

(2)　（省略）

(3)　分掌変更等の後におけるその役員（…）の給与が激減（おおむね50％以上の減少）したこと。

（注）本文の『退職給与として支給した給与』には，原則として，法人が未払金等に計上した場合の当該未払金等の額は含まれない。」（下線筆者）

2　判旨

上記東京地裁判決は，「法人税法34条1項は，損金の額に算入しないこととする役員給与の対象から，役員に対する退職給与を除外しており，役員退職給与は，法人の所得の計算上，損金の額に算入することができるものとされているところ，その趣旨は，役員退職給与は，役員としての在任期間中における継続的な職務執行に対する対価の一部であって，報酬の後払いとしての性格を有することから，役員退職給与が適正な額の範囲で支払われるものである限り（同法34条2項参照），定期的に支払われる給与と同様，経費として，法人の所得の金額の計算上損金に算入すべきものであることによるものと解される。そして，同法は，『退職給与』について，特段の定義規定は置いていないものの，同法34条1項が損金の額に算入しないこととする給与の対象から役員退職給与を除外している上記趣旨に鑑みれば，同項にいう退職給与とは，役員が会社その他の法人を退職したことによって初めて支給され，かつ，役員としての在任期間中における継続的な職務執行に対する対価の一部の後払いとしての性質を有する給与であると解すべきである。そして，役員の分掌変更又は改選による再任等がされた場合において，例えば，常勤取締役が経営上主要な地位を占めない非常勤取締役になるなど，役員としての地位又は職務の内容が激変し，実質的には退職したと同様の事情にあると認められるときは，上記分掌変更等の時に退職給与として支給される給与も，従前の役員としての在任期間中における継続的な職務執行に対する対価の一部の後払いとしての性質を有する限りにおいて，同項にいう「退職給与」に該当するものと解することができる。この点，Yは，分掌変更のように，当該役員が実際に退職した事実がない場合には，退職給与として支給した給与であっても，本来，臨時的な給与（賞与）として取り扱われるべきであり，法人税基本通達9-2-32がその特例を定めた特例通達である旨主張しているところ，同主張が，職務分掌変更等に伴い支給される金員は，本来，法人税法上の退職給与に該当しないという趣旨であるならば，これを採用することはできない。」（下線筆者）とし，本件更正処分を違法とした。

なお，本件は1審で確定している。

3　検討

⑴　要件事実

本件要件事実は，次のとおりである。なお，この要件事実は，Y税務署長の主張である。

Kg

① Y税務署長が，○年○月○日，X社に対し，平成26年8月期の法人税につき納付税額△△円の更正処分をした。	○
② この更正処分は違法である。	争う

↑

E役員給与（退職給与該当性の否認）

（役員給与該当性）	
① Aが，H26.3.31，X社から1億円の支給を受けた。（給付）	○
② 上記給付は，Aの代表取締役としての長年の功績に対する対価であった。（対価性）	○
③ Aの役務提供は，X社との委任契約に基づいて行われていた。（原因）	○
④ Aは，上記対価の支給を受けるに当たり，自己の危険を負担していなかった。（非独立性）	○
（退職給与該当性の否認）	
⑤ Aは，完全退職しておらず，分掌変更により退職と同等になったもので上記給付は，この事実に基因している（退職基因性の否認）。	争う
⑥ X社は，H25.8.31に既に退職金を支給していて，上記給付は，2回目の支給であり一時金でなく，一時金と同等でもない（一時金性の否認）。	争う

⑵　退職基因該当性

本件は，そもそも本件決議においてAに対し退職給与として2億円を支給する旨決議されたか否かの事実認定が争われた事件である。X社は，訴訟段階で本件決議の議事録について事後的に作成したものであることは認めたものの，関係者の証言等から本件決議において2億円支給する旨決議した可能性が高いことが明らかとなった。そこでY税務署長において，予備的主張として，退職基因性を争い，法人税基本通達9-2-32が「できる」規定となっていることから特例的な通達であり，法人税法34条1項柱書の「退職給与」には，分掌変更による退職給与は含まない旨の主張をしたものである。

しかし，これは，所得税法30条1項の退職所得と法人税法34条1項の対象が異なるとの主張であり，無理な主張である。上記東京地裁判決が判示するとおり，法人税法34条1項「退職給与」とは，所得税法30条1項の退職所得と同義であり，法人税基本通達9-2-32は特例的な通達ではなく，事実認定についての確認的な通達であるというべきである。

そうすると，法人税基本通達９－２－28の「退職給与」も分掌変更による退職給与も含むというべきであり，同通達の適用もあると考える。

⑶　**一時金該当性**

次に，本件退職給与が分割支給されていることが，退職給与の要件である一時金性に反しないかが問題となる。上記東京地裁判決が判示しているところでもあるが，退職所得における「一時金」の要件は，退職を基因として支払われていても，年金の形式で定期的に支払われるような場合を排除する趣旨である。しかし，本件はそのような年金の形式での支払ではなく，本件決議に基づき決議された２億円の一部である。

一方，「一時金」というのは1回払いとの意味であり，分割払いの場合には文言上はこれに該当しない。しかし，所得税法30条１項の退職所得には，「退職所得の性質を有する給与」も含まれており（第１章・第２節の第１の１(44頁)参照），本件退職給与は１回の決議で支給が決定されているのを分割で支払っていることから，「一時金」と同等であり，退職給与の要件を満たすと考える。

⑷　**法人税基本通達９－２－28の意義**

ところで，法人税基本通達９－２－28の意義が問題となる。この通達の本文は，取締役に対する退職給与について，法人税法22条３項２号の債務確定主義を前提に退職給与支給の株主総会決議をもって債務の確定ということを規定しているもので確認的な通達である。そうすると，この通達の但書は，債務確定主義の例外を規定していることとなるが，このような規定を通達で創設していいのかが問題となる。

この点，上記東京地裁判決は，この通達の但書が，企業の実態として資金繰りの理由で退職給与の現実の支給をずらすことがあり得るとして，昭和55年の法人税基本通達改正で認められたとし（注150），損金経理を要件としてこのような扱いをしても，法人税法22条４項の公正処理基準に反しないとしている。このように考えると，この通達の但書は，法人税法22条３項２号の債務確定主義には反しないと考える。

もっとも，この通達の但書の扱いが認められるのは，あくまでも資金繰りに窮したとの理由に限られ，法人の利益調整のために退職給与の支給をずらすことが許されないのはいうまでもない。

第４節　貸倒損失

第１　貸倒れの意義と要件

１　貸倒れの意義

貸倒損失は，所得税法51条２項に，「居住者の営む不動産所得，事業所得又は山林所得を生ずべき事業について，その事業の遂行上生じた売掛金，貸付金，前渡金その他これらに準ずる債権の貸倒れその他政令で定める事由により生じた損失の金額は，その者のその損失の生じた日の属する年分の不動産所得の金額，事業所得の金額又は山林所得の金額の計算上，必要経費に算入する。」（下線筆者）と規定されているが，法人税法上，「別段の定め」はなく，損金算入の時期等について通達で規定しているだけである。

そして通達は，貸倒れを，①切捨てによる貸倒れ（法人税基本通達９－６－１），②回収不能による貸倒れ（法人税基本通達９－６－２），③弁済がない場合のみなし貸倒れ（法人税基本通達９－６－３），の３つに分けている。①の切捨てによる貸倒れは，法律的に債権が消滅する場合であり，「法律上の貸倒れ」といわれ，②の回収不能による貸倒れは，法律的には債権が消滅せず，事実上回収が不能であるというにすぎない場合であり，「経済上の貸倒れ」といわれ

注150　但書のこのような趣旨については，通達の制定にかかわった渡辺淑夫氏も認めているところである（同『通達のこころ』（中央経済社，令和元年）84～85頁。

ている。

2　貸倒れの要件

貸倒れの要件は，所得税法51条２項から明らかなとおり，①貸付けをしたこと，②その貸付けが事業遂行上なされたものであること，③その債権の回収が法律上不能になったこと又は事実上不能となったことである。

法人税法上は，前記１のとおり，貸倒損失について別段の定めはなく，同法22条３項３号の「損失」の一つである。しかし，所得税法51条２項の「事業の遂行上」というのは，法人税法では当然のことであるので，結局，法人税法においても，貸倒損失の要件は，所得税法51条２項の規定する要件と同じであるということになる。

第２　仙台地裁平成６年８月29日判決

1　事案の概要

仙台地裁平成６年８月29日判決（訟月41巻12号3093頁）は，貸倒損失の対象となる債権が存在するかが争われた事件である。事案の概要は，次のとおりである。

（事例29）

Ｘ社は，建設業を営んでいる株式会社であるが，Ａ社に対する貸付金6,500万円を貸倒損失として損金算入して申告した。これに対し，Ｙ税務署長は，上記貸金は，Ｘ社の代表取締役Ｂが個人的に貸した金員であり，Ｘ社の貸金とは認められないとして更正処分をした。

上記貸金がＸ社の貸付けであることの立証責任はどちらが負うか。

※事実関係は，実際の事案を少し単純化している。

2　判　旨

上記仙台地裁判決は，「貸倒損失は，通常の事業活動によって，必然的に発生する必要経費とは異なり，事業者が取引の相手方の資産状況について十分に注意義務を払う等合理的な経済活動を遂行している限り，必然的に発生するものではなく，取引の相手方の破産等の特別の事情がない限り生ずることのない，いわば特別の経費というべき性質のものである上，貸倒損失の不存在という消極的事実の立証には相当の困難を伴うものである反面，被課税者においては，貸倒損失の内容を熟知し，これに関する証拠も被課税者が保持しているのが一般であるから，被課税者において貸倒損失となる債権の発生原因，内容，帰属及び回収不能の事実等について具体的に特定して主張し，貸倒損失の存在をある程度合理的に推認させるに足りる立証を行わない限り，事実上その不存在が推定される」（下線筆者）とした上，Ｘ社の方で貸金の存在についての具体的立証がないとして，損金算入を認めなかった。

3　検　討

(1) 要件事実

本件の要件事実は，次のとおりとなる。

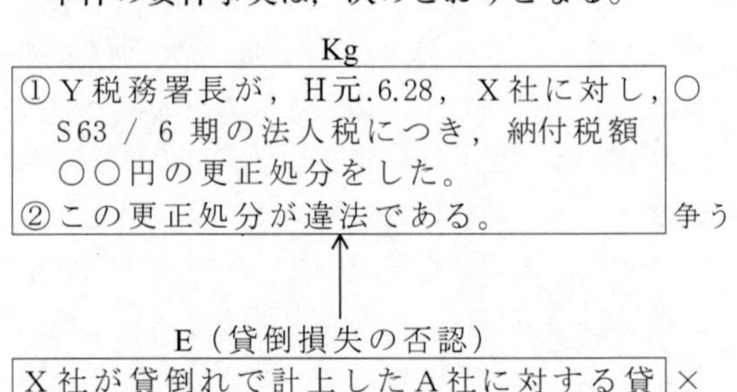

(2) 貸倒損失の立証責任（貸金の存在に争いがある場合）

第１章・第５節の第１の３（71頁）の簿外経費で論じたとおり，税務署長には，課税標準である所得金額の立証責任があり，一定額を超える必要経費の不存在の立証責任があるが，必要経費の存在は，納税者にとって有利な事柄であり，しかも納税者の支配内の出来事であるから，これを立証するのは，税務署長より容易であるため，税務署長が具体的証拠に基づき一定の経費の存在を明らかにし，これが収入との対応上も通常一般的と認められる場合には，これを超える額の必要経費は存在しないものと事実上推定されるものというべきであり，このような場合，納税者は，経費の具体的内容を明らかにし，ある程度これを合理的に裏付ける程度の立証をしなければ，上記推定を覆すことはできないと考える。

第1章・第5節の第1の3の図（72頁）を再度掲げると，下図のとおりとなる。

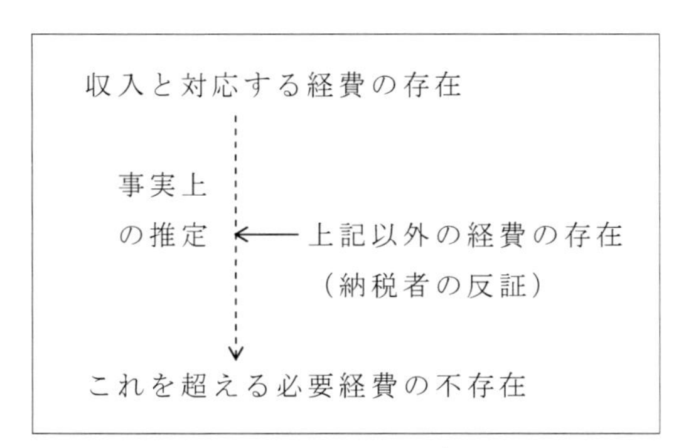

この理は，貸倒損失の対象となる貸金の存在についても同様であり，納税者の方で，貸倒損失の対象となる貸金の存在及び回収不能の事実を反証として具体的に主張・立証しない限り，そのような貸金の不存在が事実上推定されるというべきである。

上記仙台地裁判決は，このように貸倒損失の対象となる貸金の存在そのものが争われている事案についての裁判例である。

- 債権の存在に争いがある場合

収入に対応する経費の存在

↓ ← 貸倒損失の対象となる貸金の存在及び回収不能の事実

これを超える必要経費の不存在

一方，通常の必要経費は，課税庁に立証責任があるとしつつも，貸倒損失は，合理的な経営を行っている限り発生するはずはない特別の損失であるとして，その立証責任を納税者が負うとする見解（注151）もある。しかしながら，通常の経費と特別の経費といってもその区別は容易ではなく，客観的立証責任を転換するまでの理由とはならないと考える。

これに対し，貸金の存在は争いがなく，回収不能であったか否かが争われる場合について，以下検討することとする。

第3　東京地裁平成11年3月30日判決

1　事案の概要

東京地裁平成11年3月30日判決（税資241号556頁）は，債権の回収可能性が争われた事件である。事案の概要は，次のとおりである。

（事例30）

X社は，平成元年6月期の法人税の申告に当たり，A病院に対する貸金24億円を貸倒損失として損金算入をして申告した。これに対し，Y税務署長は，平成3年12月27日，上記貸金は，回収不能ではないとして，更正処分をした。

注151　金子・租税法第24版1136頁

上記貸金が回収不能であることの立証責任はどちらが負うか。
※事実関係は，実際の事案を少し単純化している。

2　判　旨

上記東京地裁判決は，「貸倒損失として損金処理するためには，当該事業年度において，当該債権の債務者に対する個別執行手続又は破産手続において回収不能が確定し，あるいは会社更生等の倒産手続において当該債権が免除の対象とされた場合等に限られるものではないとしても，法人が当該債権の放棄，免除をするなどしてその取立てを断念した事実に加えて，債務者の資産状況の著しい不足が継続しながら，債務者の死亡，所在不明，事業所の閉鎖等の事情によりその回復が見込めない場合，債務者の債務超過の状態が相当期間継続し，資産，信用の状況，事業状況，債権者による回収努力等の諸事情に照らして回収不能であることが明らかである場合のように，回収不能の事態が客観的に明らかであることを要するものと解すべきである。」（下線筆者）とし，「本件免除に係る本件債権に相当する金額を本件事業年度における貸倒損失であると認めるためには，Xが本件免除の意思表示をしたという事実のみならず，少なくとも本件債権を担保する担保権がないか，あってもその実行が期待できないこと及び当時のA病院が返済能力を喪失していたことの立証が必要になる。」とした上，「本件訴訟の弁論に現れた本件債権の特定に至る経過，前記…記載の事実に照らせば，XとA病院との間においては，少なくとも本件免除当時，本件免除の対象となった債権がXの有した根抵当権の被担保債権の範囲に含まれていたのかどうかについて明確な認識がなく，Xへの返済も個別担保による回収見込みとは別に総額をもって把握されていたことが推認されるのであり，また，本件全証拠によっても，本件債権がXの有した根抵当権によって担保されない事実，すなわち，本件免除当時にXの有した根抵当権の被担保債権の範囲，金額を明確にするには足りない。」とし，「さらに本件債権がいわゆる無担保債権であったとしても，貸倒損失として損金処理するためには，その回収不能の事実の立証が必要になるところ，前記…記載の事実に照らせば，A病院が経常的な赤字経営にあったことが認められるものの，前記…記載の事実によれば，本件免除後も相当額の任意弁済があり，それに対応するXのA病院に対する債権が消滅したことが推認されるのであるから，本件事業年度において，本件債権が回収不能の状態にあったと認めることはできない。」として，回収不能とはいえず，貸倒損失には当たらないとした。

3　検　討

(1)　要件事実

本件の要件事実は，次のとおりとなる。

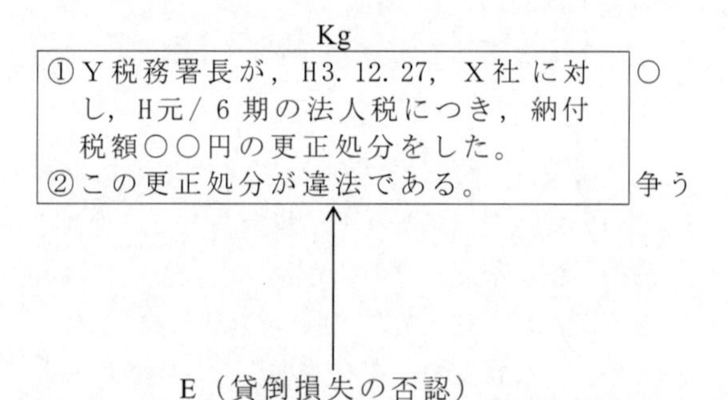

(2) 貸倒損失の立証責任（回収可能性に争いがある場合）

債権の回収可能性に争いがある場合の立証責任については，大阪地裁昭和40年7月3日判決（行集16巻8号1328頁）が参考になる。この大阪地裁判決は，「ある年度に貸倒損失が生じた場合は，その年度の所得額の算定に当つてその損失を控除すべきものであるから，所得の発生要件事実を構成する貸倒損失の有無につき争いがある場合には，所得の一定額の存在を主張する課税庁側で，当該年度に貸倒損失がないことを立証すべき必要及び責任がある。しかしながら，貸倒損失は，通常の必要経費と異なり，異例の事実である。合理的経済人たる取引当事者は取引に際し，自己の債権の回収見込に対して十分の注意を払い，かつ合理的な判断を下しているのが通常で，これにより大多数の取引は円滑に進展し処理されているのである。したがつて，ある取引がなされた場合，それによって生じた債権は，その債務者たる企業者において外形上企業活動を継続している限り，つまり破産等の前示特別の事情の認められない限り，回収可能であることが事実上推定されるものと解すべきである。税務訴訟の過程においては，このような特別の事情は，納税者側で，反証をもつて右事実上の推定を覆えすべき必要があると解するのが相当である。」（下線筆者）と判示している。

• 担保がある場合

担保の存在

←担保物が無価値
or 担保物の実行が困難

↓

債権の少なくとも一部は回収可能

• 無担保の場合

債務者に破産等の法的清算手続がとられていない

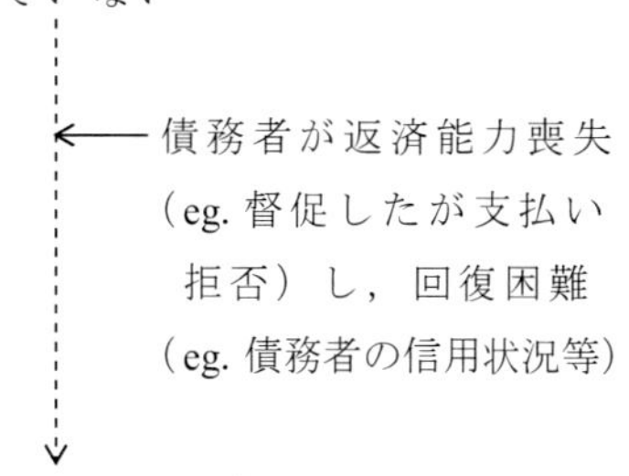

債権がまだ回収可能である

以上が筆者の考える回収可能性について争いがある場合の貸倒損失の場合の立証責任であるが，上記東京地裁判決は，前記2の判旨のうち「本件債権がいわゆる無担保債権であったとしても，貸倒損失として損金処理するためには，その回収不能の事実の立証が必要になる」との判示を読むと，X社の方に回収不能の事実についての立証責任があるようにも読める。

また，上記東京地裁判決は，旧様式の判決であり，事実の整理欄をみても，原告の主張すなわち再抗弁として，回収不能のである旨のX社の主張を挙げているところからもそのようにいえる。しかしながら，上記東京地裁判決は，その点明確に判示するものではなく，そのように解する先例とまでは言い難いと考える。

このように回収不能か否かを，原告ではなく被告税務署長に立証責任があると考えると，被告が抗弁として主張する事実は，「全額が回収不能でないこと」ではなく，前記(1)のブロック・ダイアグラムに記載したとおり，「債権の一部が回収可能であること」となる。なぜなら，「全額が回収不能でないこと」と考えると，この点が真偽不明に陥った場合，すなわち，全額が回収不能か否かが断定できない場合の不利益を原告に負わせることとなってしまい，貸倒れがないことの立証責任を被告に負わせたことと矛盾するからである。債権の全額が回収不能でないことは，言い換えると，債権の一部が回収可能であることであり，この点の真偽が不明の場合は，被告が，その不利益を負担し，被告の更正処分が違法となる。

第４　最高裁平成16年12月24日判決

１　事案の概要

最高裁平成16年12月24日判決（民集58巻９号2637頁）は，「興銀事件」と呼ばれている著名な事件であり，経済上の貸倒損失あるいは法律上の貸倒損失が認められるかが争われた事件である。事案の概要は，次のとおりである。

（事例31）

Ｘ行は，下図のとおり，子会社である住専のＡ社に有していた貸付債権3,760億円を平成８年３月29日付で「子会社の営業譲渡の実行及び解散の登記が同年12月末までに行われないこと」を解除条件として債務免除をし，同７年４月１日から同８年３月31日までの事業年度において損金算入した。これに対し，Ｙ税務署長は，全額回収不能とはいえず，また，本件債務免除に解除条件が付されているから上記事業年度に本件債権放棄が確定しているとは認められないとして，損金算入を否認した。

なお，住専処理法は，平成８年６月18日に成立し，同年８月31日にＡ社から住宅金融債権管理機構に営業譲渡がなされた。

Ｘ行の有している上記債権のうち40％は担保により回収が可能であったが，Ｘ行は，母体行責任を問われかねない状況にあり，他の債権者と軋轢を生じるおそれがあった。このような場合，事実上回収不能といえるか。

また，仮に，事実上一部回収可能な場合に，回収不能部分を特定せず，しかも解除条件付の債務免除の場合に，平成８年３月期の損金として計上できるか。

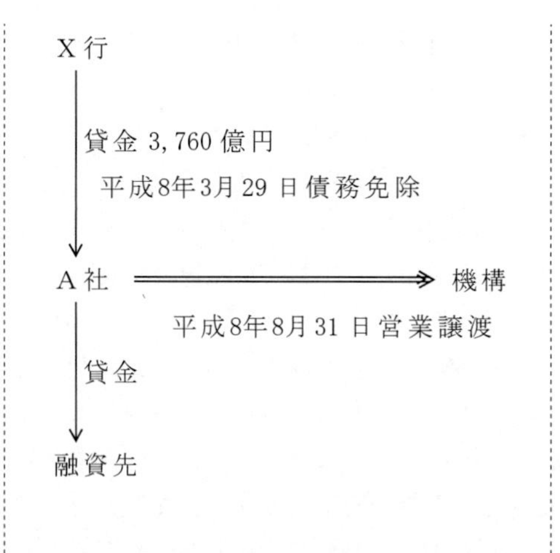

※事実関係は，実際の事案を少し単純化している。

２　判　旨

上記最高裁判決は，「法人の各事業年度の所得の金額の計算において，金銭債権の貸倒損失を法人税法22条３項３号にいう『当該事業年度の損失の額』として当該事業年度の損金の額に算入するためには，当該金銭債権の全額が回収不能であることを要すると解される。そして，その全額が回収不能であることは客観的に明らかでなければならないが，そのことは，債務者の資産状況，支払能力等の債務者側の事情のみならず，債権回収に必要な労力，債権額と取立費用との比較衡量，債権回収を強行することによって生ずる他の債権者とのあつれきなどによる経営的損失等といった債権者側の事情，経済的環境等も踏まえ，社会通念に従って，総合的に判断されるべきものである。」（下線筆者）とし，「Ｘ行が本件債権について非母体金融機関に対して債権額に応じた損失の平等負担を主張することは，それが前期債権譲渡担保契約に係る被担保債権に含まれているかどうかを問わず，平成８年３月末までの間に社会通念上不可能となっており，当時のＡ社の資産等の状況からすると，本件債権の全額が回収不能であることが客観的に明らかとなっていたというべきである。そして，このことは，本件債権の放棄が解除条件付きでされたことによって左右されるものではない。」として，損金算入が認められるとした。これは，経済上の貸倒損失を認めたものである。

3　検　討

⑴　要件事実

本件の要件事実は，次のとおりである。

Kg

①Y税務署長が，H8.8.23，X行に対し，H8/3期の法人税につき，納付税額〇〇円の更正処分をした。	〇
②この更正処分が違法である。	争う

E1（経済上の貸倒損失の否認）

①X行は，A社に対する3,760億円を貸し付けた。（貸付け）	〇
②上記貸付けは，X行の事業として行われた。（事業遂行上のものであること）	〇
③上記貸金債権は，平成8年3月末の時点で，一部が回収可能であった。	×

E2（法律上の貸倒損失の否認）

①X行は，A社に対する3,760億円を貸し付けた。（貸付け）	〇
②上記貸付けは，X行の事業として行われた。（事業遂行上のものであること）	〇
③X行は，H8.3.9時点で，上記貸金債権の一部が回収可能であった。	×
④X行は，H8.3.29，上記貸金債権の回収可能な部分であるにもかかわらず，債務免除した。（債務免除の特定性）	×
⑤X行は，H8.3.29時点で，解除条例付きで債務免除をした。（損失の未確定）	〇

⑵　経済上の貸倒れと債務免除による法律上の貸倒れ

ア．両貸倒れの意義

X行は，**事例31**の事実関係のとおり，本件貸金債権の債務免除をしているが，訴訟段階では，そもそも本件貸金債権は，全額が回収不能となっており，経済上の貸倒れにも当たる旨主張した。そこで，経済上の貸倒と債務免除による貸倒れの関係が問題となる。前記第1の1のとおり，法人税基本通達は，切捨てによる貸倒れ（同通達9－6－1）と回収不能による貸倒れ（同通達9－6－2）に分けている。そして，債務免除による貸倒れについては，「債務者の債務超過の状態が相当期間継続し，その金銭債権の弁済を受けることができないと認められる場合において，その債務者に対し書面により明らかにされた債務免除額」（同通達9－6－1⑷，下線筆者）と規定し，回収不能による貸倒れについて，「法人の有する金銭債権につき，その債務者の資産状況，支払能力等からみてその全額が回収できないことが明らかとなった場合には，その明らかになった事業年度において貸倒れとして損金経理をすることができる。」（同通達9－6－2，下線筆者）と規定している。

上記通達の文言によると，債務免除による法律上の貸倒れの場合には，「債務超過状態の相当期間の継続」が要件であり，その場合に，「弁済を受けることができないと認められる場合」にその分に特定した債務免除であれば，貸倒れを認めると読める。すなわち，経済上の貸倒れとは異なり，「支払能力からみての回収不能」は問題とせず，また，回収不能部分とを特定した上での債務免除による貸倒れを認める趣旨と考えられる。

このように債務免除による法律上の貸倒れの場合には，「支払能力からみての回収不能」までを問題にしていないと考えると，通達上は，債務免除による貸倒れの方が，若干貸倒損失の認定が緩やかになっていると考えられる。そのように両者の要件が少し違っていることを前提とし，債務免除による法律上の貸倒れの場合には，債務超過状態が相当期間継続していたか，経済上の貸倒の場合には，支払能力があったか否かを問題としている裁判例もある（東京高判平7・5・30税資209号940頁）。

しかし，債務免除による法律上の貸倒れの場合に，少しでも回収可能であるのに債務免除したとすると，経済合理性がない限り，寄附金となり，損金算入されないこととなる。そうすると，債務免除による法律上の貸倒れの場合に，その前提となる債権の状態について，経済上の貸倒れより緩やかに考える合理性はなく，債務免除による法律上の貸倒れの場合も「支払能力からみての回収不能」を要するというべきであり（注152），経済上の貸倒れと同一と考える。そうすると，経済上の貸倒れのほかに債務免除による法律上の貸倒れを認める必要があるのかが問題となるが，上記のとおり，回収不能部分を特定して債務免除した場合に貸倒れが認められるのであり，そのような場合には意味をもっている。これは，後記(4)アで詳述しているが，Ⅲ事例のように，債権の一部が回収可能な場合に，債権者及び債務者の合意で回収可能部分を特定して，回収不能部分を特定して免除する事例の場合に貸倒れを認めることができるのである。

そこで，前記(1)の要件事実のうち債務免除による法律上の貸倒れの否認の主張（抗弁２）の③は，経済上の貸倒れの否認の主張（抗弁１）③と同じく，「一部回収可能であった」との事実と考える。

イ．両貸倒れを否認する抗弁の関係

次に，抗弁１と抗弁２との関係が問題となる。抗弁１と抗弁２の要件事実は，①ないし③が同一であり，抗弁２に④及び⑤が追加されているとの関係に立っている。そうすると，抗弁１と抗弁２との関係は，抗弁１が否定されると，抗弁２を判断するまでもなく違法となるが，抗弁１が認められても，抗弁２が認められないと本件更正処分は適法とならないとの関係にあることとなる。

この理は，１審の東京地裁平成13年３月２日判決（判時1742号25頁）も，「本件においては，X行が，本件債権相当額を本件事業年度において損金の額に算入して本件確定申告をしたのに対し，被告は，第１に，本件債権は平成８年３月末時点においてその全額が回収不能とは認められないこと，第２に，本件債権放棄に解除条件が付されているから本件事業年度に本件債権放棄が確定しているとは認められないことを理由として本件債権相当額を本件事業年度の損金の額に算入することはできないとしている。この二つの理由は，双方ともに正当なものと認められてはじめて被告の本件再更正処分が維持できるという関係にある。すなわち，本件債権相当額を本件事業年度において損金の額に算入することができるかどうかは，まず第１に，本件債権が，本件事業年度の終了する平成８年３月末時点までにその全額が回収不能となっていたかどうかに係るのであって，この点が肯定できれば，本件債権放棄の有無及びその効力を問わず，本件債権相当額を損金に算入することができるというべきであるから，第１の理由が否定されれば，第２の理由の成否にかかわらず，本件再更正処分は違法なものというほかないのである。」（下線筆者）としているところである。すなわち，両抗弁の関係を整理すると，本件債

注152　法人税基本通達９－６－１(4)は，昭和39年制定時には，「相当の期間」を要件と考え，これを３年ないし５年と解して，債務超過の「相当期間」の経過があれば，回収不能と考えていたようである。しかし，本文のように考えると，この通達は，後段の「弁済を受けることができないと認められる」が要件であり，「相当の期間」は，間接事実であり，債務超過の「相当期間」の経過により，「支払能力からみての回収不能」が事実上推定されると読むこととなる。

権について全額回収不能であると認定されると，③の事実が認められないことから，抗弁1及び抗弁2のいずれも否定されることとなる。これに対し，本件債権全額について一部が回収可能と認定された場合，抗弁1及び2の③の事実が認められることから，抗弁1は認められることになる。しかし，**事例31**の事案の概要に記載のとおり，本件更正処分は，回収不能部分を特定しない債務免除であることや貸倒れが未確定であったことを理由とするものであり，最終的には，抗弁2の④や⑤が認められるか否かにより最終的に決せられるのであり，抗弁1が認められても，本件更正処分は適法とならないので，更に抗弁2の④及び⑤の事実を判断する必要があるのである。

ウ．債務免除による法律上の貸倒れと寄附金との関係

債務免除による法律上の貸倒れの否認は，第7節で詳述する寄附金と一部重なる主張である。そこで両者の関係が問題となる。債務免除による法律上の貸倒れは，前記アのとおり，経済上の貸倒れの状態となっている債権（経済上無価値の債権）を明確にするため，債権者及び債務者の合意で債務免除するものであり，経済上の貸倒れの状態となっていない債権を免除した場合には，寄附金となると考える。この場合，全額を寄附金と考えるか，それとも回収不能部分を控除した額を寄附金と考えるかについては，いわゆる部分貸倒れの問題で議論があり，後記(4)で論じることとする。

その点は措くとして，債務免除による法律上の貸倒れの否認と寄附金との要件事実とを比較すると，寄附金の場合には，経済上の貸倒れの状態となっていない債権を免除する合理的な理由がある場合もある。すなわち，「無償」といえるかについて，評価根拠事実や評価障害事実があり得る（後記第7節第1の2(3)参照）。また，債務免除による法律上の貸倒れの否認が肯定されたとしても，寄附金となることから，仮に寄附金損金算入限度額があるとその範囲内では損金算入が認められることとなる。このように考えると，債務免除による法律上の貸倒れの否認は，寄附金の主張の一部になる場合もある。

しかしながら，本件更正処分のように，損失として未確定であることを理由とする法律上の貸倒れの否認は，寄附金の主張とは重なっていない。本件では，貸倒れが損失として未確定であれば，寄附金の要件事実の一つである「経済的利益の移転」がないので，本件では，寄附金は問題とならないのである。

(3) 経済上の貸倒損失の成否

上記最高裁判決は，前記2「判旨」のとおり，回収不能であるか否かを判断するに当たり，「<u>債権回収を強行することによって生ずる他の債権者とのあつれきなどによる経営的損失等といった債権者側の事情</u>」（下線筆者）をも考慮すべきと判示した。これは，かつての裁判例にもみられなかった上記最高裁判決の新しい判断である。しかし，これは，社会的に母体行責任が問題となり，国会でも立法が検討されている状況であり，債権回収を強行すると，X社自体の存続が危うくなるとの特殊な状況を前提とした判断であり，一般の場合に安易に適用すべきとは考えられない（注153）。

(4) 法律上の貸倒損失の成否

ア．部分貸倒れの成否

債務免除による貸倒れについては，債権者が任意に債権を切り捨てるものであり，仮に貸金

注153 法人税基本通達9－6－2の解説でも，最高裁平成16年12月24日判決か，債権か回収不能かどうかの判定に当たって債権者側の事情をも考慮の対象としているが，このような判断は慎重に見極める必要があろうとしている（高橋正朗編著『法人税基本通達逐条解説10訂版』（税務研究会出版局，令和3年）909頁）。

等が回収不能の状態になっていないにもかかわらず，その切り捨てをした場合には，その貸金等は債務者に贈与したものとして寄附金となる。

本件では，まず，全額が回収不能になっていないのに全額を債務免除した場合に回収不能部分について貸倒損失が認められるかが問題となる。いわゆる「部分貸倒れ」の問題である。

具体例は次のとおりである。

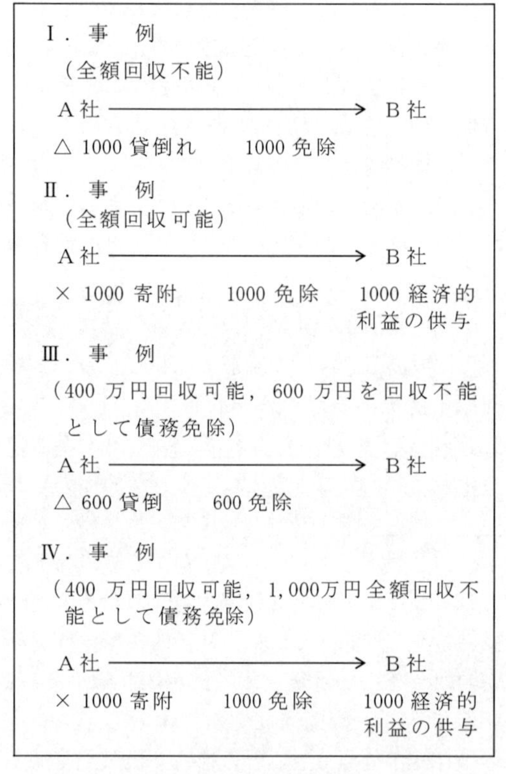

Ⅳ事例の場合が部分貸倒れの問題であり，この場合に，Ⅲ事例と同様に600万円を貸倒損失を認めるとすると，債権の評価減の損金算入を認めることと同じとなり，これを禁止している法人税法33条２項に反する。したがって，Ⅳ事例の場合には，全額寄附金と考えるべきであろう。なお，平成21年度の法人税法の改正前は，法人税法33条２項の括弧書きで「預金，貯金，貸付金，売掛金その他の債権を除く」と規定されていたが，預金等も含むこととなった。これが，部分貸倒れを認める趣旨であるかが問題となるが，会社更生手続等において，金銭債権等が評価減の対象とされていることから法人税法の規定をこれに付合させるためと説明されている（注154）。

イ．貸倒損失の確定

さらに，本件では，X社がA社に対する貸金を免除するに当たり解除条件を付けた点も問題となる。この点，原審の東京高裁平成14年３月14日判決（判時1783号52頁）は，「そもそも，課税は，私法上の法律行為の法的効果自体にではなく，これによってもたらされる経済的効果に着目して行われるものであるから，ある損金をどの事業年度に計上すべきかは，具体的には，収益についてと同様，その実現があった時，すなわち，その損金が確定したときの属する年度に計上すべきものと解すべきところ，解除条件付き債権放棄の私法上の効力は，当該意思表示の時点で生ずるものの，本件におけるような流動的な事実関係の下においては，債権放棄の効力が消滅する可能性も高く，未だ確定したとはいえないのであるから，本件解除条件付きでされた債権放棄に基づいて生ずる損金については，当該条件の不成就が確定したときの属する年度，すなわち，本件事業年度ではなく，住専処理法と住専処理を前提とする予算が成立し，A社の営業が譲渡され，解散の登記がされた翌事業年度の損金として計上すべきものというべきである。」（下線筆者）として，損失として確定していないとした。これに対し，上記最高裁判決は，前記２「判旨」のとおり，「X行が本件債権について非母体金融機関に対して債権額に応じた損失の平等負担を主張することは，それが前記債権譲渡担保契約に係る被担保債権に含ま

注154　大蔵財務協会編『改正税法のすべて（平成21年版）』207頁

れているかどうかを問わず，平成8年3月末までの間に社会通念上不可能となっており，当時のA社の資産等の状況からすると，本件債権の全額が回収不能であることは客観的に明らかとなっていたというべきである。そして，このことは，本件債権の放棄が解除条件付きでされたことによって左右されるものではない。」（下線筆者）と判示した。

上記最高裁判決は，債権が回収不能か否かの判断に当たり債権者側の事情も考慮に入れるべきとした上，本件債権放棄をした時点では客観的に全額回収不能であるとしたのであるが，目減りはしているものの本件債権には担保が付いているのであり，母体行責任の追求も流動的な状況にあったのであり，いささか強引な認定である感を否めない。理論的には，解除条件付き債務免除であれば，上記東京高裁判決が判示するとおり，損失として確定していないと考えるべきであろう。

第5節　減価償却費

第1　法人税法31条1項の「減価償却資産」の意義と要件

1　法人税法31条1項の「減価償却費」の意義

国際的租税回避であるか否かが問題となった事案として，まず「フィルムリース事件」を検討することとする。この事件では，映画フィルムの減価償却費や支払利息の損金算入が問題となったが，ここでは減価償却費の損金算入について特に取り上げて検討することとする。

法人税法31条1項は，減価償却費について，「内国法人の各事業年度終了の時において有する減価償却資産につきその償却費として第22条第3項（…）の規定により当該事業年度の所得の金額の計算上損金の額に算入する金額は，その内国法人が当該事業年度においてその償却費として損金経理をした金額（…）のうち，その取得をした日及びその種類の区分に応じ政令で定める償却の方法の中からその内国法人が当該資産について選定した償却の方法（償却の方法を選定しなかつた場合には，償却の方法のうち政令で定める方法）に基づき政令で定めるところにより計算した金額（…）に達するまでの金額とする。」（下線筆者）と規定している。そして，法人税法2条23号は，「減価償却資産，建物，構築物，機械及び装置，船舶，車両及び運搬具，工具，器具及び備品，鉱業権その他の資産で償却をすべきものとして政令で定めるものをいう。」と規定し，これを受けて，同法施行令13条は，「法2条第23号（…）に規定する政令で定める資産は，棚卸資産，有価証券及び繰延資産以外の資産のうち次に掲げるもの（事業の用に供していないもの及び時の経過によりその価値の減少しないものを除く。）とする。」（下線筆者）として，減価償却資産を具体的に列挙している。

このような減価償却費が損金となるのは，減価償却資産が，長期間にわたって収益を生み出す源泉であるから，その取得に要した金額（取得価額）は，将来の収益に対する費用の一括前払の性質をもっており，それを期間に配分して，徐々に費用化すべきであるからである（注155）。

法人税法31条1項は，上記のとおり，「内国法人の…有する」と規定しており，まず，内国法人の所有する資産であることが要件となっていることが分かる。

ここで「内国法人の…有する」とは，我が国の税法では特に定義はなく，借用概念であると考えられ，民商法上の所有であることを意味していると考えられる。

また，法人税法31条1項では，「事業の用に

注155　金子・租税法第24版389頁

供していること」が要件として正面から規定がなく，上記のとおり，同法施行令13条の括弧書きで，「事業の用に供していないもの…を除く」と規定しているにすぎない。

このように法人税法施行令13条において，「事業の用に供していないもの」を除くとしたのは，昭和40年の法人税法の全面改正に伴って同法施行令が制定された時からであり，同政令でこのように規定したのは，税制調査会の昭和38年12月6日付「所得税法及び法人税法の整備に関する答申」において，減価償却資産の範囲を明確にするに当たり，減価償却資産と非減価償却資産の区別を明らかにすべきとされ，非減価償却資産の一つとして「使用資産でないもの」とのカテゴリーが明らかにされたこと(注156)に由来すると考えられる。

ここで問題とされていたのは，稼働休止資産，建設中の資産や貯蔵中の資産であり，減価償却資産に当たるか否かは，資産の所有目的や実際の使用の仕方といった機能的な見方も必要であることを明らかにする趣旨と考えられる。

これに対し，所得税法2条19号は，「減価償却資産　不動産所得若しくは雑所得の基因となり，又は不動産所得，事業所得，山林所得若しくは雑所得を生ずべき業務の用に供される建物，構築物，機械及び装置，船舶，車両及び運搬具，工具，器具及び備品，鉱業権その他の資産で償却をすべきものとして政令で定めるものをいう。」（下線筆者）と規定し，「事業ないし業務の用に供されていること」が要件であることは条文上明確である。

しかし，そもそも減価償却費が損金となるのは，上記のとおり，減価償却資産が収益を生み出す源泉であり，減価償却費は，将来の収益に対する一括前払費用の性質を有するからであり，法人税の場合も，「事業の用に供すること」は，当然の要件であると考えられる。

なお，法人税法においては，上記のとおり，法人税法31条1項が，「その内国法人が…損金経理をした金額は」と規定し，当該法人が損金経理をすることを要件としていて，任意償却となっている。

これに対し，所得税法においては，納税者が選定した償却方法で計算した金額をそのまま償却費として必要経費に算入すると規定し（同法49条1項），強制償却となっている。

これは，法人の場合には継続した帳簿を記帳していることが前提となっているが，個人の場合は継続して帳簿に記帳しているとは限らないことと，減価償却費の計算につき内部の意思決定といったものがないことの違いによると考えられる(注157)。

2　法人税法31条1項の「減価償却費」の要件

前記1で検討したところを整理すると，法人税法上の減価償却の要件は，下記のとおりである。

①　内国法人の所有する資産であること。
②　法人税法施行令13条に列挙する資産であること。
③　事業の用に供しているものであること。
④　当該内国法人が損金経理をしていること。

第2　最高裁平成18年1月24日判決

1　事案の概要

最高裁平成18年1月24日判決（民集60巻1号252頁）は，我が国の法人が組合を結成して，ハリウッドの映画を購入したとして，その減価償却費等の損金算入を争った事件である。事案の概要は，次のとおりである。

注156　『DHC コンメンタール法人税法』159の12頁
注157　注解所得税法研究会編・前掲（注72）注解所得税法6訂版1107頁

（事例32）

⑴　X社は，平成元年，A社から，次のとおり説明を受けて，取引への参加を勧誘された。

ア　日本の投資家を集めて，Bと称する民法上の組合（以下「本件組合」という。）を結成する。本件組合は，組合員の自己資金及び銀行からの借入金を原資として，C社から映画を購入し，D社との間で映画の配給契約を締結し，D社が配給会社を使って全世界に配給する（以下，この取引を「本件取引」という。）。

イ　組合員が投資によって得る利益は，D社との間の配給契約に基づき本件組合が受け取る金員と，組合員における税務処理，すなわち，映画の減価償却費を損金処理することによる法人税の負担軽減から成る。

⑵　平成元年5月19日付けで，下図のとおり，X社ら投資家を組合員とする本件組合の結成に係る契約書（下図①）が作成された。また，同日付けで，いずれも本件組合を一方当事者として，E銀行からの借入れに係る契約書（下図②），F社が制作した2本の映画（以下「本件映画」という。）のC社からの購入に係る契約書（下図③），D社に対する本件映画の配給権付与に係る契約書（下図④），同契約書に基づきD社が本件組合に対して負担する金員の支払債務についてのG銀行の保証に係る契約書（下図⑧）等が作成された（以下，上記の各契約書による契約を，それぞれ「本件借入契約」，「本件売買契約」，「本件配給契約」，「本件保証契約」という。）。

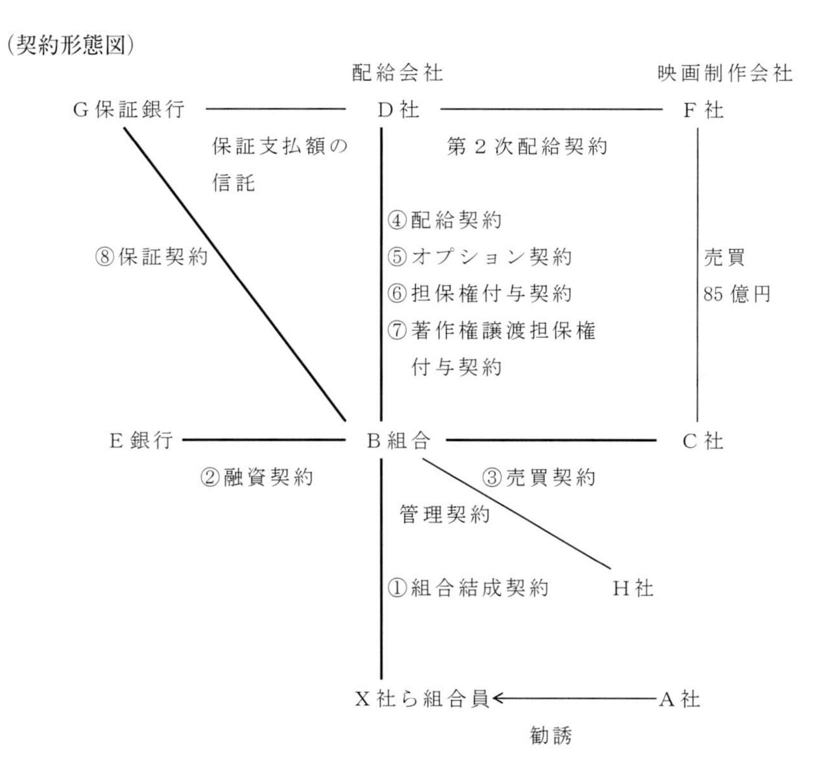

⑶　X社は，本件取引に参加することとし，本件組合に1億3,795万円を出資した。本件組合は，E銀行から63億7,463万円余（以下「本件借入金」という。）を借り入れ，これに各組合

員からの出資金合計26億2,105万円を加えた金員（総額89億9,568万円余）をもって，C社に対し本件映画の代金85億6,159万円余を支払い，その余はA社及びE銀行に対する手数料の支払に充てた。他方，F社は，C社を通じて，本件組合が支払った本件映画の代金を受領した。また，F社は，D社との間で，本件映画に関する第二次配給契約を締結し，同契約に基づき，F社は本件借入金相当額である6,000万ドルをD社に対して支払い，D社は本件組合から許諾された本件映画の配給権をF社に与えた。

(4)　X社は，昭和63年11月1日から平成4年10月31日までの4事業年度の法人税等の各確定申告に当たり，本件映画のうち，自己の出資持分相当額（19分の1）に応じた金額を器具備品勘定に計上し，耐用年数を2年として減価償却費を損金に算入した。所轄税務署長は，X社が計上した上記の減価償却費の損金算入を認めず，上記各事業年度の法人税等について，更正及び過少申告加算税賦課決定をした。

この場合，X社は，減価償却費を損金とすることができるか。

※事実関係は，上記最高裁平成18年1月24日判決の認定した事実である。

本件で，実際の資金の流れは，本件映画代金85億円余りのうちX社らが出資した26億円余りの大部分がF社に入っているものの，63億円余りは，F社からD社に配給料として支払われ，D社がG保証銀行に信託し，本件の配給契約（リース契約）の期間が満了する7年後に，G保証銀行がX社らに代わってX社らがE銀行から借り入れている元本63億円余りに利息を加えて支払うこととなっており，結局，X社らがE銀行から借り入れた63億円余りは，循環しているのである。

また，本件の特徴は，X社が1億円余りを出資し，契約書上は，リース料の支払いを受けることとなっているが，リース料は，7年後のE銀行への支払いの利息に充てられ，X社らの手元には，出資した1億円余りも戻ってこないとの仕組みである。そうすると，X社は，1億円余りを損することとなるが，その代わりに，4年間で合計4億2,800万円の減価償却費を損金算入ができる上，E銀行に対する支払利息として，5年間で合計で1億1,400万円の損金算入もできるのである（注158）。すなわち，本件は，いわゆるタックス・シェルターであり，ある法人の黒字を消すための商品である。本件の配給契約では，映画がヒットすれば，変動レンタル料ということで，X社らの手元にお金が入ってくることとされているが，変動レンタル料の計算の基礎となっているのは，配給先の劇場においてネットでもうけが出た場合のD社が劇場から受け取る収入とされているが，実際上は，世界的大ヒットにでもならない限り，そのようなことはほとんどあり得ないことが映画関係者の常識となっているのである。

2　判　旨

(1)　1審判決

本件の1審の大阪地裁平成10年10月16日判決（訟月45巻6号1153頁）は，「本件取引は，その実質において，X社が本件組合を通じ，F社による本件映画の興業に対する融資を行ったもの

注158　事実関係の詳細は，今村隆「租税回避についての最近の司法判断の傾向（その2）」租税研究2006年12月号59頁以下を参照されたい。

であり，本件組合ないしその組合員であるX社は，本件取引により本件映画に関する所有権その他の権利を真実取得したものではなく，本件各契約書上，単にX社ら組合員の租税負担を回避する目的のもとに，本件組合が本件映画の所有権を取得するという形式，文言が用いられたにすぎないものと解するのが相当である。そうであるとすれば，Xが本件映画を減価償却資産に当たるとして，その減価償却費を損金の額に算入したことは相当でなく，右算入に係る全額が償却超過額となるものというべきである。」（下線筆者）として，減価償却費の損金算入等は認められないとした。

⑵　控訴審判決

そして，控訴審の大阪高裁平成12年1月18日判決（訟月47巻12号3776頁）も，「課税は，私法上の行為によって現実に発生している経済的成果に則してされるものであるから，第1義的には私法の適用を受ける経済的取引の存在を前提として行われるが，課税の前提となる私法上の当事者の意思を，当事者の合意の単なる表面的・形式的な意味によってではなく，経済実体を考慮した実質的な合意内容に従って認定し，その真に意図している私法上の事実関係を前提として法律構成をして課税要件への当てはめを行うべきである。したがって，課税庁が租税回避の否認を行うためには，原則的には，法文中に租税回避の否認に関する明文の規定が存する必要があるが，仮に法文中に明文の規定が存しない場合であっても，租税回避を目的としてされた行為に対しては，当事者が真に意図した私法上の法律構成による合意内容に基づいて課税が行われるべきである。」（下線筆者）とした上，「以上の事実によれば，F社は，C社（…）を単なる履行補助者として，本件映画等の根幹部分の所有権を保有したままで，資金調達を図ることを目的として，また，本件組合（ないしはXら）は，専ら租税回避の負担の回避を図ることを目的として，原始売買契約ないし本件売買契約を締結したと認めるのが相当である。したがって，原判決も認定するとおり，本件取引のうち本件出資金は，その実質において，Xら組合員が本件組合を通じ，F社による本件映画の興行に対する融資を行ったものであって，本件組合ないしその組合員であるXは，本件取引により本件映画に関する所有権その他の権利を真実取得したものではなく，本件契約書上，単にXら組合員の租税負担を回避する目的のもとに，本件組合が本件映画の所有権を取得するという形式，文言が用いられたにすぎないものと解するのが相当である。」として，減価償却費の損金算入等は認められないとした。

1審判決や控訴審判決は，いわゆる「私法上の法律構成による否認」の手法により，本件契約の法的性質の我が国における民商法上の評価をして，X社は，本件映画フィルムの所有権を取得していないとしたのである。この「私法上の法律構成による否認」については，第1章・第1節の第2において，売買か交換かが問題となった東京高裁平成11年6月21日判決を検討した際に既に論じたところである。この東京高裁平成11年6月21日判決では，2個の売買契約を民法上交換契約と認定・評価すべきかが問題となったが，本件は，前記1のとおり，売買やリース契約が複合した複合契約であり，このような複合契約の認定・評価が問題となったのである。

⑶　最高裁判決

最高裁平成18年1月24日判決は，まず，「前記事実関係に加えて，原審の適法に確定した事実関係によれば，①本件組合は，本件売買契約と同時に，D社との間で本件配給契約を締結し，これにより，D社に対し，本件映画につき，題名を選択し又は変更すること，編集すること，全世界で封切りをすること，ビデオテープ等を作成すること，広告宣伝をすること，著作権侵害に対する措置を執ることなどの権利を与えており，このようなD社の本件映画に関する権利は，本件配給契約の解除，終了等により影響を受けず，D社は，この契約上の地位等を譲渡することができ，また，本件映画に関する権利を取得することができる購入選択権を有するとされ，②他方，本件組合は，D社が本件配給契約上の義務に違反したとしても，D社が有する上記の権利を制限したり，本件配給契約を解除することはできず，また，本件映画に関する権利をD社の権利に悪影響を与えるように第三者に譲渡することはできないとされ，③本件組合が本件借入契約に基づいてE銀行に返済すべき金額は，D社が本件配給契約に基づいて購入選択権を行使した場合に本件映画の興行収入の大小を問わず本件組合に対して最低限支払うべきものとされる金額と合致し，また，D社による同金額の支払債務の大部分については，本件保証契約により，G銀行が保証しており，④さらに，X社は，不動産業を営む会社であり，従来，映画の制作，配給等の事業に関与したことがなく，X社が本件取引についてA社から受けた説明の中には，本件映画の題名を始め，本件映画の興行に関する具体的な情報はなかったというのである。」と事実認定をし，「そうすると，本件組合は，本件売買契約により本件映画に関する所有権その他の権利を取得したとしても，本件映画に関する権利のほとんどは，本件売買契約と同じ日付で締結された本件配給契約によりD社に移転しているのであって，実質的には，本件映画についての使用収益権限及び処分権限を失っているというべきである。このことに，本件組合は本件映画の購入資金の約4分の3を占める本件借入金の返済について実質的な危険を負担しない地位にあり，本件組合に出資した組合員は本件映画の配給事業自体がもたらす収益についてその出資額に相応する関心を抱いていたとはうかがわれないことをも併せて考慮すれば，本件映画は，本件組合の事業において収益を生む源泉であるとみることはできず，本件組合の事業の用に供しているものということはできないから，法人税法（平成13年法律第6号による改正前のもの）31条1項にいう減価償却資産に当たるとは認められない。」（下線筆者）とした。

すなわち，1審や控訴審は，前記1の(2)の減価償却の要件のうちの「内国法人の所有する資産であること」に当たるか否かで判断したのに対し，上記最高裁判決は，前記1の(2)の減価償却の要件のうちの「事業の用に供していること」で判断したのである。

3　検　討

(1)　要件事実

本件の要件事実は，下記のとおりとなる。

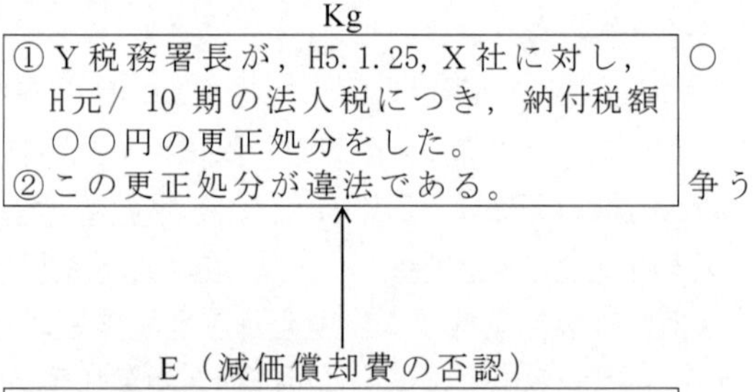

(2)　X社の所有権の有無

X社の所有権の有無は，本件のような複合契約を民商法上どのように認定・評価するかが問題となる。筆者は，このような認定・評価は，租税法規適用に当たって，その前提となる取引の民商法上の認定・評価の問題であり，租税法律主義とは抵触しないと考えている。

1審や控訴審が，本件における契約を正面から認定・評価して，Xらは，映画フィルムの所有権を取得していないとしたのに対し，本最高裁判決は，その点での結論を留保し，「所有権その他の権利を取得したとしても」と判示して，仮定的な形で「事業の用に供する」との要件で判断をしているのである。本最高裁判決が，このような本件契約の認定・評価のあり方についての判断を避けたのは残念ではあるが，かといって，本最高裁判決は，1審や控訴審判決の判断の仕方が誤っていると判断しているのではない。

⑶ 本判決の判断方法

本件を検討するに当たり，課税要件を適用するに当たっての複合契約における契約の解釈や事実認定が問題となる。これは，英国において，1981年Ramsay事件上院判決（注159）以来争われた問題である。英国は英米法系の国であるが，租税法や契約の解釈を厳格に解釈する法制であり，米国とは異なり経済実質主義を採っていない国であり，租税回避に対する対応として我が国に非常にインプリケーションがあると考えられる。

ア．Ramsayアプローチ

このRamsay事件では，証券の譲渡損を意図的に捻出する取引であり，このような譲渡損を生じる取引が初めから消滅する（self-cancelling）ことが仕組まれた取引であるが，上院判決は，1935年のWestminster事件上院判決（注160）を前提にした上で，「…証書や取引が真正（genuine）であるとされた場合，裁判所は，そこに潜在する実質を探求することはできない。これは，よく知られたWestminster事件の原理である。これは，基本的な原理であるが，拡張されすぎるべきではない。裁判所は，真正であると認定された証書や取引を容認するよう義務づけられてはいるが，裁判所は，当該証書や取引をそれが属する流れから切り離して，盲目的（in blinkers）に判断することが強制されるのではない。もし，証書や取引が複数の一連の取引の一部であるとして，又は，全体として実行するよう意図されたより大きな取引の構成要素として効果を発揮するよう意図されていたとみることが可能であれば，そのようにみることを妨げる原理はない。」とし，「不服申立庁である特別委員会が，個々の証書や取引がshamでないと自ら認定したことによって，証書そのものや当事者の明白な意図を証拠として，問題となる取引は如何なるものか，ということを自ら判断できなくなってしまうと考えるのであれば，それは誤りであり，また不必要な自己抑制である。Westminster原則及びその他の先例のもとでも，全体として実行されることが意図された複合取引（composite transaction）においては，必ずしも個々の取引過程を個別に考察する必要はない。」とし，結論として，「分けることのできない過程における1つの段階で引き起こされ，単一の継続的な操作として計画されている結果次の段階でキャンセルされることが意図されている損失（又は利得）は，制定法の扱っている損失（又は利得）ではない…」として，譲渡損を控除することができないとした。

このようなRamsay事件上院判決の意義について，英国でもずいぶん議論がなされ，当初は，明文によらない租税回避を否認する判例法理であるとの見方もあった。しかし，現在では，そのような見方は否定され，当該租税法規の目的的解釈をするに当たり，その目的に即した事実があるか否かを判断するとの法律の解釈適用に当たっての一般的なルールにすぎないとされている。そこで，英国では，現在は，「Ramsayプリンシプル」ではなく，「Ramsayアプローチ」と呼ばれている。さらに，このアプローチを端的に示す表現として，香港の裁判所の判決であるが，Arrowtown事件（注161）での判示

注159 W.T.Ramsay Ltd v IRC,［1982］AC 300. 事案の詳細は，今村・租税回避否認規定編269～273頁を参照されたい。

注160 IRC v Duke of Westminster,［1936］AC 1. 事案の詳細は，今村・租税回避否認規定編265～268頁を参照されたい。

注161 Collector of Stamp Revenue v Arrowtown Assets Ltd［2003］HKFCA 46

がよく引用されている。

これは，「究極の問題は，関係する制定法の規定が，目的的に解釈したとき，現実的にみて，当該取引に適用されることを意図したものかどうかである。(The ultimate question is whether the relevant statutory provisions, construed purposively, were intended to apply to the transaction, viewed realistically.)」（下線筆者）という判示である。これが「Arrowtown テスト」と呼ばれている（注162）。

ここで「現実的にみて」(realistically viewed) の意味が問題となるが，当該規定の趣旨・目的の観点でみたときに実際上意味ある事実か否かをみていくということである。

イ．我が国へのインプリケーション

筆者が注目しているのは，このような Ramsay アプローチや Arrowtown テストは，英国特有のアプローチではなく，実は目的的解釈を採った場合の事実認定・評価の一般的なアプローチであるということである。

本件の最高裁判決は，映画フィルムの所有者が減価償却できるか否かを判断するに当たり，法人税法31条１項が減価償却費を損金として認めている趣旨・目的を「事業において収益を生む源泉」であるからとした上，当該事実関係がそのような趣旨・目的に合致しているかを判断したもので，奇しくも「Arrowtown テスト」と同じようなアプローチを採っている（注163）。

具体的にいうと，法形式としては，組合に所有権が移転しているとしても，映画に関する使用収益権や処分権限を失っており，また，組合が借入金の返済にリスクを負っていないとし，「事業の用に供している」とはいえないとしたものである。

これは，偶然の一致ではなく，目的的解釈における一般的なアプローチだからと考えられる。

第６節　資産の評価損

第１　資産の評価損の意義と要件

１　資産の評価損の意義

法人税法は，実現した収益及び損失のみを益金及び損金に算入することを原則としているから，法人が資産の評価換えをしてその帳簿価額を減額しても，その評価損は損金の額に算入されない（取得原価主義，法人税法33条１項）。

このように法人税法においては，評価損の損金不算入が原則ではあるが，例外として，①災害による著しい損傷，②更生計画認可の決定があったこと，③その他の政令（法人税法施行令68条）で定める事実が生じたことにより，法人の資産が，帳簿価額を下回ることとなった場合には，その法人がその資産の評価替えをして損金経理によりその帳簿価額を減額したときは，その減額した部分の金額は，損金に算入される（法人税法33条２項）。上記政令で定める場合として，非上場株式については，「その有価証券を発行する法人の資産状態が著しく悪化したため，その価額が著しく低下したこと」としている（法人税法施行令68条１項２号ロ）。

２　資産の評価損の要件

資産の評価損のうち，非上場株式の評価損を損金算入するための要件は，上記１の法人税法施行令68条１項２号ロが規定しており，①有価

注162　Arrowtown テストの意義については，2016年の英国の UBS 銀行事件最高裁判決における Reed 卿の意見や2017年の同卿による講演が参考となる（今村隆「英国におけるラムゼイ原則と欧州連合司法裁判所の濫用法理との異同」租税研究2017年2月号240頁）。

注163　今村・租税回避否認規定編86頁

証券の発行法人の資産状態が著しく悪化したこと，②有価証券の価額が著しく低下したこと，となる。

第2　東京地裁平成元年9月25日判決

1　事案の概要

東京地裁平成元年9月25日判決（判時1328号22頁）は，子会社の増資を引き受けたが，その株式の価額が零円となったとして評価損として損金算入されるかが争われた事件である。事案の概要は，次のとおりである。

（事例33）

X社は，音響機器等の製造販売を業とする内国法人であり，米国カリフォルニア州法人のA社を子会社としてその株式19万9,400株（1株の額面100ドル）を保有していた。X社は，昭和56年5月21日から同57年5月20日までの事業年度の法人税の青色申告に際し，A社の資産状態が悪化したとして，上記保有株式の帳簿価額45億7,558万円を零円に減額し，これを損金に算入する経理をした上で上記事業年度の欠損金を全事業年度に繰り戻し，Y税務署長に対し還付請求に及んだ，これに対し，Y税務署長は，損金算入を否認する更正処分をした。

この場合，子会社の株式の資産状態の悪化を理由に評価損を損金算入することができるか。

※事実関係は，実際の事案を少し単純化している。

2　判　旨

上記東京地裁判決は，「①法人税法は資産の評価損の損金算入を原則として認めていないから，その例外である資産の評価損の損金算入を認むべき特定事実についてはこれを限定的に解するのが自然であること，②施行令68条は法人税33条2項を受けて定められたものであるが，同項では，特定事実の定めを政令に委任するにつき，『資産……につき災害による著しい損傷その他の政令で定める事実が生じたこと』と定めており，特定事実の例示として災害により著しい損傷が生じたという事態を挙げており，このような規定の仕方に照らせば，政令で定める特定事実は，災害による著しい損傷と同程度ないしはそれに準ずる程度に資産損失を生じさせるような事態であると考えるのが一般的には相当であり，しかも，右の事態については，災害により資産が毀損し，その程度が著しく，そのため異常な資産価値の減少が生じた状態と同程度ないしはそれに準ずる程度の事態であることからすると，固定的で回復の見込みのない状態ないしはそれに準ずるような状態であると解されること，③法人税法は，評価益についても，会社更正法による更正手続開始の決定に伴い行われる評価換え，法人の組織変更に伴う評価換え及び保険会社の行う株式の評価換えによる評価益の発生を除いては，評価益の益金算入を認めていないので，一時的あるいは回復可能性がないとはいえない有価証券の価額の低下の場合に評価損の損金算入を認めると，その後仮に価額が回復したという場合に，これを税務会計上益金としてとらえることができず，容易に利益操作，租税回避を認めるのと同様の結果になることなどからすると，有価証券の価額が著しく低下した状態というのは，帳簿価額（取得価額が付される。商法285条の6第1項参照）で評価されている有価証券の資産価値が，その帳簿価額に比べ異常に減少しただけでは足りず，その減少が固定的で回復の見込みがない状態にあることを要するというべきである。」（下線筆者）と判示した。

そして，上記東京地裁判決は，「資産の評価損の損金算入は例外的に認められるものであるから，所得金額の計算上資産の評価損を損金に算入しようとする者が，その評価損を損金に算入し得る特定事実の存在につき主張立証責任を負うというべきであるところ，評価損損金算入要件の各事実そのものが固定的又は回復する見込みのない状態にある資産価値の異常な減少又は資産状態の異常な悪化を指すものと解すべきことは右⑵で述べたとおりであるから，評価損の損金経理を行うＸ社が，特定事実である評価損損金算入要件の⒜及び⒝（筆者注・法人税法33条２項，同法施行令68条２号ロ『有価証券の発行法人の資産状態が著しく悪化したこと』及び『有価証券の価額が著しく低下したこと』）の各事実の存在につき主張立証責任を負うということは，必然的に，右各事実につき回復の見込みがない状態にあることについても主張立証責任を負うことになると解するのが相当である。」とし，本件では，資産状態の著しい悪化が生じたとはいえないとして，損金算入は認められないとした。

3　検　討

⑴　要件事実

本件の要件事実は，次のとおりとなる。

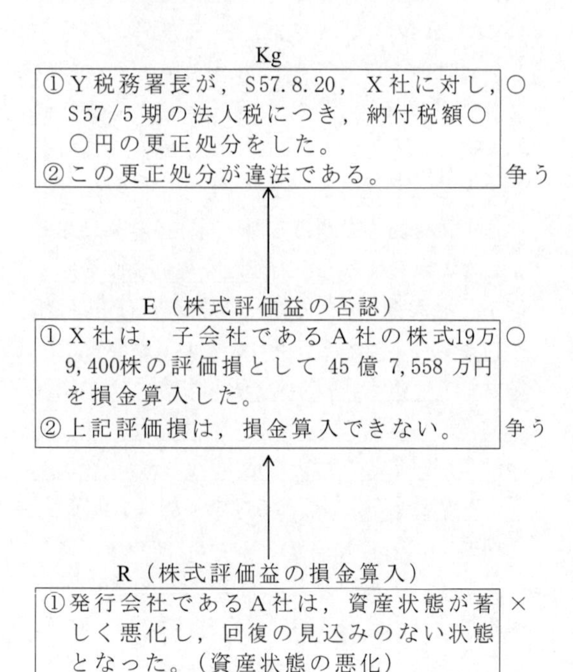

⑵　資産の評価損の立証責任

第４節の第３の３⑵（123頁）で論じたとおり，貸倒損失の場合には，回収不能の事実は，税務署長に立証責任があるものの，納税者の方である程度主張・立証しない限り，回収可能と事実上推定されると考える。

これに対し，法人税における資産の評価損の場合は，原則損金不算入であり（法人税法33条１項），災害による著しい損傷等による場合には，法律上例外的に損金に算入すると規定しており（同条２項），納税者が災害による著しい損傷等資産損失であるとして損金算入を求めるときには，客観的立証責任も転換され，納税者が「災害による著しい損傷等」があることの立証責任を負うと考える。

第７節　交際費

第１　交際費の意義と要件

１　交際費の意義

交際費については，措置法61条の４第６項が，「交際費，接待費，機密費その他の費用で，法人が，その得意先，仕入先その他事業に関係のある者等に対する接待，供応，慰安，贈答その他これらに類する行為（…）のために支出するもの」（下線筆者）と規定している。

そもそも交際費の損金算入の制限が立法されたのは，昭和29年であり，取引先等の接待のための支出であり，費用性はあるものの，当時の社用族にみられるような冗費的な交際費等の支出を抑制し，法人の資本蓄積を図るとの立法趣旨に出たものであり，しかも時限的な立法であった。しかし，その後交際費制度は継続され，現在に至っており，恒常的な制度になっているといっても過言ではなく，立法趣旨も変わってきているのではないかが問題となる。

２　交際費の要件

交際費の要件は，措置法61条の４第６項からその要件を読み取るほかないが，これには，2要件説と3要件説の対立がある。2要件説というのは，①支出の相手方が，事業に関係ある者等であること，②支出の目的が接待等を意図するものであることと読むのに対し，3要件説というのは，前記1の下線を付した「接待，供応，慰安，贈答その他これらに類する行為のために支出するもの」というのを，「接待，供応，慰安，贈答その他これらに類する行為であって，かつ，それらの行為のために支出するもの」と2つに分断して読む読み方であり，2要件説の上記①と②の要件に加えて，③支出行為の態様が，接待，供応，慰安，贈答その他これらに類する行為であるとの要件が必要であるとする見解である。

3要件説の契機となったのは，大阪高裁昭和52年3月18日判決（訟月23巻3号612頁）と思われる。これは，建設会社の代表取締役の結婚式の披露宴の費用をその会社が負担した場合，これが交際費になるかが争われた事案である。上記大阪高裁判決は，「会社からの金員支出が交際費と認められるためには，会社が取引関係の円滑な進行を図るためにするという意図を有したことを要するのは当然であるが，そればかりでなく，その支出によって接待等の利益を受ける者が会社からの支出によってその利益を受けていると認識できるような客観的状況の下に右接待等が行われたものであることを要するのは，いうまでもない。」（下線筆者）と判示し，交際費には当たらないとした。この判決で，支出態様から相手方の認識可能性が必要としたもので，3要件説の契機となったのである。

交際費の損金算入の制限が立法された当初の立法趣旨は，前記1のとおり，冗費的な交際費等の支出を抑制し，法人の資本蓄積を図るとの立法趣旨に出たものであり，この制定当初の立法趣旨を尊重すると，法人の支出目的のみが問題で支出行為の態様は問題とならないこととなろう。

しかし，その後，交際費課税が単なる時限的な立法ではなく法人税法の制度に恒久的なものとして定着してきた現在では，その趣旨は，上記の趣旨に加えて，国民経済的見地から，多額の資本力を持つ法人の交際費の支出によって，競争中立性が害され，ひいては課税の公平性を害するという点にも求められるべきである（注164）。このように考えると，接待を受ける相手方の認識可能性も問題となり，支出行為の態様をも要件とすべきということになろう（注165）。筆者は，このような理由で，3要件説を採るべきと考えている。

裁判例も当初は，2要件説を採っていたが，最近では，3要件説を採るものが増えてきており，その理由は，単に要件が明確になるというだけでなく，交際費の趣旨のとらえ方が違ってきたことによるものと考えられる。

第2　東京高裁平成15年9月9日判決

1　事案の概要

東京高裁平成15年9月9日判決（判時1834号28頁）は，取引先の大学病院の医師の英文添削を実費より低額で引き受けたことが交際費に当たるかが争われた事件である。事案の概要は，次のとおりである。

（事例34）

X社は，医家向医薬品の製造販売を業とする法人であるが，その医薬品を販売している医師等から，その発表する医学論文が海外の雑誌に掲載されるようにするための英訳文につき，英文添削の依頼を受け，こ

注164　税制調査会「平成6年度の税制改正に関する答申」（平成6・2・9）

注165　措置法通達61の4(1)－2は，寄附金と交際費の区分について，「金銭でした贈与は原則として寄附金とする」と規定しているが，これは，支出態様に着目した事実認定の指針を示した通達と思われる。

れをアメリカの添削業者に外注していた。X社は，下図のとおり，医師A等からは国内業者の平均的な英文添削の料金（合計約3,500万円）を徴収していたものの，外注業者B社らにはその3倍以上の約1億8,000万円を外注費として支払い，その差額約1億4,500万円を負担していた。

これに対し，Y税務署長は，平成9年6月30日，英文添削の依頼をした医師等がX社の「事業に関係ある者」に該当し，本件負担額（約1億5,000万円）の支出の目的が医師等に対する接待等のためであって，上記負担額は交際費に該当するとして，損金算入を否認する更正処分をした。

上記負担額は，交際費に当たるか。

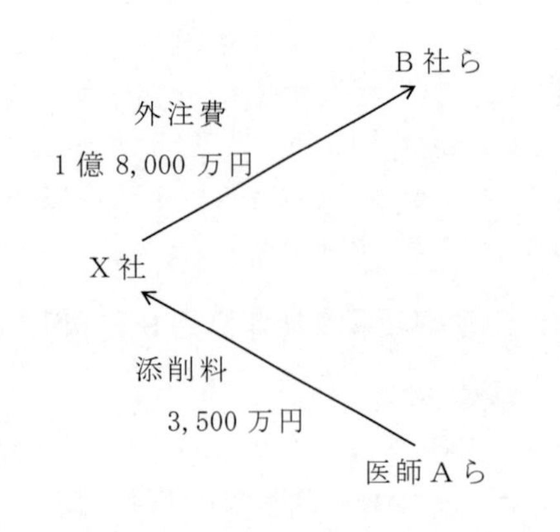

※事実関係は，実際の事案を少し単純化している。

2　判　旨

(1)　1審判決

1審の東京地裁平成14年9月13日判決（税資252号）は，「『交際費等』が，一般的に，支出の相手方及び目的に照らして，取引関係の相手方との親睦を密にしている取引関係の円滑な進行を図るために支出するものと理解されていることからすれば，当該支出が『交際費等』に該当するか否かを判断するには，支出が『事業に関係ある者』のためにするものであるか否か，及び，支出の目的が接待等を意図するものであるか否かが検討されるべきこととなる。」と2要件説に立つとした上，「本件英文添削は，外資系の医薬品製造，販売業者であるX社が，国内の添削業者と同等又はそれ以上の内容の英文添削を，国内の添削業者と同水準の料金で提供するものであって，このような事業を提供することにより，取引先の医師等の歓心を買うことができることからも，本件英文添削は，医薬品の販売に係る取引関係を円滑にする効果を有するものというべきである。」として，支出目的が接待等を意図するものと認められるとして，交際費に当たるとした。

(2)　控訴審判決

これに対し，上記東京高裁判決は，「当該支出が『交際費等』に該当するというためには，①『支出の相手方』が事業に関係ある者等であり，②『支出の目的』が事業関係者等との間の親睦を図ることであるとともに，③『行為の形態』が接待，供応，慰安，贈答その他これらに類する行為であること，の三要件を満たすことが必要であると解される。」とした上，②の支出目的について，「本件英文添削は，若手研究者らの研究発表を支援する目的で始まったものであり，その差額負担は発生してからも，そのような目的に基本的な変容はなかったこと，その金額は，それ自体をみれば相当に多額のものであるが，その1件当たりの金額や，X社の事業収入全体の中で占める割合は決して高いものといえないこと，本件英文添削の依頼者は，主として若手の講師や助手であり，X社の取引との結びつきは決して強いものではないこと，その態様も学術論文の英文添削の費用に一部の補助であるし，それが効を奏して雑誌掲載という成果が得られるものはその中のごく一部であることなどからすれば，本件英文添削の差額負担は，その支出の動機，金額，態様，効果等からして，事業関係者との親睦の度を密にし，取引関係の円滑な進行を図るという接待等の目的でなされたと認めることは困難である。」とし，

③の行為の形態についても，「交際費制度の趣旨に加え，交際費等に該当するためには，行為の形態として『接待，供応，慰安，贈答その他これらに類する行為』であることが必要とされていることからすれば，接待等に該当する行為とは，一般的に見て，相手方の快楽追求欲，金銭や物品の所有欲などを満足させる行為をいうと解される。…ところが，本件英文添削の差額負担によるサービスは，研究者らが海外の医学雑誌等に発表する原稿の英文表現等を添削し，指導するというものであって，学問上の成果，貢献に対する寄与である。このような行為は，通常の接待，供応，慰安，贈答などとは異なり，それ自体が直接相手方の歓心を買えるというような性質の行為ではなく，上記のような欲望の充足と明らかに異質の面を持つことが否定できず，むしろ学術奨励という意味合いが強いと考えられる。」（下線筆者）として，交際費に当たらないとした。

なお，本件は，国側が上告受理申立をしなかったため確定している。

3　検　討

⑴　要件事実

本件の要件事実は，次のとおりとなる。

Kg

①Ｙ税務署長が，H9.6.30，Ｘ社に対し，H6/3期の法人税につき，納付税額○○円の更正処分をした。	○
②この更正処分が違法である。	争う

↑

E（交際費）

①本件差額分を支出した相手方が，Ｘ社の取引先の病院の医師であった。（支出の相手方）	○
②本件差額分を支出したＸの目的が取引先の病院との円滑な進行を図るものであった。（支出目的）	×
③Ｘ社の提供した本件添削が，質の高いものであり，上記医師の歓心を買う態様のものであった。（行為態様）	×

※平成６年３月期の事業年度分についてのものである。

⑵　２要件説と３要件説の検討

交際費は，企業会計上は費用であり，事業との関連性もあり元々損金性を有している。この点で，寄附金は，本来利益処分であり，損金性を有していないのとは異なっている。それならば，なぜ，交際費だと損金算入が認められないのであろうか。

これについては，前記第１の２のとおり，単なる冗費の抑制だけではなく，競争中立性の確保に求めるべきである。したがって，３要件説が相当と考える。

上記東京高裁判決も，交際費の趣旨が単に冗費的支出を抑制するという趣旨にとどまらず，競争中立性を害する支出の防止もあることは認めるものの，「接待等に該当する行為とは，一般的に見て，相手方の快楽追求欲，金銭や物品の所有欲などを満足させる行為をいうと解される。」との判示は，やはり交際費を冗費的支出とみているといわざるをえない。しかし，本件の事実認定は微妙であり，本件英文添削費を負担したことによりＸ社が果たして競争中立性を害するような経済的効果を得たとまで言えるか断定し難いところもあり，本件の結論としては，交際費に当たらないと考えることもできよう。

第８節　寄附金

第１　寄附金の意義と要件

１　寄附金の意義

寄附金については，法人税法37条７項は，「前各項に規定する寄附金の額は，寄附金，拠出金，見舞金その他いずれの名義をもつてするかを問わず，内国法人が金銭その他の資産又は経済的な利益の贈与又は無償の供与（広告宣伝及び見本品の費用その他これらに類する費用並びに交際費，接待費及び福利厚生費とされるべきものを除く。次項において同じ。）をした場合における当該金銭の額若しくは金銭以外の資産のその贈与の時における価額又は当該経済的な利益のその供与の時における価額によるものとする。」と規定する。

寄附金とは，法人からの資産の流出であり，資産の減少であることから，純資産増加説に立つと損金となるはずである。しかし，昭和17年の臨時租税措置法の改正で，法人が支出した寄附金の全額が無条件で損金になるものとすると，その寄附金に対応する分だけ納付すべき法人税額が減少し，その寄附金は国において負担したと同様の結果になることから，このような事態を排除する必要があるとの政策的な理由に基づき，寄附金の一定額以上の損金不算入制度が創設された。

ところがその後，寄附金は利益処分の性格を有し，本来的に費用性を有しないと考えられるようになり，昭和40年の法人税法の全文改正において，法人が自ら利益処分等として経理した場合には法人の認識に従って所得の計算を行うのが妥当であるとして法人税法37条１項が設けられたものである。このような経緯からみて，現在においては，寄附金の本質は利益処分であると考えるべきであり，法人税法37条３項が損金算入限度額という形式基準で損金算入を制限しているのは，寄附金が対価性のない支出で，法人の事業に関連する経費とは必ずしもいい難く多分に利益処分としての性格を有しているが，その一方で法人の事業に関連のある寄附金が全くないとはいえず，そのような寄附金にあっては，事業に関連するものかどうかの判定は困難であるからと考えられる。このように寄附金とは，利益処分であり，対価性のない支出と考える見解（非対価説）（注166）が通説であり，課税実務でもある。

一方，寄附金とは，事業関連性や費用性のない支出であるとする見解（非事業関連説）（注167）や寄附金は事業関連性や費用性のない支出であるとしつつ，法人税法37条３項が一定限度で損金算入を認めているのは，事業関連性や費用性のある場合もあり得るからであるとする見解（事業関連説）（注168）もある。

しかし，これらの見解は，法人税法37条７項の括弧書きの説明が困難となる。なぜなら，この括弧書きで掲げられている広告宣伝費・見本品費その他これらに類する費用，接待・交際費及び福利厚生費は，いずれも事業関連性や費用性があることは明らかであり，わざわざ括弧書きで除外しているのが説明が困難となるからである。この括弧書きは，上記費用は，私法上は贈与であり対価性がないが，事業関連性や費用性が明白であることから除外したと読むのが素直であり，立法趣旨にも沿うものである。そこで，本稿でも非対価説に立って論じることとする。

なお，公益に役立つような寄附を奨励するために，①国又は地方公共団体に対する寄附や②指定寄付金については，その費用性に関係なく，寄付金損金算入限度額の適用される寄附金の額から除かれるとされている（法人税法37条３項）。

2　寄附金の要件

(1)　寄附金の対象

寄附金も，交際費と同様，定義規定そのものはなく，法人税法37条７項の規定から読み取るほかない。これは，寄附金は，私法上の贈与契約を核とするものであるが，経済的利益の無償移転など私法上の贈与契約ではとらえがたい面

注166　金子・租税法第24版418頁
注167　中川一郎「親会社の子会社に対する無利息融資」シュトイエル70号（昭和42年）33頁
注168　松沢智『租税実体法補正第２版』（中央経済社，平成15年）314頁

があったためと考えられる(注169)。しかし，要件事実を考えるためには，まず要件を抽出せざるを得ない。

このような観点でみると，法人税法37条7項の規定は，対価部分が全くない場合の規定であり，対価部分が一部ある場合の規定である同条8項と併せて読むことにより，下表のとおり，初めて寄附金の対象となる取引の全貌を明らかにすることができる。

この表によると，まず，寄附金の対象を画する要件として，「金銭その他の資産又は経済的利益（以下「経済的利益等」という。）の移転があること」との要件を抽出できる。

対価／取引	対価部分なし（7項）	対価部分一部あり（8項）
金銭の贈与	金銭の額	－（＊）
資産の贈与	資産の贈与時の価額	資産の譲渡時の価額－対価の額
経済的利益の無償供与	経済的利益の供与時の価額	経済的利益の供与時の価額－対価の額

＊金銭の場合には，時価を観念できない。

(2) 除外費用

次に，上記経済的利益等の移転から，法人税法37条7項の括弧書きで掲げられている費用が除外されているが，これは，前記1の非対価説に立つと，対価性のない取引のうち事業関連性や費用性が明白なものをあえて除外しているもので創設的な規定であり，限定列挙となる。そうすると，寄附金は，上記括弧書きで掲げられている費用に当たらないことも要件となる。これらの費用は，①広告宣伝費・見本品費その他これらに類する費用，②接待・交際費，③福利厚生費の3種類ある。まず，広告宣伝費・見本品費その他これらに類する費用とは，具体的には，①支出目的が購買意欲を刺激することであること，②直接又は間接に商品等の良廉性を広く不特定多数の者に訴えるものであることが要件となる(注170)。接待・交際費とは，前記1のとおりであり，福利厚生費とは，具体的には，措置法61条の4第6項1号によると，①支出目的が専ら従業員の慰安のためであること，②通常の費用であることが要件となる。

なお，税務署長が寄附金に当たるとして更正処分をしたのに対し，納税者がこれらの除外費用に当たるとして争った場合，寄附金であるためには，除外費用に当たらないことも要件であるので，税務署長がこれらの費用の各要件に当たらないとの具体的事実の立証責任がある。しかし，これは，税務署長に消極的事実の立証を求めることになるので，税務署長が対価性のない支出であることを立証すれば，納税者側で上記除外費用に当たることをある程度合理的に推認させるに足る事実の立証（反証）を行わない限り，上記除外費用に当たらないことが事実上推定されるというべきである。

(3) 「無償」の意義

さらに，最近の裁判例では，法人税基本通達9－4－1や9－4－2の子会社支援や再建のための損失負担が，寄附金に当たるか否かが争われる例もあり(注171)，要件事実論の観点でみたときに，これが寄附金の要件とどのように係わるかが問題となる。前記1の非事業関連説に立つと，子会社支援や再建のための損失負担の場

注169　武田昌輔ほか『認定賞与・寄附金・交際費等の総合的検討』（日本税務研究センター，平成16年）14頁

注170　横浜地判平4・9・30訟月39巻6号1146頁参照

注171　東京地判平3・11・7行集42巻11・12号1751頁，東京高判平7・5・30税資209号940頁，東京高判平18・1・24LEXDB文献番号：28111864

合に「相当の理由」があれば寄附金とならないのは，事業関連性や費用性があるからと説明する。非対価説に立つと，子会社支援や再建のための損失負担の場合に「相当の理由」があれば寄附金とならないとする理由は，親会社が将来の大きな損失負担を回避することができ，狭い意味での対価性はないものの，広い意味での対価性があり，「贈与」や「無償の供与」に当たらないからと考えられる（注172）。すなわち，寄附金は，非対価的な経済的利益等の移転であるが，法人の場合，対価性があるか否かは，個人の場合とは異なり，必ずしも，提供される資産や役務との1対1の対応といった狭い意味での対価性だけではなく（注173），法人活動という観点でみたときに，1対1の対応がないことから一見すると狭い意味での対価性がないようにみえても，実は法人にとって広い意味での経済的な利益をもたらすこともあり得ることから，このような広い意味での対価性がある場合には，寄附金には当たらないと考えるべきである。法人税基本通達9-4-1や9-4-2は，このような広い意味での対価性がある場合の例示と考えることができる。このように考えると，寄附金の「贈与」あるいは「無償」というのは，「無償と認められるものであること」を意味しており，1対1の対応といった狭い意味での対価性がない場合でも広い意味での対価性があれば，寄附金とはならないということになる。

以上の関係を整理すると，下図のとおりとなる。

このように考えていくと，「無償と認められるものであること」の要件は，単純に事実の存否が問題となるいわゆる事実的要件ではなく，いくつかの事実の総合判断により判断される規範的要件であると考えられる。規範的要件については，第1編・第1章・第3節（13頁）において論じたところであるが，ある要件がこのような意味での規範的要件であるか否かを決定するのは難しいが，第1章・第9節の第2の3(4)（98頁）の所得税法157条の「不当」でも論じたとおり，第1に，その評価を成立せしめる事実が類型的に記述できない場合であり，かつ，そ

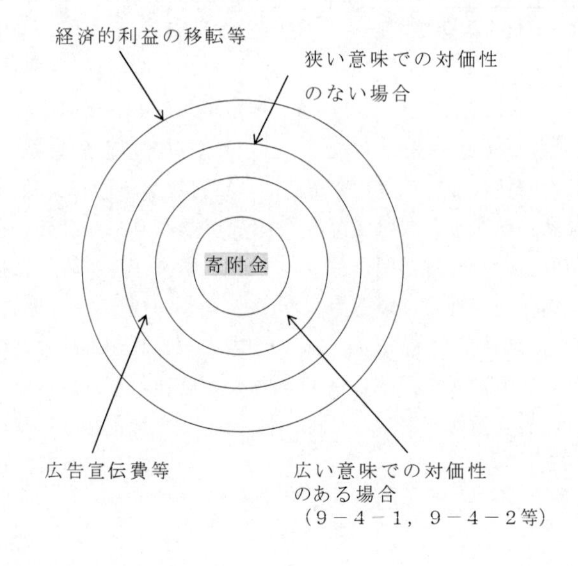

注172　大淵博義『役員給与・交際費・寄附金の税務改訂増補版』（税務研究会出版局，平成8年）575頁

注173　資産の低額譲渡や低額による役務提供の場合には，法人税法37条8項に基づき，時価との差額部分が「実質的贈与」あるいは「無償供与」となるが，この差額分は資産や役務と対価性がなく，この場合も狭い意味での対価性がない場合に当たる。

の評価の成立を基礎づける事実のほかに，そのような事実と両立する評価の成立を妨げる事実をも観念できること，第2に，そのような評価が成立するか否かは，最終的にこれら評価の成立を基礎づける事実と妨げる事実との総合判断で決まることを要するというべきである。

寄附金における「無償と認められるものであること」も，様々な態様があり，類型的事実として記述することが困難であり，狭い意味での対価性がないこと（評価根拠事実の1つ）に対し，これと両立する事実として，親会社の将来の大きな損失負担を回避するためであること（評価障害事実の1つ）を観念することができ，これらの事実を総合的に判定して初めて判断することができる要件であるので，このような規範的要件であると考える（注174）。

以上論じたところを整理すると，寄附金の要件は，①経済的利益等の移転があること，②経済的利益等の移転に対価がないこと（非対価性），③法人税法37条7項括弧書きが規定する除外費用の各要件に該当しないことと，これに加えて，④経済的利益等の移転が無償と認められるものであることとなるが，④は②を含んでいるので，②と④をまとめると，結局，①経済的利益等の移転があること，②経済的利益等が無償と認められるものであること，③法人税法37条7項括弧書きが規定する除外費用の各要件に該当しないこととなる。

第2 東京高裁平成18年1月24日判決

1 事案の概要

東京高裁平成18年1月24日判決（税資256号順号10276）は，子会社支援のための損失負担ということで寄附金に当たらないこととなるかが争われた事件である。事案の概要は，次のとおりである。

（事例35）

スウェーデン系の企業グループに属する内国法人X社は，平成3年9月，同じ企業グループ内の北欧の休眠会社A社を買い取って海外子会社とした後，次図のとおり，業績が悪化していた兄弟会社B社からその子会社C社等を高額で買い取らせた（次図①）。その上で，X社は，A社にその損失負担として，平成4年12月21日，25億6,000万円を送金した（次図②）。

この場合，X社は，この送金を子会社に対する損失負担であり，寄附金には当たらないとして，損金に算入できるか。

注174 東京地判平21・7・29（判時2055号47頁）は，F1事業を行っていた外国子会社A社に対する229億円の貸付けが寄附金に当たるかが争われた事件であるが，「…一定金額を超える寄附金の額の損金不算入の制度の趣旨並びに旧法人税法37条6項及び7項の規定の内容からすれば，旧法人税法37条6項に定める『寄附金』とは，民法上の贈与に限らず，経済的にみて贈与と同視し得る金銭その他の資産の譲渡又は経済的利益の供与をいうものと解するべきであり，ここにいう『経済的にみて贈与と同視し得る金銭その他の資産の譲渡又は経済的利益の供与』とは，金銭その他の資産又は経済的利益を対価なく他に移転する場合であって，その行為について通常の経済取引として是認することができる合理的理由が存在しないものを指すと解するのが相当である。」（下線筆者）とした上，「本件各資金提供は，形式的には消費貸借契約に基づく金銭の交付であったとしても，その実績は，A社に対して金銭を対価なく移転するものであり，かつ，その行為について通常の経済取引として是認することができる合理的理由は存在しないというべきである。」として，寄附金に該当するとしているが，この判決は，寄附金の要件を対価性がないことに加えて，「その行為について通常の経済取引として是認することができる合理的理由が存在しないもの」としているものであるが，後者の要件は，筆者らが本文で述べた『広い意味での対価性』と同じと考えられ，筆者らと同様に規範的要件ととらえているものと思われる。

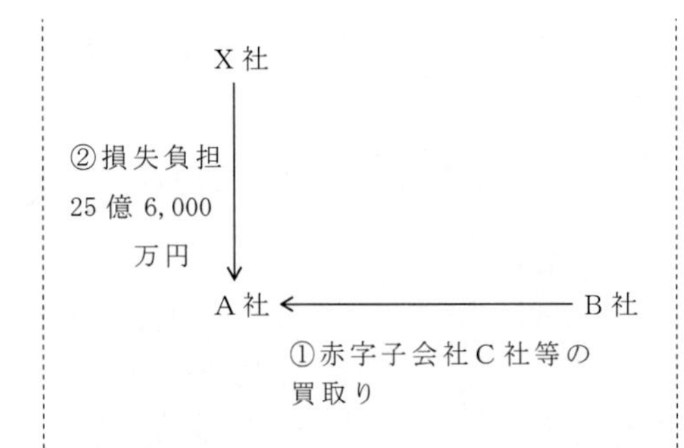

※事実関係は，実際の事案を少し単純化している。

2 判 旨

上記東京高裁判決は，「上記の事実によれば，B社及び本件子会社8社（C社等）は，北欧における電気通信機器の販売等の事業において，業績が悪化し，多額の損失及び借入金などの債務が生じ，事業の整理・撤退が必要となったが，B社の親会社であるP7や祖父会社であるP8がその資金負担に応じないことから，X社が負担をすることとなり，この負担が税務上控除の対象となるような方法につき検討がなされ，X社は，経済的な合理性に基づく正当な事業目的を遂行するためではなく，上記負担をするため，上記のとおり，休眠会社であるA社を買い取り，これに多額の資金投資，貸付けを行い，A社を介してこの資金により本件子会社8社を適正ではないより高額な価格で買い取るなどの取引をし，A社に負担を転嫁し，事業を清算することでX社が損失を最終的に負担することとし，前記認定の一連の行為を行ったものというべきである。X社は，正当な事業目的がなく，多額の損失を負担し，その負担を後日に損金処理することによって税務上控除を受けることを意図し，本件損失負担金を支出したものである。従って，本件損失負担金につき，子会社等を整理する場合の法基通9－4－1の適用が問題となるが，同通達にいう『その損失が負担等をしなければ今後より大きな損失を蒙ることとなることが社会通念上明らかと認められるためやむを得ずその損失負担等をするに至った等そのことについて相当の理由がある。』との要件を満たすものではない。」（下線筆者）として，寄附金に当たるとした。

なお，本件は，控訴審で確定している。

3 検 討

(1) 要件事実

本件の要件事実は，次のとおりとなる。

Kg

①Y税務署長が，H6.3.28，X社に対しH4/12期の法人税につき，納付税額○○円の更正処分をした。	○
②この更正処分が違法である。	争う

↑

E（寄附金）

①X社が，H4.12.21，A社に対し，25億6,000万円を送金した。（経済的利益の移転）	○
②X社は，この送金に当たり，A社から何ら役務提供など得ていない。（対価を得ていないこと）	○
（無償であることの評価根拠事実） ③X社は，A社を取得後，兄弟会社B社から赤字会社であるのにB社の子会C社等を高額で買い取らせた。	×

↑

R（無償であることの評価障害事実）

X社は，子会社A社の損失を負担するため，E①の送金をした。（子会社支援のための損失負担）	×

※本ダイアグラムは，判決文から事実を補って記載した。

(2) 法人税基本通達9－4－1と租税回避

法人税基本通達9－4－1や9－4－2が昭和55年に新たに追加された際に，担当者が「本通達が租税回避のために悪用されるようなことがあるとすれば，事は重大である。従って，そのようなことのないように，今後の運用には十分配慮が払わなければならないし，仮に万一にも本通達を悪用して租税回避をするような事例が生じたときは，税務当局としても断固たる態度でこれに臨むことになるであろう。」と解説している(注175)。そうすると，寄附金の「無償と認められるものであること」の評価根拠事実として，狭い意味での対価性がないことのほかに，例えば，租税回避目的である事実も，これに当たると考える。

第9節　組織再編税制

第1　組織再編税制の意義

平成13年の組織再編税制は，適格合併の要件として，共同事業合併とグループ内合併とに分け，いずれも，適格合併の要件を満たせば，被合併法人の移転資産に対する支配が継続しているとみれるということで適格とし，譲渡損益を繰り延べることとしている（法税62条の2第1項）。

我が国の組織再編税制は，米国の組織再編税制を参考にしている。米国の組織再編税制では，譲渡損益の繰延べの根拠として，組織再編成の対象となっている法人の株主が共通であれば，組織再編成の前後とで投資が継続しているためと考えられている。このような「投資の継続性(continuity of interest)」が根拠とされているのは，米国で組織再編税制の対象として念頭に置かれているのが，中小企業同士の組織再編成であることから株主の保護を考えれば足りるためである。

しかし，我が国が平成13年に組織再編税制を導入した際には，株主に対する課税の関係では，上記のような投資の継続性が理由とされたが，我が国の法人のあり方が，大規模法人がグループを形成していることが多いから，このようなグループ内あるいはグループを超えた大規模法人同士の組織再編成が念頭に置かれた。そこでこのような大規模法人同士の組織再編成に当たり，譲渡損益が繰り延べられる理由としては，グループ内での組織再編成であれば，対象となっている移転資産がグループ内に継続して支配されているからであり，グループを超えた組織再編成の場合には，共同事業ということで同様に移転資産の支配が継続されているからとされたのである。

このように我が国の組織再編税制は，株主課税では投資の継続性が譲渡損益の繰延べの根拠とされているが，法人課税では移転資産に対する支配の継続が，その根拠とされているのであり(注176)，この点が米国の組織再編税制とは異なっていて，我が国の組織再編税制の意義や趣旨を考える上で重要である。

第2　組織再編税制と欠損金の引継

1　法人税法57条2項と3項の意義

我が国の組織再編税制の適用に当たり，被合併法人の欠損金を引き継げるかの問題が重要であり，後記ヤフー事件・最高裁平成28年2月29日判決でもこの点が争われたのである。

このような被合併法人の租税属性を引き継げるか否かは，第1で論じた譲渡損益の繰延べとは，必ずしも理論的に一致するものではなく，立法政策の問題である。

我が国は，合併の場合には，グループを超えた合併の場合には，適格となるための要件のハードルが高く，その場合であれば移転資産に対する支配が継続しているとみれることから，原則として被合併法人の欠損金の引継を認めて

注175　成松洋一「十二 寄附金」税経通信35巻11号（税務経理協会，昭和55年）186頁

注176　法人課税小委員会・平成12年10月3日付「会社分割・合併等の企業組織再編成に係る税制の基本的考え方」第1の1(3)及び第3の1

いる（法税57条２項）。

これに対し，グループ内の合併の場合には，適格となるための要件ハードルが低く，ある法人がグループ外の欠損が多額にある法人の株式を購入してグループ法人にした上で合併することにより，容易に欠損金の引継が可能となり，このような租税回避を助長することとなる。そこで，法人税法57条３項は，特定資本関係５年以内であって，みなし共同事業要件（法税令112条７項）の要件を満たす場合に限って，被合併法人の欠損金の引継を認めるとの立法政策を採ったのである。

以上を整理すると，下表のとおりとなる。

合併の類型	適格合併の要件	欠損金の引継ぎ
共同事業合併	共同事業要件（２条12号の８ハ，施行令４条の３第４項） 下記支配関係の ①，②，③ ④事業関連性 ⑤事業規模or特定役員引継	原則OK（57条２項）
グループ内合併	完全支配関係（２条12号の８イ） 金銭不交付	５年以内の場合，みなし共同事業要件（施行令112条７項）を満たしている場合に限り，OK（57条３項）
	支配関係（２条12号の８ロ） ①金銭不交付 ②従業者引継 ③事業継続	

なお，みなし共同事業要件（施行令112条７項）は，(i)①事業関連性，②事業規模，③事業規模継続を満たすか，あるいは，(ii)①事業関連性，②特定役員引継を満たす場合と規定している。この特定役員引継要件は，適格合併の要件（施行令４条の３第４項２号）をそのままもってきたものであるが，そもそも適格合併の要件として特定役員引継要件が規定されたのは，経済界からの強い要請があったためと考えられる(注177)。

2　みなし共同事業要件の意義

前記１のとおり，法人税法57条２項は，欠損金の引継を認めるとの課税減免規定であり，同法57条３項は，個別否認規定であって(注178)，みなし共同事業要件は，その適用除外要件であると考えられる。

以上を図示すると，下図のとおりとなる。

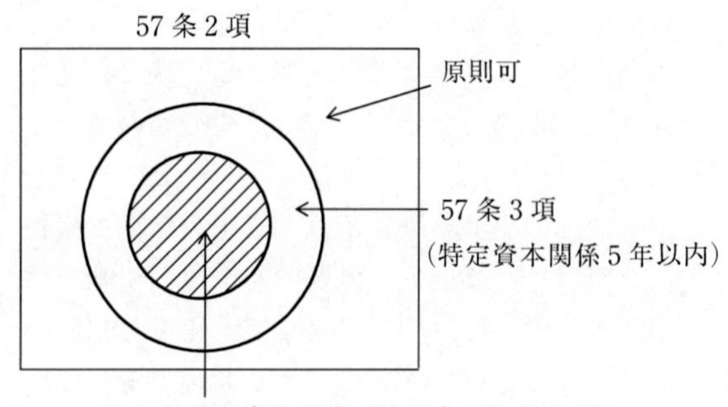

3　法人税法132条の２

ところで，平成13年の組織再編税制導入の際に，同税制における一般否認規定として法人税法132条の２が導入された。このような規定が導入された理由については，「組織再編成の形態や方法は，複雑かつ多様であり，資産の売買

注177　阿部泰久「改正の経緯と残された課題」江頭憲治郎＝中里実編『企業組織と租税法』（商事法務，平成14年）84頁

注178　金子名誉教授も，法人税法57条3項は，「この規定は，共同で事業を行うことを目的としないグループ内適格合併等について，被合併法人等と合併法人等との間に最後にグループ関係が生ずる前に生じた被合併法人等の欠損金額と，グループ関係が生ずる前から被合併法人等がかかえていた含み損の実現による損失を繰越控除の対象から除外することによって，租税回避に対処することを目的とするものである（…）。」（同・租税法第24版441頁，下線筆者）としている。

取引を組織再編成による資産の移転とするなど，租税回避の手段として濫用されるおそれがあるため，組織再編成に係る包括的な租税回避防止規定を設ける必要がある。」（(注179)，下線筆者）と説明されている。

第3　最高裁平成28年2月29日判決

1　事案の概要

最高裁平成28年2月29日判決（民集70巻2号242頁）は，法人税法132条の2（平成22年法律第6号による改正前のもの）の適用により，特定役員引継要件（法人税法57条3項，同法施行令112条7項5号）の適用が否認されるかが問題となった事件である。事案の概要は，次のとおりである。

（事例36）

X社は，情報処理サービス業等を営む株式会社（資本金額74億円，年間売上約2200億円，従業員数約2600人）であるが，下図のとおり，A社の代表取締役乙の提案（以下「本件提案」という。）に従って，平成21年2月24日，X社の発行済み株式の42%を保有する同社の筆頭株主であるA社からB社の全株式を450億円で買収し（下図③），グループ法人にした後，同年3月30日，B社を吸収合併した（下図④）。

なお，A社は，コンピューター及びそのソフト等の製造・販売等を営む国内外の会社の株式を保有することを目的とする株式会社（資本金1,800億円）であり，B社は，データセンター事業を営む株式会社（資本金1億円，年間売上100億円，従業員数150人）であり，B社の資産価値は，約250億円であった。B社は，下図のとおり，繰越欠損金542億円（下図欠損金②）を有していた。

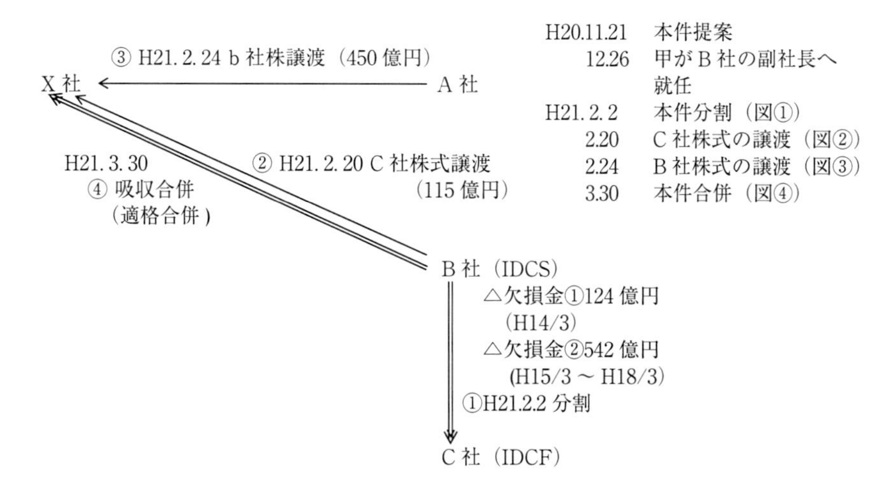

X社の代表取締役甲は，この合併前の平成20年12月26日に，B社の取締役副社長に就任し，合併後も引き続き，X社の代表取締役をしていることから，特定役員引継要件

注179　法人課税小委員会・前掲基本的考え方第5

（法人税法施行令112条７項５号）を満たしており，法人税法57条３項で規定している例外の場合に当たるため，Ｂ社の上記欠損金を引き継げるとして，平成21年３月期の法人税の申告に当たり，上記欠損金542億円を損金に算入して申告した。

なお，甲は，Ｂ社の副社長に就任後，Ｂ社の取締役会に出席はしていたものの，それ以外のＢ社の業務に特に携わっていない。また，上記合併後，Ｂ社の役員のうち甲を除く他の役員は，すべて退任し，平成21年２月２日にＢ社から分割（上記図①）により生じたＣ社の役員になっている。

これに対し，Ｙ税務署長が，平成22年６月29日，法人税法132条の２に基づき，上記損金算入を否認する更正処分をした。

Ｘ社の代表取締役甲によるＢ社の副社長就任行為により，特定役員引継要件を満たすとして，Ｘ社において上記欠損金542億円を引き継げるか。

２　判旨

上記最高裁判決は，「同条（筆者注・法人税法132条の２）の趣旨及び目的からすれば，同条にいう『法人税の負担を不当に減少させる結果となると認められるもの』とは，法人の行為又は計算が組織再編成に関する税制（以下「組織再編税制」という。）に係る各規定を租税回避の手段として濫用することにより法人税の負担を減少させるものであることをいうと解すべきであり，その濫用の有無の判断に当たっては，①当該法人の行為又は計算が，通常は想定されない組織再編成の手順や方法に基づいたり，実態とは乖離した形式を作出したりするなど，不自然なものであるかどうか，②税負担の減少以外にそのような行為又は計算を行うことの合理的な理由となる事業目的その他の事由が存在するかどうか等の事情を考慮した上で，当該行為又は計算が，組織再編成を利用して税負担を減少させることを意図したものであって，組織再編税制に係る各規定の本来の趣旨及び目的から逸脱する態様でその適用を受けるもの又は免れるものと認められるか否かという観点から判断するのが相当である。」（下線筆者）とした。

３　検討

⑴　要件事実

上記最高裁判決は，法人税法132条の２の「不当」の判断基準や考慮事情などの一般論を判示しているばかりか，本件における具体的事実の当てはめまで判示している。上記最高裁判決の判示から同判決が考えている要件事実を抽出することが可能であり，Ｙ税務署長の更正処分の要件事実は，次のとおりとなる。

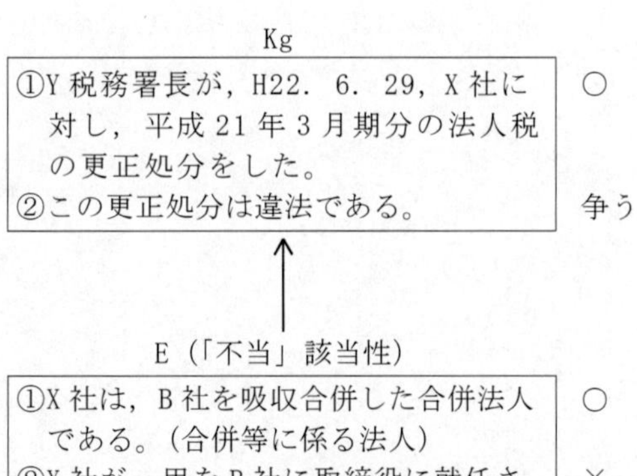

（不当であることの評価根拠事実） (i)　税負担減少目的	
①本件買収に当たり，B社の多額の欠損金を引き継ぐことが想定され，本件買収の代金に欠損金を評価した額が含まれていたこと	○
②本件合併が本件買収から5年以内であったため，欠損金を引き継ぐためには，特定役員引継ぎ要件を満たさなければならなかったこと	○
③従来のB社の特定役員は本件合併後に特定役員となる事業上の必要性がなく，就任の予定もなかったことから特定役員引継要件を満たすことを意図して行われたものであること	×
ii　態様の不自然，実態との乖離	
①本件副社長就任は，本件提案が示された後に，A社の代表取締役社長であるdの依頼を受けて，X社の甲及び社のB社のfがこれを了承するという経緯で行われたものであり，上記依頼の前からB社とX社においてその事業上の目的や必要性が具体的に協議された形跡はないこと	×
②本件提案，本件副社長就任，本件買収等の行為はH21．3．31までに本件合併を行うという方針の下でごく短期間に行われたものであって，甲がB社の取締役副社長に就任していた期間もわずか3か月程度であり，本件買収により特定資本関係が発生するまでの期間に限ればわずか2か月程度にすぎないこと	×
③甲は，本件副社長就任後，B社の取締役副社長として一定の業務を行っているものの，その業務の内容は，おおむね本件合併等に向けた準備やその後の事業計画に関するものにとどまること	×
④甲は，B社の取締役副社長となったものの，代表権のない非常勤の取締役であった上，具体的な権限を伴う専任の担当業務を有していたわけでもなく，B社から役員報酬も受領していなかったこと	×

↑

R（「不当」の評価障害事実）

甲は，本件副社長に就任にして，合併後のB社の事業が円滑に運営させるよう準備をする必要があったこと	×

X社は，抗弁の②については，B社の行為であり，X社の行為であることを否認している。

ここで，再抗弁の意義が問題となるが，税負担減少目的と事業目的は，併存し得ると考えられ，社会的事実として両立し得ることから再抗弁になると考える（注180）。

⑵　「不当」の意義—濫用基準

1審の東京地裁平成26年3月18日判決（民集70巻2号331頁）や控訴審の東京高裁平成26年11月5日判決（民集同号448頁）は，法人税法132条の2の「不当」について，同法132条の「不当」で採られている経済合理性基準に加えて趣旨・目的に反する場合もこれに当たるとした。しかし，上記最高裁判決は，結論は是認したもののXの上告申立てを受理して，前記2のとおり判示したものである。上記最高裁判決が，原審の結論を変えないのにあえて受理して判決をしたのは，原審判決の判示に問題があると判断したからと考えられる。すなわち，上記最高裁判決は，法人税法132条の2の「不当」は，同法132条の「不当」とは異なり，租税法規の濫用であるとしたものである。組織再編成は，何らかの事業目的がある場合が多く，経済合理性基準が妥当しないからである。

上記最高裁判決は，法人税法132条の2の「不当」とは，「織再編成に関する税制（…）に係る各規定を租税回避の手段として濫用すること」であると判示し，租税回避について濫用基準を採用したのである。ここで注意すべきは，

注180　今村・前掲（注1）要件事実論の展開237～238頁

「濫用」とは，「権利濫用」ではなく，「法の濫用」ということである。両者は全く違う法原理である。「濫用」というと，我が国では，権利濫用と誤解されがちであるが，権利濫用の法理とは，19世紀以降にフランスやドイツの判例で発展した法理であり，権利行使に名を借りた第三者の権利侵害のことである（注181）。

一方，「法の濫用」というのは，ローマ法以来の古い原理であるが，「法規の規定の文言には合致しているが，その趣旨・目的に反している場合には当該法規の適用を否定する」との法理であり，法律の一般的な解釈原理である。この原理は，租税法だけの問題ではなく，国際私法など他の法分野でも用いられている原理であり（注182），フランスでは「fraude à la loi」と呼び，オランダでは，「fraus legisの法理」と呼んでおり，また，欧州司法裁判所（Court of Justice of the European Union）が採っている「濫用法理」もこのような解釈原理である。

筆者は，長年にわたって租税回避の本質は租税法規の濫用であると主張してきたが（注183），最高裁もこのようなとらえ方をしたものと考えられる。

(3)　濫用基準適用に当たっての対象取引の認定・評価

ここで注目すべきは，上記最高裁判決が，濫用の有無を判断するに当たっての考慮事情として，手順や方法の異常性に加えて「形式と実態との乖離」を挙げていることである。これは，平成13年の法人課税小委員会の「基本的考え方」を参考にしてると思われる（注184）。ここで「形式」というのは，法形式のことであり，「実態」というのは，経済実態のことである。法形式としては，X社の甲は，B社の取締役に就任しており仮装ではない。しかし，甲がB社の経営の中枢を担ってきていないということで，これが「実態」であり，法形式と実態とが乖離しているということである。

ここで「実態」というのは，米国の判例で採られているような「経済実質原則（economic substance doctrine)」における「経済実質」ではない。米国の経済実質原則は，契約の法形式を無視して，経済実質をみていこうとするものであるが，ヤフー事件最高裁判決において示されている「形式と実態との乖離」というのは，法形式は尊重するのである（注185）。そのような法形式を尊重した上，問題となっている租税法規の趣旨・目的に照らし，それに沿う事実があるか否かを問題としているのである。これは，実は，第5節の第2の3(3)（135頁）で述べた英国のRamsayアプローチやArrowtownテストが採っている目的的解釈における事実認定・評価であると考えられる。

注181　米倉明「権利濫用ノ禁止」法学教室1981年12月号32～33頁

注182　国際私法では，「法律回避」又は「法律に対する詐欺」と呼ばれ，1878年のフランス破毀院のボッフェルマン侯爵事件が有名である（山田鐐一『国際私法新版』（有斐閣，平成15年）155頁）。

注183　拙著・租税回避否認規定編50～54頁

注184　法人課税小委員会・前掲「基本的考え方」第1の1(3)

注185　もっとも，第5節の第2で検討したフィルムリース事件・最判平18・1・24（事例32）が判示しているとおり，「事業の用に供している」との要件に該当するか否かを判断するに当たっては，納税者がリスクを負っているかといった経済実質も考慮するが，これは，当該規定の趣旨・目的に照らしたときにリスクの有無が問題となるからであり，米国のように当該規定と離れて経済実質を問題としているのではない。

第10節　外国税額控除

第1　法人税法69条1項の外国税額控除の意義と要件

1　法人税法69条1項の外国税額控除の意義

我が国の法人税法は，内国法人であれば，全世界所得を課税対象とするとしている。これは，内国法人であれば，我が国の主権が及ぶことから課税管轄権があると考えているからである。そうすると，内国法人が，その支店等を使って外国で事業活動を行って所得を得た場合，当該外国から源泉がその外国にあるとして所得課税を受けたとすると，その内国法人は，同一の所得について，我が国で課税されるとともにその外国からも課税されることとなる。これを「国際的二重課税」というが，国際的二重課税には，同一の所得に対して，異なる納税義務者が重複して課税される場合と，同一の所得に対して，同一の納税義務者が重複して課税される場合とがあり，前者を「経済的二重課税」といい，後者を「法的二重課税」という。

ここで問題としているのは，法的二重課税の場合であり，このような法的二重課税を解消する立法としては，世界的にみると，国外所得を免除するとの方式と，国外所得に対する外国税を税額控除するとの方式とがある。我が国は，後者の外国税額控除方式を採って，この問題の解決を図っているのである。そこで，法人税法69条1項（平成10年法律第24号による改正前のもの）は，「内国法人が各事業年度において外国法人税（…）を納付することとなる場合には，当該事業年度の所得の金額につき第66条第1項から第3項まで（…）の規定を適用して計算した金額のうち当該事業年度の所得でその源泉が国外にあるものに対応するものとして政令で定めるところにより計算した金額（以下この条において『控除限度額』という。）を限度額として，その外国法人税の額（その所得に対する負担が高率な部分として政令で定める金額を除く。以下この条において，『控除対象外国法人税の額』という。）を当該事業年度の所得に対する法人税の額から控除する。」（下線筆者）と規定している。

この外国税額控除制度は，上記のとおり，国際的二重課税を排除するためのものであるが，我が国において，特に外税控除方式を採っているのは，我が国の内国法人の事業活動に対し，我が国の法人税が阻害することがないようにするとの趣旨が強く，これを「資本輸出中立性（capital export nuetrality）」という。このように我が国の外国税額控除は，国際的二重課税の排除と資本輸出中立性の確保という2つの趣旨によって立法されていると考えられる。

2　法人税法69条1項の外国税額控除の要件

外国税額控除の要件は，法人税法69条1項から，以下の3つであることは明らかである。

①　内国法人であること。

②　上記内国法人が国外源泉所得を得たこと。

③　上記内国法人が上記国外所得について外国法人税を納付したこと。

第2　最高裁平成17年12月19日判決

1　事案の概要

最高裁平成17年12月19日判決（民集59巻10号2964頁）は，我が国の都市銀行において，外国税額控除の枠が余っていたことから，外国の企業の取引に関与するようになった事案であり，我が国の外国税額控除制度を濫用しているのではないかが問題となった事案である。事案の概要は，次のとおりである。

（事例37）

⑴　ニュージーランド法人であるＡ社が，投資家から集めた資金をクック諸島に持ち込んでニュージーランド・ドル建てユーロ債の購入に利用するに当たり，運用益に対して課される法人税を軽減するため，ニュージーランドより法人税率の低いクック諸島において，Ａ社が全株式を保有する子会社であるＢ社を設立し，さらに，投資家からの投資に対してクック諸島において源泉税が課されることを回避するために，当該源泉税が課されないクック諸島法人で，Ａ社がその株式の28％を保有するＣ社に当該資金をいったん取得させ，同社を経由して，Ｂ社においてこれを運用することとした。

⑵　この場合に，Ｃ社からＢ社に対して直接に資金を貸し付ける方法を採ったときは，クック諸島の税制によればＢ社からＣ社へ支払われる利息に対して15％の割合の源泉税が課されることになるため，我が国の都市銀行であるＸ行とＢ社及びＣ社の間で，下記取引図のとおり，Ｘ行の外国税額控除の余裕枠を利用して上記源泉税の負担を軽減する目的で，平成元年３月31日付けで，⒜Ｘ行がＢ社に対して年利10.85％で5,000万米国ドルを貸し付け，利息として，当該貸付金利息からクック諸島において課される15％の源泉税額を控除した金額を支払うとのローン契約（次図③），⒝Ｘ行がＣ社から同額の預入れを受け，ＸのＣ社に対する預金元本の支払は，Ｘ行がＢ社から上記貸付金元本の弁済を受けた範囲においてのみ行うこと，Ｘ行がＢ社から上記貸付金利息（源泉税額控除後のもの）を受領した場合には，それに上記源泉税額を加算した金額からＸの取得する手数料を控除した金額を預金利息としてＣ社に支払うとの預金契約（次図①）を締結し，この契約に基づく取引が実行された。

⑶　以上の取引によって，Ｃ社はクック諸島における源泉税の支払を免れるという利益を得ることになり，他方，Ｘ行は，上記手数料を取得する一方，手数料を上回る額のクック諸島における源泉税を負担することとなり，取引自体によっては損失を生ずるが，我が国で外国税額控除を受けることによって最終的には利益を得ることができることになる。しかし，その結果，我が国において本来納付されるべき税額のうち上記外国税額控除の対象となるものは納付されないことになったというものである。

⑷　そして，Ｘ行は，上記ローン契約に基づきクック諸島において源泉税を納付したとして，Ｙ税務署長に対し，平成３年４月１日から同４年３月31日まで，同年４月１日から同５年３月31日まで，同年４月１日から同６年３月31日までの３事業年度の各所得に対する法人税の額からそれぞれ外国税額の控除をして申告をしたのに対し，Ｙ税務署長は，上記３事業年度の各法人税につき，上記外国税額の控除は認められないとして，各更正処分及び過少申告加算税賦課決定処分を行ったというものである。この場合，Ｘ行は，次図②の貸付利息を受け取るに当たり，控除されたクック島源泉税を法人税法69条１項に基づき，控除できるか。

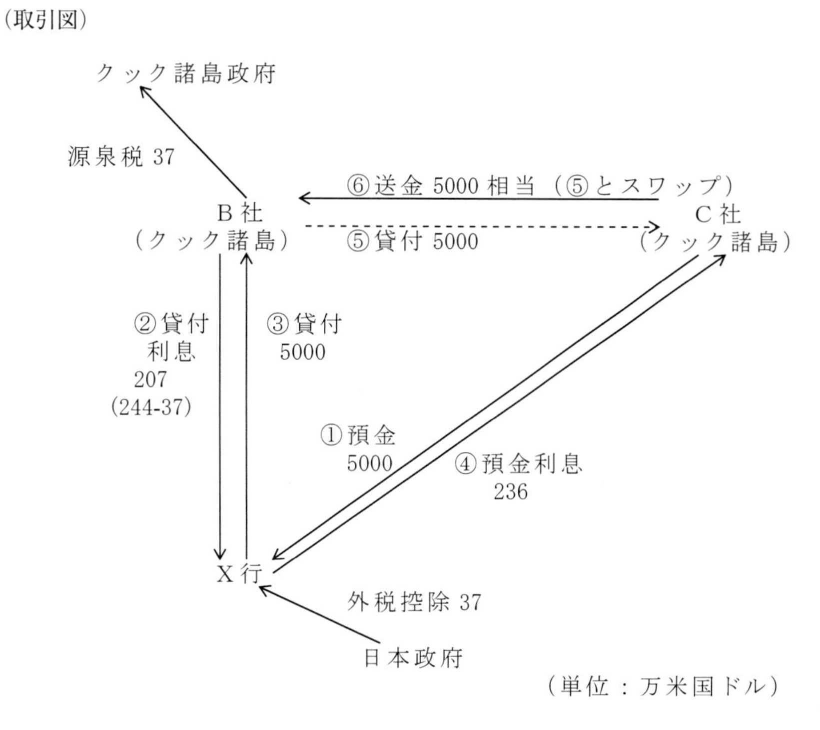

※事実関係は，上記貸付契約や預金契約に基づく貸付利息や預金利子の支払いがなされたうちの第1回分の取引である。

本件は，いわゆる逆ざや取引である。すなわち，本件では，平成元年4月6日から9月15日までの試算期間（162日）を第1回取引とし，平成5年9月15日から同6年3月30日までを試算期間（196日）とする合計で10回の取引が行われているが，第1回取引分で関係者間の利益状況等について，上記取引図で説明すると，次のとおりとなる。X行は，C社から5,000万ドルの預金を受けている（同図①）が，その預金利息として，238万ドルを支払うこととなる（上図④）が，一方で，X行は，この預金を担保にB社に5,000万ドルを貸し付け（同図③），額面では244万ドルの利息の支払いを受けることとなっているが，クック島源泉税を控除すると，手取りでは，207万ドルとなり（同図②），②<④で逆ざやとなるのである（注186）。

X行は，その後，本件一連の取引の参加料として，B社から2万5,000米国ドルを取得しており，これにより，X行は，日本政府から外税控除によりを37万米国ドル控除することができ，差し引き，8万米国ドルの利ざやのほか本件を含め一連の取引の手数料として2万5,000米国ドルを得ることとなる。また，B社は，クック諸島政府に源泉税を納付することには変わりはないが，B社とC社のグループで見ると，④の預金利息の支払いにより，29万米

注186　事実関係の詳細については，今村隆「租税回避についての最近の司法判断の傾向（その1）」租税研究2006年10月号87頁以下を参照されたい。

国ドルのバックを受けることができることとなる。結局，損をしているのは日本政府であり，日本政府で受けた外国税額控除37万米国ドルをX行（8万米国ドル）とB社・C社（29万米国ドル）とで分け合う仕組みである。

なお，B社は，C社との間では，通貨スワップ契約を締結していて，B社がC社に5,000万米国ドルで貸し付け（⑤貸付），これとのスワップとして，C社が投資家から調達した5,000万米国ドル相当ニュージランドドルの送金（⑥送金）とのスワップを実行し，結局，C社→X行→B社への5,000万米国ドルの資金の流れは，B社→C社（米国ドル建て），C社→B社（ニュージランドドル建て）への資金の流れとなり，5,000万米国ドルについては，循環していることとなる。

2　判　旨

⑴　1審判決

本件の1審の大阪地裁平成13年12月14日判決（民集59巻10号2993頁）は，「取引各当事者に，税額控除の枠を利用すること以外におよそ事業目的がない場合や，それ以外の事業目的が極めて限局されたものである場合には，『納付することとなる場合』には当たらないが，それ以外の場合には『納付することとなる場合』に該当するという基準が採用されるべきである。」（下線筆者）とした上，「X行は，自らの金融機関としての業務の一環として，自らの外国税額控除枠を利用してコストを引き下げた融資を行ったのであり，これらの行為が事業目的のない不自然な取引であると断ずることはできない。」として，法人税法69条が適用されるとした。

⑵　控訴審判決

そして，控訴審の大阪高裁平成16年6月14日判決（民集59巻10号3165頁）も，1審の上記判示を引用した上，「もっとも，本件において，貸付利息と預金利息だけを比較するのではなく，貸付利息の収入に課税される源泉税額をも考慮して預金利息と比較すると，逆ざやとなるが，これだけから本件取引が採算のとれない不自然な取引であるとみることは相当でない（…）。本件取引の採算があるかどうか，Xに事業目的があるかどうかは，前記の点のみではなく，外国税額控除枠の利用，E社らへの金融サービスの提供及び取引参加料の点等をも併せて検討すべきである。前記認定の本件事実によれば，本件取引は，資金仲介機能を有するX行が，顧客に対し金融サービスを提供すべく融資のための資金調達と調達した資金の運用をして自らも利ざやを確保するために外国税額控除枠の利用をも踏まえて検討のうえ実施したものであり，金融機関として採算のとれるものであって，X行に事業目的が認められるものである。本件において，外国税額控除枠を利用する以外におよそ事業目的がないとか，それ以外の事業目的が極めて限局されたものであるということはできない。」として，法人税法69条が適用されるとした。

⑶　最高裁判決

これに対し，上記最高裁平成17年12月19日判決は，「法人税法69条の定める外国税額控除の制度は，内国法人が外国法人税を納付することとなる場合に，一定の限度で，その外国法人税の額を我が国の法人税の額から控除するという制度である。これは，同一の所得に対する国際的二重課税を排斥し，かつ，事業活動に対する税制の中立性を確保しようとする政策目的に基づく制度である。」とした上，「本件取引は，全体としてみれば，本来は外国法人が負担すべき外国法人税について我が国の銀行であるX行が対価を得て引き受け，その負担を自己の外国税額控除の余裕枠を利用して国内で納付すべき法人税額を減らすことによって免れ，最終的に利益を得ようとするものであるということができる。これは，我が国の外国税額控除制度をその本来の趣旨目的から著しく逸脱する態様で利用して納税を免れ，我が国において納付されるべき法人税額を減少させた上，この免れた税額を原資とする利益を取引関係者が享受するために，取引自体によっては外国法人税を負担すれば損失が生ずるだけであるという本件取引をあえて行うというものであって，我が国ひいては我が国の納税者の負担の下に取引関係者の利益を図るものというほかない。そうすると，本件取引に基づいて生じた所得に対する外国法人税を法人税法69条の定める外国税額控除の対象とすることは，外国税額控除制度を濫用するものであり，さらには，税負担の公平を著しく害するものとして許されないというべきである。」（下線筆者）として，原判決を破棄して，X行が法人税法69条を適用して外国税額控除をすることは許されないとした。

3　検　討

⑴　要件事実

本件の要件事実は下記のとおりとなる。

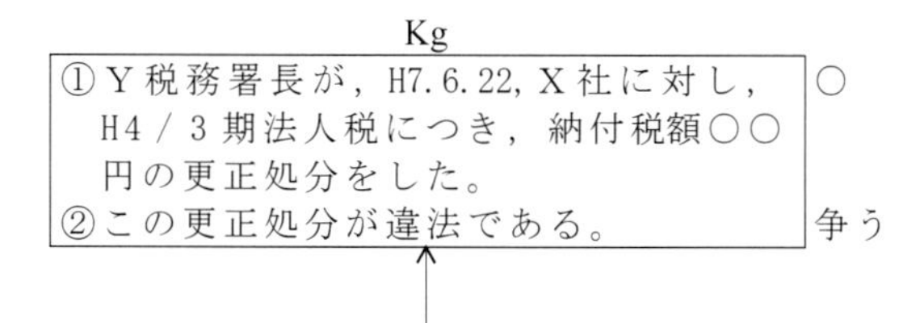

Kg

①Y税務署長が，H7.6.22，X社に対し，H4／3期法人税につき，納付税額○○円の更正処分をした。	○
②この更正処分が違法である。	争う

↑

E（H4/3期の所得金額）

①X行のH4／3期の益金は，△△円である。	○
②X行のH4／3期の損金は，××円である。	○

↑

R（外税控除の否認）

①X行は，大阪市に本店が所在しており，内国法人である。	○
②X行は，B社から，同社に対する貸付金の利子を受け取った。	○
③X行は，上記利子について，クック島政府に源泉税を納付した。	○
④X行の申告書に控除を受けるべき金額及びその計算に関する明細があり，外国法人税を課されたことを証する書類の添付があること	○

↑

D（正当な事業活動の否認）

X行の受け取った上記利子は，同行の正当な事業活動によるものではない。	×

※1　上記抗弁は，本来は，益金や損金を発生せしめる具体的事実を記載すべきであるが（第1編・第2章・第2節の第3の2（28頁）参照），ここでは簡略に記載した。

※2　外税控除は，税額控除であり，課税標準である所得金額を減算するものであることから，障害要件として再抗弁になると考える。

※3　再抗弁の④は，法人税法69条10項の規定する手続要件である。

※4　再々抗弁は，法人税法69条1項の「納付することとなる場合」との要件が，「正当な事業活動によって」との限定解釈がなされるとの後記⑵の見解に基づくものである。

⑵　課税減免規定の立法趣旨による限定解釈

本件で問題となっているのは，課税減免規定の充足の場合である。このような場合に，明文で課税減免規定を適用しないとされているのであれば問題はないが，課税減免規定を濫用する場合を事前に予想し，網羅的に記述して適用を排除することは，実際上不可能である。そこで，アメリカの連邦最高裁は，このような場合に，1935年のGregory事件連邦最高裁判決（注187）において，事業目的（business purpose）がない場合の適用を限定するとの法理を判決した。

この判決に示唆を得て，金子名誉教授は，「この判決は（注・グレゴリー事件判決），一般に『事業目的の原理』（business purpose doctrine）を確立した判決として有名である。本稿の主題に即していえば，この判決が，租税

注187　Gregory v Helvering, 293 U.S. 465（1935）

回避行為の否認を認めたものではないことは，判決が許容された手段を用いて租税を回避・軽減する権利を承認していることからも，明らかである。しかし，この判決は組織変更規定の趣旨・目的（立法意図）から事業目的の基準を導き出し，本件の取引は，形の上では組織変更の定義に該当するとしても，租税回避のみを目的とするもので，事業目的をもっていないことを理由に，それは立法者の予定している組織変更には当たらず，したがって非課税規定の適用を受けえない，と解することによって，租税回避行為の否認を認めたのと同じ結果に達したのである。一般化していえば，この判決は，非課税規定の立法目的にてらして，その適用範囲を限定的にあるいは厳格に解釈し，その立法目的と無縁な租税回避のみを目的とする行為をその適用範囲から除外するという解釈技術を用いた例である。このように，ある規定の解釈に当たって，その中に立法趣旨を読み込むことによってその規定を限定的に解釈するという解釈技術は，わが国でも用いる余地があると思われる。」と提唱されていた（注188）。

このような考え方がヒントとなり，Ｙは，本件においては，逆ざや取引であり，およそ銀行業務であるとは言い難いことから，外税控除のような課税減免規定の場合に立法趣旨によって限定解釈するとの論理が当てはまると主張したのである。このようなＹの主張は，本件と同様の事件が問題となった。大阪高裁平成14年６月14日判決（判時1816号30頁）でも認められている。

ところが，本最高裁判決は，前記２「判旨」⑶のとおり，「本件取引に基づいて生じた所得に対する外国法人税を法人税法69条の定める外国税額控除の対象とすることは，外国税額控除制度を濫用するものであり，さらには，税負担の公平を著しく害するものとして許されないというべきである。」と判示し，第９節の第３の３⑵（151頁）で論じた法の濫用（abuse of law）の法理を採用し，しかも法人税法132条の２のような明文規定なしに，租税回避を理由に否認したようにもみえる。しかし，これは，本件の１審以来の訴訟の流れからして，最高裁が突如明文規定によらない租税回避の承認法理を採ったのではなく，立法趣旨による限定解釈の一つとして，濫用の程度が甚だしい場合についての判断であると考えるべきであろう。もし，最高裁がそのような一般法理を採用するとするならば，大法廷で判断すべき事柄であり，小法廷で判断されるべきものではないからである。

金子教授も，「最高裁判所が，平成17年12月19日判決（…）および同18年２月23日判決（…）において，ある銀行の取引が法人税法69条の定める外国税額控除制度の濫用に当たるとして，その適用を否定したのも，法律上の根拠がない場合に否認を認める趣旨ではなく，外国税額上の制度の趣旨・目的にてらして規定の限定解釈を行った例であると理解しておきたい。」と慎重な姿勢をみせられるが（注189），筆者も，課税減免規定の場合に立法趣旨による限定解釈の一つと考えている。

⑶　本件の事実認定

上記最高裁判決は，「本件取引は，全体としてみれば」と判示し，法人税法69条の該当性の判断に当たり，第５節の第２で検討した最高裁平成18年１月24日判決（事例32，131頁）と同様に，複合契約において個々的な契約ではなく，全体としてみた場合の現実的な効果に着目しているものである。本件は，逆ざや取引であるが，最高裁判決は，「取引自体によっては外国法人

注188　金子宏「租税法と私法」租税法研究６号（有斐閣，昭和53年）24頁
注189　金子・租税法第24版141頁

税を負担すれば損失が生ずるだけであるという本件取引」と認定し，更に，このような取引を「あえて」行うというものであるとして，意図的なものであることを認定し，これを「濫用」の根拠としていると考えられる。ここでいう濫用は，第9節の第3の3(2)（151頁）で論じた「法の濫用」である。

上記最高裁判決がこのような判断をする前提として，本件で見落としてはいけない重要な事実認定がある。すなわち，本件は，当初から逆ざやが予定されていた取引であるということである。結果として逆ざや取引となったのではなく，X行をはじめ関係者はすべて逆ざや取引になることを認識をそれを目指して取引を行っているということである。だからこそ「濫用」に当たるのである。

第3章　相続税，贈与税

第1節　相続税における「価額」

第1　相続税における「価額」の意義と要件

1　相続税における「価額」の意義

相続税の課税標準は，納税義務者が相続又は遺贈により取得した財産の合計額であり，これを「相続税の課税価格」という（相続税法11条の2第1項）。相続税の課税価格は，相続人又は受遺者が相続又は遺贈によって得た財産の価額の合計額であるが（同法11条の2第1項），相続人及び包括受遺者の場合は，その合計額から，その者の負担に属する被相続人の債務（相続開始の際に現に存するもの）の金額及び葬式費用の金額を控除した金額が課税価格となる（同法13条1項）。そして，相続税法は，相続財産の「価額」について，特別の定めのあるものを除き，当該財産の「取得の時における時価」により評価する旨を定め（同法22条），いわゆる時価主義を採用している。

譲渡所得の場合，譲渡所得の「収入」金額は，原則として，基礎となる売買契約の代金額となるが，このような売買契約の「代金額」は，売主と買主が合意した金額であり，単なる事実にすぎない。しかし，相続税法22条にいう「時価」とは，判断過程に評価を含んでおり，単なる事実ではない。これは，譲渡所得の場合も，みなし譲渡の場合には，時価相当の収入金額があったとみなされることとされているが（所得税法59条1項），同様の問題が生じるのである（第1章・第3節の第4の4(2)（65頁）参照）。

そこで，「時価」の意義が問題とされるが，「時価」とは，「不特定多数の当事者間で自由な取引が行われる場合に通常成立すると認められる価額」とされ（財産評価基本通達1(2)），客観的な交換価値のことであり，不特定多数の独立当事者間の自由な取引において通常成立すると認められる価額を意味するとされている(注190)。そして，具体的には，相続財産の価額は，原則として，財産評価基本通達（以下「評価通達」という。）によって定められている評価方法で評価されているが，問題は，この評価通達は，あくまでも相続財産の評価をするに当たっての税務職員に対する通達すなわち内部的な命令にすぎず，国民に対する拘束力を有する法規範ではないことである。

一方，財産の評価について同様の問題が，固定資産税についても生じるが，固定資産税の場合，課税標準は，「基準年度に係る賦課期日における価格」であり（地方税法349条1項），この「価格」は，「適正な時価」とされ（同法341条5号），総務大臣の定める固定資産評価基準によって決定するとされているが（同法403条1項），この固定資産評価基準は，単なる通達ではなく，国民に対する拘束力を有していると考えられる。この点議論はあるが，昭和37年改正前の地方税法では，固定資産評価基準に「準

注190　東京高判平7・12・13行集46巻12号1143頁，金子・租税法第24版734頁

じて」決定すると規定されていたが，地方公共団体間における固定資産の評価についての全国統一を図る見地から，固定資産評価基準に「よって」決定すると改正された。このような立法経過や立法趣旨から，固定資産評価基準は，昭和37年の地方税法改正後は，その規範性が認められるものと指摘される（注191）。

このように固定資産における固定資産評価基準は，法規範性が認められると考えられるものの，相続税の場合の評価通達は通達にすぎないことから，同通達が課税要件という観点でみた際にどのような意味をもつのかが問題となる。この点，評価通達の内容が，不特定多数の納税者に対する反覆・継続的な適用によって行政先例法となっている場合には，特段の事情がない限り，それと異なる評価を行うことは違法であるとする見解がある（注192）。これに対して，法律による行政の原理が強く支配する領域においては慣習法の成立は認め難いことから，行政先例法といった慣習法を認めることにも批判がある（注193）。一方で，税務職員が，特段の理由なしに，評価通達に従わずに評価した場合には，平等原則違反となる可能性が生じる。

2　相続税における「価額」の要件

相続財産の価額は，前記1のとおり，相続税法22条が，「取得の時における時価」によると規定している。この規定が，相続税における「価額」の要件の出発点となるが，前記1のとおり，この「価額」は，単なる事実ではなく，判断過程に評価を含んでいる。そこで，前記1のとおり，評価通達で「価額」の算定方法について詳細に定められることとなるのである。

これらの評価のうち土地の評価については，国税庁は，評価通達で，評価時点をその年の1月1日とし，宅地の評価方法であれば，路線価方式（市街化地域）又は倍率方式（市街化地域以外の地域）により評価するとしている（評価通達11）。路線価方式とは，ほぼ同額と認められる一連の宅地が面している路線の中央部の標準的な宅地の1単位あたりの価額を基準とし，これに各宅地の特殊事情を加味してその価額を算出する方法である（評価通達13以下）。その場合に，各路線の路線価は，毎年，売買実例価額・精通者意見及び公示価格の仲値の範囲内で，各国税局長が評定する。

この路線価方式による評価は，固定資産評価基準と類似しており，相続税の「価額」の立証の構造は，固定資産税における「価格」のそれと類似している。この固定資産税における「価格」の立証については，重要な最高裁判例が出されており，その構造が明らかとなっている。そこでは，固定資産税の「価格」についての分析が，相続税の「価額」の分析にも役立つこととなる。固定資産税の「価格」についての最高裁判例は，後ほど分析することとして，固定資産税の「価格」を路線価方式で評価する場合の要件は，①具体的評価が評価基準等に適合していること（基準適合性），②評価基準等は一般的合理性を有すること（基準の一般的合理性），③標準宅地の価格が適正であることとなる。

相続税の場合の路線価方式による評価も，その構造は，固定資産税の場合と同様であり，そうすると，相続税の「価額」を路線価方式で評価する場合の要件は，①当該価額が評価通達に適合していること（基準適合性），②当該評価通達が一般的合理性を有すること（基準の一般的合理性），③標準宅地の価額が適正であることとなる。

注191　千葉地判昭57・6・4判時1050号37頁
注192　金子・租税法第24版736頁
注193　塩野・前掲（注42）行政法Ⅰ第6版69頁

3　財産評価基本通達による価額と客観的交換価値との関係

相続税法22条の「時価」とは，前記第1の1のとおり，客観的交換価値のことである。そうすると，税務署長が評価通達に基づいて算定した相続財産の「価額」に対し，納税者が同通達によらない客観的交換価値を主張・立証した場合，この主張は有効だろうか。有効であるとすると，どのような意味をもつのかが問題となる。

⑴　最高裁平成15年6月26日判決

これについては，固定資産税の「価格」についての最高裁判例が参考となる。固定資産税の「価格」についての重要なリーディングケースは，最高裁平成15年6月26日判決（民集57巻6号723頁）である（以下「最高裁平成15年判決」という。)。この最高裁判決は，「土地に対する固定資産税は，土地の資産価値に着目し，その所有という事実に担税力を認めて課する一種の財産税であって，個々の土地の収益性の有無にかかわらず，その所有者に対して課するものであるから，上記の適正な時価とは，正常な条件の下に成立する当該土地の取引価格，すなわち，客観的な交換価値をいうと解される。したがって，土地課税台帳等に登録された価格が賦課期日における当該土地の客観的な交換価値を上回れば，当該価格の決定は違法となる。」（判旨Ⅰ）とした上，「評価基準に定める市街地宅地評価法は，標準宅地の適正な時価に基づいて所定の方式に従って各筆の宅地の評価すべき旨を規定するところ，これにのっとって算定される当該宅地の価格が，賦課期日における交換価値を超えるものでないと推認することができるためには，標準宅地の適正な時価として評定された価格が，標準宅地の賦課期日における客観的な交換価値を上回っていないことが必要である。」（下線筆者）とし，本件では，標準宅地の価格が，客観的な交換価値を上回り，当該宅地の登録価格が客観的交換価値を超えるものでないと推認できないことから違法である（判旨Ⅱ）と判示した。

本判決の判旨Ⅰは，一般的な命題であり判例であるが，判旨Ⅱは，事例判断である。判旨Ⅱの基となっているのは，1審の東京地裁平成8年9月11日判決（判時1578号25頁）であるが，この判決に係る匿名コメントをもとに，今村教授は，問題となっている登録価格をP，客観的時価をQ，評価基準により決定される価格を標準宅地xの関数とみてf(x)であるすると，①評価基準の一般的合理性は，f(x)が合理性を有するかの問題であり，②具体的な評価が評価基準に適合しているかは，Pがf(x)どおり算定されているかの問題であり，③標準宅地の価格が適正であるかは，xが正しい数値であるかの問題と分析されている(注194)。

さらに，今村教授は上記比喩を用いて本判決について次のとおり検討を加えられている。本判決は，判旨Ⅰにおいて，P＞Qの場合にはPが違法となるとの一般論を判示し，判旨Ⅱにおいて，標準宅地xの適正な時価について公示価格の7割を目途とするとされていたのに，3割以上の下落が認められたことから，課税庁の算出したxの価格がその土地の客観的交換価値x'を上回っており，x'に基づいてf(x')を算定し直すと，P＞f(x')となり，したがってPがQを超えないと推認されないとして，Pが違法となると判断をしたものである。

ところで，この最高裁判決の判旨Ⅰに基づくと，課税庁が評価基準による価格を主張している場合に，納税者の側から鑑定評価に基づいて客観的交換価値を立証することも許されると考えられる。

この理は，相続税の場合も同様と考えられる。結局，相続税の「価額」の立証において，客観的交換価値というのは，推計課税でいうところ

注194　匿名コメント「判解」判時1578号26頁

の「実額」と同じ位置を占めており，「実額は推計を破る。」といわれている（第1編・第2章・第2節の第4の4⑴（34頁）参照）のと同様に，相続税の財産評価基本通達がいくら合理性を有していても，鑑定評価等による客観的交換価値によって覆るとの関係にある。すなわち，「客観的交換価値は，通達による評価を破る。」との関係にあるのである。そうすると，客観的交換価値の主張・立証は，通達による評価額と両立する主張であり，また，これを主張するXに有利な法律効果をもたらすものであるため，再抗弁にあたるとされる（注195）。

⑵　最高裁平成25年7月12日判決

固定資産税の「価格」について更に重要な判例として，最高裁平成25年7月12日判決（民集67巻6号1255頁）がある（以下「最高裁平成25年判決」という。）。同事案では，登録価格が評価基準に算定された価格よりも高い場合に，課税庁側から鑑定評価に基づいて評価基準より高い価格を主張することが許されるかが問題となった。この点，最高裁平成25年判決は，まず，「地方税法は，固定資産税の課税標準に係る固定資産の評価の基準並びに評価の実施の方法及び手続を総務大臣（…）の告示に係る評価基準に委ね（388条1項），市町村長は，評価基準によって，固定資産の価格を決定しなければならないと定めている（403条1項）。・・・これらの地方税法の規定及びその趣旨等に鑑みれば，固定資産税の課税においてこのような全国一律の統一的な評価基準に従って公平な評価を受ける利益は，適正な時価との多寡の問題とは別にそれ自体が地方税法上保護されるべきものということができる。したがって，土地の基準年度に係る賦課期日における登録価格が評価基準によって決定される価格を上回る場合には，同期日における当該土地の客観的な交換価値としての適正な時価を上回るか否かにかかわらず，その登録価格の決定は違法となるものというべきである。」（判旨Ⅰ，下線筆者）と判示し，課税庁側からのこのような立証は許されないとした。これは，最高裁平成15年判決の判決要旨Ⅰを反対解釈することにより，登録価格が客観的交換価値を超えてさえいなければ違法にならないとの理解が生じる余地が残されており，原審の東京高裁平成23年10月20日判決（民集67巻6号1304頁）は，正にこのような考えに基づいて，本件登録価格を違法でないと判断した。これに対して，最高裁平成25年判決は上記のような考え方を明確に否定したのである（注196）。

次に，最高裁平成25年判決は，「地方税法は固定資産税の課税標準に係る適正な時価を算定するための技術的かつ細目的な基準の定めを総務大臣の告示に係る評価基準に委任したものであること等からすると，評価対象の土地に適用される評価基準の定める評価方法が適正な時価を算定する方法として一般的な合理性を有するものであり，かつ，当該土地の基準年度に係る賦課期日における登録価格がその評価方法に従って決定された価格を上回るものでない場合には，その登録価格は，その評価方法によっては適正な時価を適切に算定することのできない特別の事情の存しない限り，同期日における当該土地の客観的な交換価値としての適正な時価を上回るものではないと推認するのが相当である」（判旨Ⅱ，下線筆者）とし，「土地の基準年度に係る賦課期日における登録価格の決定が違法となるのは，当該登録価格が，①当該土地に適用される評価基準の定める評価方法に従って決定される価格を上回るとき（…）であるか，あるいは，②これを上回るものではないが，その評価方法が適正な時価を算定する方法として一般的な合理性を有するものではなく，又はそ

注195　今村・前掲（注1）山田二郎先生喜寿記念323頁
注196　最高裁平成15年判決との関係については，徳地淳・最判解民事平成25年度345頁

の評価方法によっては適正な時価を適切に算定することのできない特別の事情が存する場合（上記…推認が及ばず，又はその推認が覆される場合）であって，同期日における当該土地の客観的な交換価値としての適正な時価を上回るとき（…）であるということができる。」とした。

判旨Ⅱは，最高裁平成15年判決がこのような見解を前提にしていたとも考えられたが，事例判断にとどまっていたことから，一般的な法理として判示したものとされる（注197）。

今村教授は判旨Ⅰ及びⅡを整理して，最高裁平成25年判決の考え方を前記⑴の記号を用いて次のとおり説明する。

> Ⅰ）まず，判旨Ⅰにより，$P > f(x)$ であれば，たとえ，$P < Q$ であっても違法となる。
> Ⅱ）次に，判旨Ⅱにより，$P \leqq f(x)$ の場合が問題となるが，評価基準 f に一般的な合理性があり，かつ，$f(x)$ が Q であるとの推認が働かない「特別の事情」が存しない場合には，P は Q を下回っていると推認される。

⑶　相続税の「価額」の立証責任

前記1のとおり，相続税の「価額」を定める評価通達が通達にすぎないのに対し固定資産評価基準は，規範である。しかし，いずれも「評価の統一を図るため財産の時価の算定に係る技術的かつ細目的な基準」として，裁判官が判断するに当たっての基準になりうると考えられる。

そうすると，前記最高裁平成15年判決及び最高裁平成25年判決を参考に，課税庁が評価通達に基づき相続税の「価額」の立証をした場合の立証責任を検討すると，まず，納税者側からの鑑定評価による客観的交換価値の主張は再抗弁であり納税者に立証責任がある。

次に，最高裁平成25年判決の判旨Ⅰは，固定資産税の評価基準の裁判規範性を前提にしたもので，相続税の評価通達には妥当しないといえるだろう。すなわち，課税庁において，客観的交換価値が相続税の評価通達を超えるとの立証も認められると考える。

また，評価通達による価額が合理性を有すれば，「特別の事情」がない限り客観的な交換価値と推認されるが，当該土地の特殊性などの「特別の事情」がある場合には，評価通達に合理性があっても，上記推認は働かない。しかし，評価通達の合理性と「特別の事情」は，社会的事実として両立し得るため，納税者が「特別の事情」があると主張する場合には，再抗弁に該当し，納税者に立証責任があるとされている（注198）。

第2　名古屋地裁平成16年8月30日判決

1　事案の概要

名古屋地裁平成16年8月30日判決（判タ1196号60頁）は，相続財産となった2つの土地の評価が争われ，課税庁による評価通達に基づく価額を違法とし，納税者が主張する鑑定評価額を適法とした事件である。事案の概要は，次のとおりである。

> **（事例38）**
> Xは，その父Aが平成10年6月3日に死亡したことから本件土地1及び土地2を相続し，本件土地1について4,281万円，本件土地2について1,449万円として，相続税の申告をした。これに対し，Y税務署長は，財産評価基本通達に基づき，本件土地1について6,795万円，本件土地2について4,067万円と評価して，相続税の更正処分をした。しかし，Xが異議申立をしたところ，Y税

注197　徳地・前掲最判解346頁
注198　今村・前掲（注1）山田二郎先生喜寿記念323頁

務署長において，甲に鑑定をさせ，本件土地1について6,840万円，本件土地2について2,950万円との結果となったことから，本件土地2については，再計算し，上記更正処分を一部取り消すとの異議決定をした。しかし，Xが提訴し，裁判所に鑑定を申し出て，乙が鑑定したところ，乙の鑑定では，本件土地1について6,422万円，本件土地2について2,120万円との結果となった。

なお，本件土地1及び土地2についてのそれぞれの価額の争いについては，下図のとおりである。甲鑑定と乙鑑定との違いは，本件土地1については，鉄道高架橋の隣接を減価要因とするか，本件土地2については，幅員2.6メートルの道路としか接していない点を考慮するか否かであった。

この場合，本件土地1と本件土地2の価額は，何を基準とすればいいか。

※事実関係は，実際の事案を単純化している。

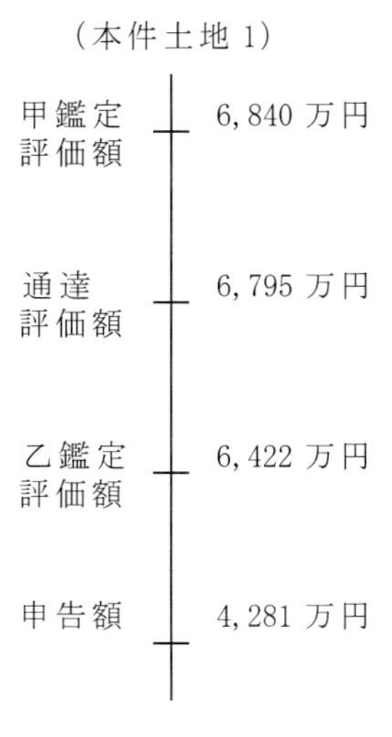

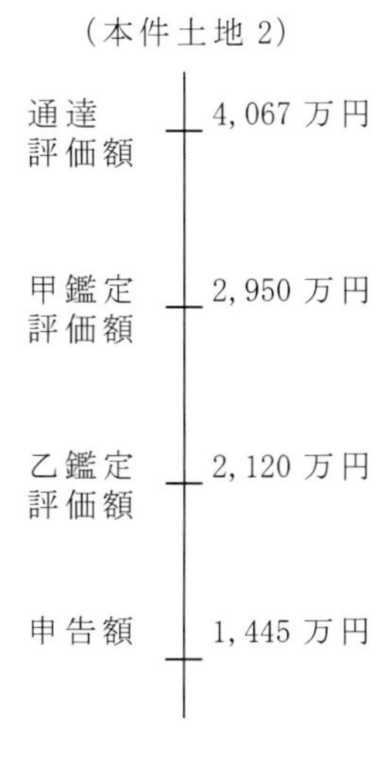

2　判　旨

⑴上記名古屋地裁判決は，まず，本件土地1について，「法（筆者注・相続税法）22条の『時価』は，不特定多数の者の間において通常成立すべき客観的な交換価値を意味するから，通達評価額が，この意味における『時価』を上回らない場合には，適法であることはいうまでもないが，他の証拠によって上記『時価』を上回ると判断された場合には，これを採用した課税処分は違法となるというべきである（固定資産税について定めた地方税法341条5号の『適正な時価』に関する最高裁判所平成15年6月26

日判決第一小法廷判決・民集57巻6号723頁参照)。」とした上，「このような不動産鑑定評価基準の性格や精度に照らすと，これに準拠して行われた不動産鑑定は，一般的には客観的な根拠を有するものとして扱われるべきであり，その結果が上記の通達評価額を下回るときは，前者が『時価』に当たると判断すべきことは当然である（…)。もっとも，不動産鑑定評価基準に従った客観的な交換価値の評価といっても，自然科学における解答のような一義的なものではあり得ず，現実には鑑定人の想定価格としての性格を免れるものではないので，どのような要素をどの程度しんしゃくするかによって，同一の土地についても異なる評価額が算出され得ることは避けられない。したがって，ある土地について複数の異なる評価額の不動産鑑定が存在する場合は，まずそれらの合理性を比較検討した上で，より合理性が高いと判断できる鑑定の評価額をもって時価と評価すべきであり（仮に合理性について優劣の判断が全くなし得ない場合には，その平均値をもって時価と評価すべきである。)，その上で通達評価額とを比較して，当該課税処分の適法性を判断すべきである。」（下線筆者）とした。

そして，同判決は，上記判断基準に基づいて，「上記…を総合すれば，被告鑑定（筆者注・甲鑑定，以下同）には，鉄道高架の隣接による減価要因の無視や容積率の認定誤りという価額評価に重大な影響を及ぼす問題点を内包しており，その合理性に強い疑いを抱かざるを得ないのに対し，当審鑑定（筆者注・乙鑑定，以下同）には，かかる問題点は見当たらない上，その余の鑑定内容，経緯についても，被告鑑定を上回る合理性を有すると判断するのが相当である。」とした。

⑵次に，本件土地2については，「上記…を総合すれば，被告鑑定には，接道条件の誤認ないし無視という価額評価に重大な影響を及ぼす問題点を内包しており，その合理性に強い疑いを抱かざるを得ないのに対し，当審鑑定には，かかる問題点は見当たらない上，その余の鑑定内容，経緯についても，被告鑑定を上回る合理性を有すると判断するのが相当である。」として，本件土地1及び土地2のいずれも乙鑑定によるべきとして，本件更正処分を違法であると判断した。

なお，本件は，1審で確定している。

3　検　討

⑴　要件事実

ア．本件土地1の要件事実

本件土地1の要件事実は，次のとおりとなる。本件土地1については，Y税務署長は，通達による評価額を抗弁として主張し，Xは，客観的交換価値を再抗弁として主張しているのである。

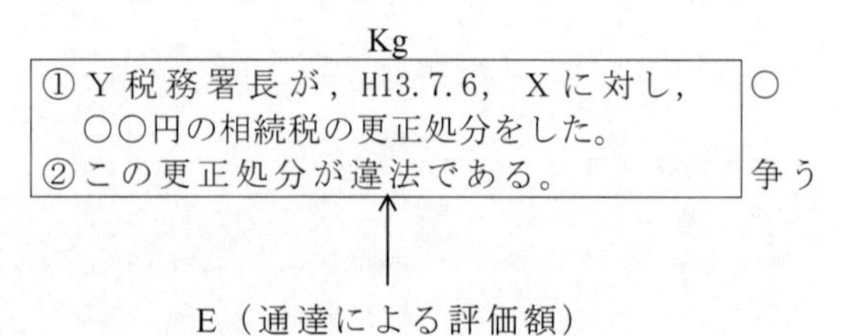

E（通達による評価額）

①Xは，H10.6.3，父Aから本件土地1を相続した。（相続）	○
（評価通達による価額） ②本件は宅地であり，路線価方式により算してたところ，合計で6,795万円となる。（基準適合性）	○
③宅地の場合には，路線価方式が合理的である。（基準の一般的合理性）	×
④本件路線価の標準宅地の価額が適正である。	×

R（客観的交換価値）

乙鑑定によると，本件土地1の価額は，鉄道高架橋の隣接を減価要因とし，6,422万円となる。（客観的交換価値）

イ．本件土地2の要件事実

また，本件土地2の要件事実は，次のとおりとなる。

Kg

①Y税務署長が，H13.7.6，Xに対し，○○円の相続税の更正処分（ただし，異議決定による一部取り消されている。）をした。	○
②この更正処分が違法である。	争う

↑

E（特別の事情）

①Xは，H10.6.30，父Aから本件土地2を相続した（相続）	○
（甲鑑定による価額） ②甲鑑定の評価額は，2,950万円であり，路線価方式による評価額4,067万円を下回っており，路線価方式により難い特別の事情がある。	×
③甲鑑定は，合理的である。	×

↑

R（より合理的な評価方法の存在）

乙鑑定によると，本件土地2の価額は，2,120万円となる。	○

↑

D（より合理的な評価方法）

甲鑑定の方が乙鑑定より合理的である。	×

本件土地2については，Y税務署長は，上記ブロック・ダイアグラムのとおり，通達による評価額ではなく，甲鑑定に基づく客観的交換価値を主張し，これに対し，Xが乙鑑定に基づく客観的交換価値を再抗弁として主張しているのである。Y税務署長は，本件土地1と同様に，通達による評価額を抗弁として主張するのが本来の姿である。しかし，本件土地2については，前記1の事案の概要のとおり，Y税務署長が，更正処分においては通達に評価額で算定したものの，Xの異議申立の際に甲に鑑定をさせた結果，通達による評価額を大きく下回る評価額となったことから，Y税務署長において，通達により難い特別な事情があることを自認した上で，最初から抗弁として，甲鑑定による評価額を主張しているのである。これは，要件事実論的にいうと，Y税務署長において，評価通達により難い特別の事情があるとの不利益陳述をした上で，再々抗弁の「せり上がり」と考えられる。

なお，「せり上がり」というのは，ある法律効果を発生せしめる要件事実を主張するに当たり，不利益事実部分の陳述を含む場合に，その不利益事実の陳述にとどまったのでは主張自体失当となることから，その不利益事実の障害，阻止又は消滅の事実をあらかじめ「せり上げて」主張せざるを得なくなることをいう（注199）。

(2) 本件土地1について

本判決は，前記最高裁平成15年判決を引用した上，評価通達によらない鑑定評価による客観的交換価値を用いた立証が認められるとして，乙鑑定による立証を認めているところが注目される。しかしながら，本判決は，乙鑑定が不動産鑑定評価基準によるもので一般的な合理性があり，他方，評価通達による評価を「簡易な不動産鑑定と定型的補正とを組み合わせた方式」にすぎないとして，安易に鑑定評価による評価の方が合理的であるとしているのは問題と考える。

この点，前記最高裁平成25年判決における千葉裁判官の補足意見が参考となる。そもそも客観的交換価値は評価的な概念で一義的とはいえないことから，鑑定評価をもって上記評価基準による価額よりも低い価額が適正であることの断定は困難であり，また，評価通達に基づき画一的，統一的な評価方法を定めることにより市町村評価の均衡を図って公平性を図ろうとしている趣旨にも反することになろう。そこで千葉裁判官は，「土地の所有名義人が，独自の鑑定意見書等の提出により適正な時価を直接主張立証し登録価格の決定を違法とするためには，やはり，その前提として，評価基準の定める評価方法によることができない特別の事情（又はその評価方法自体の一般的な合理性の欠如）を主張立証すべきであり，前掲最高裁平成15年7月

注199　司法研修所・要件事実第1巻増補版62〜63頁，村田＝山野目・論30講第4版109頁

18日第二小法廷判決もこの考えを前提にしているものと解される。」とする補足意見を示した。

これについて今村教授は，相続税の評価通達の場合も同様であり，本判決が鑑定評価に一般的合理性があるとして，いきなりの鑑定評価による価額の立証を認めているのは問題であり，本件土地1については，鉄道高架橋が隣接しているとの「特別の事情」があり，その意味で評価通達による評価が困難であることを確認した上で，鑑定評価による立証を検討すべきであったとする。

⑶　本件土地2について

本判決は，前記2「判旨」⑴のとおり，通達より合理的な複数の評価方法がある場合の優劣について，下線を付した括弧書きにおいて，「合理性について優劣の判断が全くなし得ない場合には，その平均値をもって時価と評価すべきである。」と判示している。

これについて今村教授は，「合理性について優劣の判断が全くなし得ない場合」というのは，正にノン・リケットの状態であり，立証責任の問題であるにもかかわらず安易に時価を平均値とするのは，立証責任の考え方に反していると指摘する。

加えてこれが問題となるのは，本件土地2についてであるが，Yの抗弁は，本来再々抗弁で主張すべきところ，評価通達により難い「特別の事情」があるとして抗弁にせり上げており，本来であれば，再々抗弁でXの主張する客観的交換価値を示す鑑定評価（乙鑑定）よりも，より合理的な鑑定評価がある（甲鑑定）との主張であり，甲鑑定の方が乙鑑定より，「より合理的である」との主張は，前記⑴イのとおり，再々抗弁であるため，「合理性について優劣の判断が全くなし得ない場合」，Y主張の再々抗弁が認められない場合であり，X主張の乙鑑定によることになると考えられている（注200）。

第3　最高裁令和4年4月19日判決

1　事案の概要

最高裁令和4年4月19日判決（民集76巻4号411頁）は，相続財産の相続税における評価が問題となった事案である。事件の概要は，次のとおりである。

（事例39）

被相続人Aは，平成24年6月17日に94歳で死亡し，共同相続人ら（以下，「Xら」という。）がその財産を相続により取得した（以下，この相続を「本件相続」という。）。本件相続の相続財産である，甲不動産と乙不動産は，それぞれAが銀行等から借り入れを行い平成21年1月に8億3,700万円，平成21年12月に5億5,000万円で購入したものである。

Xらは，本件相続につき，評価通達の定める方法により，甲不動産の価額を2億4万1,474円，乙不動産の価額を1億3,366万4,767円と評価し，Y税務署長に対して，相続税の総額0円とする申告書を提出した。なお，上記購入及び借入れがなかったとすれば，本件相続に係る相続税の課税価格の合計額は6億円を超えるものであった。

これに対してY税務署長は，平成28年4月27日付けで，評価通達6を根拠とする鑑定評価額に基づいて，本件甲不動産を7億5,400万円，本件乙不動産を5億1,900万円，相続税の総額を2億4,049万8,600円とする更正処分を行った。

○ 評価通達6
「この通達の定めによって評価することが著しく不適当と認められる財産の価額は，

注200　この点，改訂版では，Xの再抗弁であり，Xにより合理的であることの立証責任があるとして，「合理性について優劣の判断が全くなし得ない場合」には，Y税務署の主張する甲鑑定の価額によるべきとされたが（同改訂版117頁），再度検討した結果修正された。

国税庁長官の指示を受けて評価する。」

※事実関係は，実際の事案を単純化している。

2 判旨

上記最高裁判決は，続税法22条の時価を客観的な交換価値としたうえで，以下の通り判断した。

「評価通達は，上記の意味における時価の評価方法を定めたものであるが，上級行政機関が下級行政機関の職務権限の行使を指揮するために発した通達にすぎず，これが国民に対し直接の法的効力を有するというべき根拠は見当たらない。そうすると，相続税の課税価格に算入される財産の価額は，当該財産の取得の時における客観的な交換価値としての時価を上回らない限り，同条に違反するものではなく，このことは，当該価額が評価通達の定める方法により評価した価額を上回るか否かによって左右されないというべきである。」

「他方，租税法上の一般原則としての平等原則は，租税法の適用に関し，同様の状況にあるものは同様に取り扱われることを要求するものと解される。そして，評価通達は相続財産の価額の評価の一般的な方法を定めたものであり，課税庁がこれに従って画一的に評価を行っていることは公知の事実であるから，課税庁が，特定の者の相続財産の価額についてのみ評価通達の定める方法により評価した価額を上回る価額によるものとすることは，たとえ当該価額が客観的な交換価値としての時価を上回らないとしても，合理的な理由がない限り，上記の平等原則に違反するものとして違法というべきである。もっとも，上記に述べたところに照らせば，相続税の課税価格に算入される財産の価額について，評価通達の定める方法による画一的な評価を行うことが実質的な租税負担の公平に反するというべき事情がある場合には，合理的な理由があると認められるから，当該財産の価額を評価通達の定める方法により評価した価額を上回る価額によるものとすることが上記の平等原則に違反するものではないと解するのが相当である。」

「本件各通達評価額と本件各鑑定評価額との間には大きなかい離があるということができるものの，このことをもって上記事情があるということはできない。もっとも，本件購入・借入れが行われなければ本件相続に係る課税価格の合計額は6億円を超えるものであったにもかかわらず，これが行われたことにより，本件各不動産の価額を評価通達の定める方法により評価すると，課税価格の合計額は2,826万1,000円にとどまり，基礎控除の結果，相続税の総額が0円になるというのであるから，Xらの相続税の負担は著しく軽減されることになるというべきである。そして，A及びXらは，本件購入・借入れが近い将来発生することが予想されるAからの相続においてXらの相続税の負担を減じ又は免れさせるものであることを知り，かつ，これを期待して，あえて本件購入・借入れを企画して実行したというのであるから，租税負担の軽減をも意図してこれを行ったものといえる。そうすると，本件各不動産の価額について評価通達の定める方法による画一的な評価を行うことは，本件購入・借入れのような行為をせず，又はすることのできない他の納税者とXらとの間に看過し難い不均衡を生じさせ，実質的な租税負担の公平に反するというべきであるから，上記事情があるものということができる。

ウ　したがって，本件各不動産の価額を評価通達の定める方法により評価した価額を上回る価額によるものとすることが上記の平等原則に違反するということはできない。」（下線筆者）

3 検討

(1) 要件事実

本件の要件事実は以下のとおりとなる。本件不動産については，Y税務署長は鑑定価額による評価を抗弁として，Ｘらは再抗弁で特別の事情はないと主張しているのである。

Kg

① Yが，平成28年4月27日，Xらに対し平成24年分の相続税について，2億4,049万8,600円の相続税の更正処分をした。	○
② 上記更正処分は違法である。	争う

↑

E（客観的交換価値）

① Xらは，平成24年6月17日，Aから本件土地を相続した。	○
② 本件土地の鑑定額については，甲不動産が7億5,400万円，乙不動産が5億1,900万円である。	×

↑

R（平等原則違反）

① 通達による評価額は，甲不動産が2億4万1,474円，乙不動産が1億3,366万4,767円である。	×
② 上記通達の価額によらないのは，他の納税者に対する関係で同様に取り扱われていない。	×

↑

D（合理的理由）

① Xらは，平成21年1月～同年12月，本件各不動産を購入するに当たり，M銀行等から本件各借入れを行ったが，近い将来発生することが予想されるXらの相続税の負担を減じ又は免れさせるものであることを知り，かつ，それを期待して，あえてそれらを企画して実行した。（租税負担軽減の意図）	×
② 本件各不動産について，通達による評価額によることは，本件購入・借入れのような行為をせず，又はすることのできない納税者とXらとの間で均衡を失する。（納税者間の均衡）	×

⑵　本判決の意義

本判決は，相続税法における時価について，納税者が評価通達による評価額，税務署長側が鑑定評価額を主張した事案である。相続にあたって借入金を用いた不動産購入と，評価通達による評価額と時価との乖離を組み合わせることにより，相続税の負担を軽減させるという納税者のスキームに対して，税務署長が評価通達6を適用することによって対応した事案につき，最高裁は平等原則を用いて結論を導き出した。その意義は，評価通達の裁判規範性を認める傾向にあった下級審判決に対して，同通達が納税者や裁判所に直接的な拘束力を有しないことを明示し，租税法の解釈から導き出される平等原則に基づき判断している点にある（注201）。

本件では，原審である東京高裁令和２年６月24日判決（民集76巻４号463頁）において，評価通達６は，「実質的な租税負担の公平を著しく害し，法の趣旨及び評価通達の趣旨に反することになるなど，評価通達に定められた方法によることが不当な結果を招来すると認められるような特別の事情がある場合」（下線筆者）に適用が認められると判示されていた。これに対し本判決では，評価通達が国民に対し直接の法的効力を有するというべき根拠はないとして，相続税法22条の時価である客観的交換価値を上回らない限り，当該財産評価は同条に反しないと判断した。これは，前掲最高裁平成25年７月12日判決で問題となった固定資産税と，評価通達の仕組みの違いによるものと考えられる。

なお，原審が引用する第１審（東京地令元・８・27金融・商事判例1583号40頁）のブロック・ダイアグラムは以下のとおりである。

Kg

① Yが，平成28年4月27日，Xらに対し平成24年分の相続税について，2億4,049万8,600円の相続税の更正処分をした。	○
② 上記更正処分は違法である。	争う

↑

注201　加藤友佳「判批」判例秘書ジャーナル HJ100149号11頁。

E（特別の事情）

① Xらは，平成24年6月17日，Aから本件土地を相続した。（相続）	○
② 甲不動産の通達評価額は，2億4万1,474円と鑑定額7億5,400万円の26%にすぎず，乙不動産の通達評価額は1億3,366万4,767円で，鑑定額5億1,900万円の25%にすぎない。（通達評価額と鑑定評価額のかい離）	×
③ Xらは，平成21年1月～同年12月，本件各不動産を購入するにあたり，M銀行等から本件各借入れを行ったが，近い将来発生することが予想される相続税の負担を減じ又は免れさせるものであることを知り，かつ，それを期待して，あえてそれらを企画して実行した。（租税負担軽減の意図）	×

⑶　評価通達6

本判決ではこのように相続税法22条の時価の問題について，課税庁の主張する鑑定評価額が時価を上回るか否かに焦点をあてているため，原審まで議論されてきた通達評価額との多寡を問題とする「特別の事情」には言及していない（注202）。

他方で，特定の相続財産に対してのみ通達評価額を用いないことについては，合理的な理由がない限り平等原則に反し違法と判示されている。この合理的な理由については，「実質的な租税負担の公平に反するというべき事情」の有無によるものとされ，単に通達評価額と鑑定評価額の乖離だけではなく，本件購入・借入のように，納税者が積極的な行為を行った点が重視されているといえよう。

上記のとおり，本判決が租税法の解釈から結論を導き出した背景には，これまでの下級審における評価通達に対する判断が影響していると考える。その代表的な事例である東京地裁平成7年7月20日判決（行集46巻6・7号701頁）は，評価通達6について，「相続税法の趣旨や財産評価通達自体の趣旨に反するような結果を招来させるような場合には，財産評価通達に定める評価方法以外の他の合理的な方法によることが許されるものと解すべきである。このことは，財産評価通達6が『この通達の定めによって評価することが著しく不適当と認められる財産の価額は，国税庁長官の指示を受けて評価する。』と定め，財産評価通達自らが例外的に財産評価通達に定める評価方法以外の方法をとり得るものとしていることからも明らか」（下線筆者）と判示し，相続税法22条に定める時価の算定方法につき，相続税法の趣旨だけでなく評価通達の趣旨も判断要素に加えたうえで，同通達6を直接引用している。同判決のほか，後述する東京高裁平成27年12月17日判決（**事例40**）等もうけて，評価通達の裁判規範性は強まることとなり，納税者も評価通達による評価を前提とするようになった。

本判決は，こうした評価通達の合理性を前提とした下級審の姿勢に対して，法律による行政の原理を明確に示したものといえる。他方で，本判決は評価通達の現状もふまえ，評価通達に定める評価方法を納税者に適用しないことは，「合理的な理由がない限り，上記の平等原則に違反する」と判示した。これは原審を含めた下級審判決とは異なり，租税法に基づく平等原則を介した判断となっている。このことから，本判決は，法の解釈や法に基づく裁判所の判断を介することによって，評価通達が間接的に拘束力を有することまでは否定していないと考える。

注202　匿名解説「判解」判タ1499号67頁。本判決の射程として，その判断枠組みや，当該価額を通達評価額を上回る価額によるものとすることが平等原則に違反しない場合についての法理判断は，相続財産一般に妥当するとされる。

第2節　贈与税における「価額」

第1　贈与税における「価額」の意義と要件

1　贈与税における「価額」の意義

贈与税の課税標準は，その年中の取得財産の価額の合計額であり，これを「贈与税の課税価格」という（相続税法21条の2第1項）。贈与税は，相続税の補完税としての性格を有するものである。すなわち，相続税のみが課せられている場合は，生前に財産を贈与することによって，その負担を容易に回避することができるため，かかる相続税の回避を封ずることを目的として贈与税が採用されたのである。

そして相続税法は，贈与税についても相続税と同様，贈与財産の価額について，特別の定めのあるものを除き，当該財産の「取得の時における時価」による旨を定め（同法22条），いわゆる時価主義を採用している。

2　贈与税における「価額」の要件

贈与税の「価額」は相続税と同様，評価通達において「価額」の算定方法が詳細に定められている。評価通達に定める算定方法による「価額」について，贈与財産が土地の場合には，第1節の第1の2（161頁）のとおり，①当該価額が評価通達に適合していること（基準適合性），②当該評価通達が一般的合理性を有すること（基準の一般的合理性），③標準宅地の価額が適正であることが求められる。

また，評価通達による価額と客観的交換価値との関係についても，第1節の第1の3(3)で述べた相続税の場合と同様となる。

第2　東京高裁平成27年12月17日判決

1　事案の概要

東京高裁平成27年12月17日判決（判時2282号22頁）は，区分所有建物（敷地部分を含む。）の贈与税における評価が問題となった事件である。事案の概要は，次のとおりである。

（事例40）

Xは，その父Aから平成19年7月21日，4階建てマンションの1室（敷地部分を含む。）の贈与を受け，相続時精算課税を選択し，不動産鑑定士の鑑定評価に基づき，平成20年3月11日，平成19年分の贈与税の課税価格を2,300万円，税額0円とする申告をした。

これに対し，Y税務署長において，下記の評価通達3に基づき，平成21年6月30日付で，課税価格を7,206万2,278円，税額を981万円2,400円とする贈与税の更正処分をした。

（評価通達3）

「区分所有に係る財産の各部分は，この通達の定めによって評価したその財産の価額を基とし，各部分の使用収益等の状況を勘案して計算した各部分に対応する価額によって評価する。」

※本件は，上記マンションの3室の贈与が問題となったが，上記事実関係はそのうちの1室分についてのものである。

2　判旨

(1)　1審判決

1審の東京地裁平成25年12月13日判決（訟月62巻8号1421頁）は，「…評価通達に定められた評価方式が贈与により取得した財産の取得の時における時価を算定するための手法として合理的なものであると認められる場合においては，上記のような贈与税に係る課税実務は，納税者間の公平，納税者の便宜，効率的な徴税といった租税法律関係の確定に際して求められる種々の要請を満たし，国民の納税義務の適正な履行の確保（国税通則法１条，相続税法１条参照）に資するものとして，相続税法22条の規定の許容するところであると解される。さらに，上記の場合においては，評価通達の定める評価方式が形式的に全ての納税者に係る贈与により取得した財産の価額の評価において用いられることによって，基本的には租税負担の実質的な公平を実現することができるものと解されるのであって，同条の規定もいわゆる租税法の基本原則の１つである租税平等主義を当然の前提としているものと考えられることに照らせば，評価通達に定められた評価方式によっては適正な時価を適切に算定することのできない特段の事情があるとき（評価通達６参照）を除き，特定の納税者あるいは特定の財産についてのみ評価通達に定められた評価方式以外の評価方式によってその価額を評価することは，たとえその評価方式によって算定された金額がそれ自体では同条の定める時価として許容範囲内にあるといい得るものであったとしても，租税平等主義に反するものとして許されないものというべきである。」（下線筆者）とした上，「…評価通達に定められた評価方式（筆者注・評価通達３）は，共有財産の持分の価額の評価に関する定め（評価通達２）とあいまって，マンションの価額を評価することをも想定していると解されるし，一概にマンションといっても，その立地や規模，築年数等において多種多様なものがあることに照らすと，個別具体的な事情を考慮することなしに，前記…のとおり宅地及び家屋の時価を算定するための手法としてその合理性に疑いを差し挟む余地の認められない評価通達に定められた評価方式がおよそ一般的にマンションの価額を算定するための手法として不合理であるということは，適当ではなく，Ｘらの指摘するような問題は，個別の事案ごとに，評価通達に定められた評価方式によっては適正な時価を適切に算定することができない特段の事情があるかどうかを判断するに当たってしんしゃくされることになるものというべきである。」として，評価通達３の方法について一般的合理性を認め，「特別の事情」が認められるか否かの問題であるとし，本件ではこのような「特別の事情」が認められないとして，本件更正処分を適法であるとした。

(2)　控訴審判決

これに対し，控訴審の上記東京高裁判決は，「…相続税法は，地上権及び永小作権の評価（同法23条），定期金に関する権利の評価（同法24条，25条）及び立木の評価（同法26条）については評価の方法を自ら直接定めるほかは，財産の評価の方法について直接定めていない。同法は，財産が多種多様であり，時価の評価が必ずしも容易なことではなく，評価に関与する者次第で個人差があり得るため，納税者間の公平の確保，納税者及び課税庁双方の便宜，経費の節減等の観点から，評価に関する通達により全国一律の統一的な評価の方法を定めることを予定し，これにより財産の評価がされることを当然の前提とする趣旨であると解するのが相当である。・・・同法の上記趣旨に鑑みれば，評価対象の不動産に適用される評価通達の定める評価方法が適正な時価を算定する方法として一般的な合理性を有するものであり，かつ，当該不動産の贈与税の課税価格がその評価方法に従って決定された場合には，上記課税価格は，その評価方法によっては適正な時価を適切に算定することのできない特別の事情の存しない限り，贈与時における当該不動産の客観的な交換価値としての適正な時価を上回るものではないと推認するのが相当である（最高裁平成…25年７月12日第二小法廷判決・民集67巻６号1255頁参照）。」（下線筆者）とし，１審判決の評価通達３による評価も合理的であるとして控訴を棄却した。

なお，この東京高裁判決は，平成29年3月2日に上告不受理となり確定している。

3　検討

⑴　要件事実

本件の要件事実は，次のとおりとなる。本件において，Y税務署長が，評価通達による価額を主張しているのに対し，Xは，再抗弁で「特別の事情」があるという主張をしているのである。

Kg

①Y税務署長が，H21．6．30，Xに対し，平成19年分の納付税額981万円2,400円とする贈与税の更正処分をした。	○
②この更正処分は違法である。	争う

↑

E（評価通達に基づく評価額）

①Xは，その父AからH19．7．21，4階建てマンションの1室（敷地部分を含む。）の贈与を受けた。（贈与による取得）	○
（評価通達による価額）	
②本件物件は，区分所有建物であり，建物部分及び敷地部分の合計額で評価すると2,300万円となる。（基準適合性）	×
③区分所有建物の場合には，建物部分と敷地部分を合算した金額とするのが合理的である。（基準の一般的合理性）	×
④本件敷地部分の路線価の標準宅地の価額が適正である。	○

R（特別の事情）

本件贈与の時点で，本件物件は建替計画が承認されていたにすぎず，建替が実現する蓋然性が高いとはいえず，評価通達3によって適正な時価を算定することができない特別の事情があった。	×

⑵　相続税法22条と財産評価基本通達との関係

第1節のとおり，評価通達は，行政内部の命令にすぎず，国民を拘束する外部効果を有しないものの，課税庁がこれと異なる取扱いをすると納税者間の公平性を害することから，平等原則を介して事実上の外部効果をもつとされている。前記2⑴の本件の1審判決の判示はそのような意味と考えられる。ところが本件控訴審判決は，前記2⑴のとおり書き換えている。これは，従来の裁判例とは異なり，相続税法自体が財産評価通達による統一的な評価を予定しているとし，固定資産税の評価基準に係る最高裁平成25年判決の判旨Ⅱを参照して，評価通達の価格が時価を上回るものでないと推認されるとしたものである（注203）。

そうすると，最高裁平成25年判決の判旨Ⅰが評価通達にも妥当するか否かが問題となるが，評価通達の裁判規範性については，前記最高裁令和4年4月19日判決でみたとおり直接の裁判規範性は否定されており，固定資産評価基準とはその性質が異なるものと考える。

⑶　区分所有建物についての評価通達3の合理性

前記2「判旨」⑴のとおり，1審判決は，評価通達3の評価方法について一般的合理性を認

注203　最高裁平成25年7月12日判決の調査官は，私見としつつも，財産評価基本通達は固定資産の評価基準と異なり，法律の委任に基づくものではないものの，「評価の統一を図るため財産の時価の算定に係る技術的かつ細目的な基準」として定められていることは共通であるとして，判旨Ⅱと同様の判断枠組が妥当するとして，本東京高裁判決を引用している点が注目される（徳地・前掲（注196）最判解352頁）。

め，「特別の事情」が認められるか否かの問題であるとしている。

区分所有建物の場合，他の共有者がいることで，建替え等の制約があることから，取引価格が評価通達の価格を下回る場合もあり得るが，それは区分所有の場合の上記制約に基づくもので，それ以上のものではない。よって，評価通達3の方法は，区分所有建物の評価として一般的合理性を有すると考える。

さらに，「特別の事情」の存在は，Xが主張・立証すべき再抗弁と考えられる。これについて1審判決は，本件事実関係を詳細に検討して，「これらの事情を考慮すると，本件贈与時においては，本件マンションの建替えが実現する蓋然性は相当程度に高まっていたものということができる。」と判示し，控訴審判決もこの判断を是認している。

第3節　みなし贈与における「著しく低い価額」

第1　みなし贈与における「著しく低い価額」の意義と要件

1　「著しく低い価額」の意義

贈与税は，本来，贈与により取得した財産をその課税対象とするものであるが（相続税法1条の4），相続税の「みなし相続財産」と同様，法的には贈与によって取得した財産とはいえないが，贈与によって取得した財産と実質を同じくするため，公平の見地から「みなし贈与財産」の規定が設けられている（同法5条ないし9条）。

このようなみなし贈与財産の一つに，低額譲受による利益がある。すなわち，著しく低い価額の対価で財産の譲渡を受けた場合は，その財産の譲渡があったときに，その譲渡を受けた者が，その対価と財産の時価との差額に相当する金額を，その財産の譲渡人から贈与によって取得したものとみなされる（同法7条）。

他方，バブルの時代に評価通達の評価額と土地の売買価格が格差を生じたことを利用して，土地の取得のための借入金を被贈与者に負担させ，贈与税を軽減させる租税回避が横行したことから，平成元年に負担付贈与通達（平成元年3月20日付直評5・直資2－204）が発遣され，このような場合には，評価額ではなく，「通常の取引価額」で評価することとされた。この負担付贈与通達との関係で，後述のとおり，評価通達の評価額で譲渡した場合に，同法7条が適用されるか否かが問題となる。

○負担付贈与通達

1　土地及び土地の上に存する権利（以下「土地等」という。）並びに家屋及びその附属設備又は構築物（以下「家屋等」という。）のうち，負担付贈与又は個人間の対価を伴う取引により取得したものの価額は，当該取得時における<u>通常の取引価額に相当する金額</u>によって評価する。ただし，贈与者又は譲渡者が取得又は新築した当該土地等又は当該家屋等に係る取得価額が当該課税時期における通常の取引価額に相当すると認められる場合には，当該取得価額に相当する金額によって評価することができる。

（注）省略

2　1の対価を伴う取引による土地等又は家屋等の取得が相続税法第7条に規定する「著しく低い価額の対価で財産の譲渡を受けた場合」又は相続税法第9条に規定する「著しく低い価額の対価で利益を受けた場合」に当たるかどうかは，個々の取引について取引の事情，取引当事者間の関係等を総合勘案し，<u>実質的に贈与を受けたと認められる金額</u>があるかどうかにより判定するのであるから留意する。

（注）その取引における対価の額が当該取引に係る土地等又は家屋等の取得価額を下回る場合には，当該土地等又は家屋等の価額が下落したことなど合理的な理由があると認められるときを除き，「著しく低い価額の対価で財産の譲渡を受けた場合」又は「著しく低い価額の対価で利益を受けた場合」に当たるものとする。」（下線筆者）

2 「著しく低い価額」の要件

相続税法7条の「みなし贈与財産」の要件は，同条の規定から，個人が財産の譲渡を受けたこと，及び，「著しく低い価額の対価」であることが分かる。後者の「著しく低い価額の対価」については，これが2つの要件に分解されるのか否かが問題となる。

この「著しく低い価額の対価」は，社会通念で判断され，所得税法59条1項2号の低額譲渡と異なり，時価の2分の1を下回る必要はないとされている（注204）。このことから，「著しく」に当たるか否かは，評価を伴う判断であるため，「その譲渡の対価の額が時価より低いこと」と「その低いことが著しいと評価されるものであること」の，2つに分解すべきと考える。結局，相続税法7条の「みなし贈与財産」の要件は，以下のとおりとなる。

① 個人が財産の譲渡を受けたこと
② その譲渡の対価の額が時価より低いこと
③ その低いことが著しいと評価されるものであること

第2 東京地裁平成19年8月23日判決

1 事案の概要

東京地裁平成19年8月23日判決（判タ1264号184頁）は，評価通達の評価額で譲渡した事案であり，この場合に，相続税法7条の規定に当たるのか，また，負担付贈与通達が適用されるか否かも問題となった事案である。事案の概要は，次のとおりである。

（事例41）

X1及びX2は，母と子であるが，X1の夫でX2の父であるAが平成13年8月に購入した宅地をAから，平成15年12月，それぞれその宅地の持分の一部を路線価で買い受けた。X1もX2もこの売買について贈与税の申告をしなかったが，Y税務署長は，平成16年7月2日，いずれも時価より低額の譲り受けであるとして，X1には平成15年分贈与税の決定処分をし，X2については，上記売買の直前に上記宅地の一部の贈与を受け贈与税の申告をしていたことから同年分の更正処分をした。

この場合，X1及びX2は，Aから「著しく低い価額の対価」で譲渡を受けたことになるか。

※事実関係は，実際の事案を単純化している。

この事案で，Y税務署長は，「みなし贈与財産」に当たるとして，相続税法7条を適用したが，それは，X1及びX2がAから譲渡を受けた金額が，Aの取得価額より低額であること，そのため，Aがその所得税の申告に当たり，X1及びX2の譲渡によって譲渡損が生じたとして損益通算をしていることに着目してい

注204 横浜地判昭57・7・28訟月29巻2号321頁

ると考えられる。すなわち，Y税務署長としては，Aにおいて損益通算をするためにあえて取得価額以下でX1及びX2に譲渡したと判断し，「著しく低い価額の対価」に当たるとしたものと思われる。

2 判旨

(1) 本判決は，「同条（筆者注・相続税法22条）にいう時価を相続税評価額と同視しなければならないとする必要はないのであるから，そこにいう時価は，やはり，常に客観的交換価値のことを意味すると解すべきである。そして，同法7条にいう時価と同法22条にいう時価を別異に解する理由はないから，同法7条にいう時価も，やはり，常に客観的交換価値のことを意味すると解すべきである。」とした上，「相続税法7条は，時価より『著しく低い価額』の対価で財産の譲渡が行われた場合に課税することとしており，その反対解釈として，時価より単に『低い価額』の対価での譲渡の場合には課税しないものである。これは，前記…で述べたように，そもそも，同条が，相続税の補完税としての贈与税の課税原因を贈与という法律行為に限定することによって，本来負担すべき相続税の多くの部分の負担を免れることにもなりかねない不都合を防止することを目的として設けられた規定であることに加え，一般に財産の時価を正確に把握することは必ずしも容易ではなく，しかも，同条の適用対象になる事例の多くを占める個人間の取引においては，常に経済合理性に従った対価の取決めが行われるとは限らないことを考慮し，租税負担の公平の見地からみて見逃すことのできない程度にまで時価との乖離が著しい低額による譲渡の場合に限って課税をすることにしたものであると解される。そうすると，同条にいう『著しく低い価額』の対価とは，その対価に経済合理性のないことが明らかな場合をいうものと解され，その判定は，個々の財産の譲渡ごとに，当該財産の種類，性質，その取引価額の決まり方，その取引の実情等を勘案して，社会通念に従い，時価と当該譲渡の対価との開差が著しいか否かによって行うべきである。」（下線筆者）とした。

次いで，「本件土地のような市街地にある宅地の場合，既に述べたとおり，相続税評価額は，平成4年以降，時価とおおむね一致すると考えられる地価公示価格と同水準の価格の約80%とされており，これは，土地の取引に携わる者にとっては周知の事実であると認められる。このように相続税評価額が時価より低い価額とされていることからすると，相続税評価額と同水準の価額を対価として土地の譲渡をすることは，その面だけからみれば経済合理性にかなったものとはいい難い。

しかし，一方で，80%という割合は，社会通念上，基準となる数値と比べて一般に著しく低い割合とはみられていないといえるし，課税当局が相続税評価額（路線価）を地価公示価格と同水準の価格の80%を目途として定めることとした理由として，1年の間の地価の変動の可能性が挙げられていることは，一般に，地価が1年の間に20%近く下落することもあり得るものと考えられていることを示すものである。そうすると，相続税評価額は，土地を取引するに当たり一つの指標となり得る金額であるというべきであり，これと同水準の価額を基準として土地の譲渡の対価を取り決めることに理由がないものということはできず，少なくとも，そのようにして定められた対価をもって経済合理性のないことが明らかな対価ということはできないというべきである。以上の検討によれば，相続税評価額と同水準の価額かそれ以上の価額を対価として土地の譲渡が行われた場合は，原則として『著しく低い価額』の対価による譲渡ということはできず，例外として，何らかの事情により当該土地の相続税評価額が時価の80%よりも低くなっており，それが明らかであると認められる場合に限って，『著しく低い価額』の対価による譲渡になり得ると解すべきである。」（下線筆者）とした。

(2)　さらに，上記判断基準を適用して，「本件各売買が行われた平成15年12月25日当時，本件土地の路線価は更地価格の時価の約81％だったのであるから，本件土地は，地価公示価格と同水準の価格の80％という一般的な路線価決定の基準に合致していた。同じ時点における本件土地の相続税評価額も，時価の約78％だったのであり，路線価と更地価格の時価との比率におおむね一致している。この相続税評価額は，処分行政庁自身も贈与税課税の根拠とすることを是認していたものでもあった。そうすると，本件土地については，相続税評価額が時価の80％の水準よりも低いことが明らかであるといえるような特別の事情は認められないから，相続税評価額と同程度の価額かそれ以上の価額の対価によって譲渡が行われた場合，相続税法7条にいう『著しく低い価額』の対価とはいえないということができる。そして，甲購入持分も，乙購入持分も，相続税評価額と全く同じ金額の代金によって譲渡されたものであるから，結局，本件各売買の代金額は，いずれも『著しく低い価額』の対価には当たらない。」として，本件決定処分等を違法であるとした。

なお，本件は1審で確定している。

3　検　討

(1)　要件事実

X1の要件事実は，次のとおりとなる。

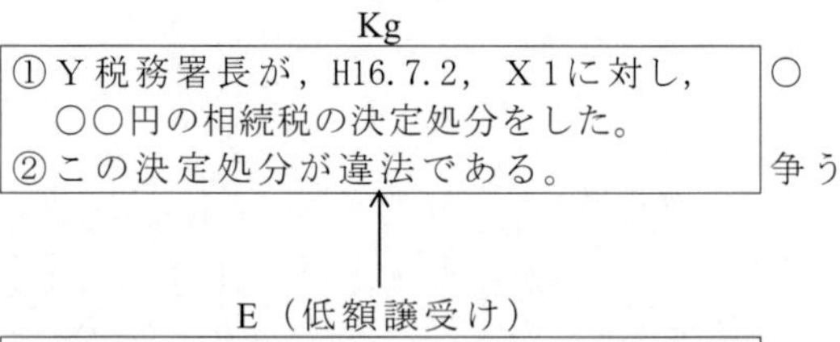

E（低額譲受け）

（譲受け） X1は，H15.12，Aから本件宅地の持分の一部を8,902万円で購入した。	○
（「著しく低いこと」の評価根拠事実）	
①上記代金額は，Aの2年前の取得価額よりも低額である。	○
②Aは，上記売買により譲渡損を発生させ，損益通算して，平成15年分の所得税を減少させている。	×
③Aには，X1に経済的利益を享受させる意図があった。	×

R（「著しく低いこと」の評価障害事実）

①X1らに譲渡したのは，持分であり，容易に換価することはできなかった。	×
②Aには，流動資産を増やしたいとの意図があった。	×

(2)　「著しく低い価額」と財産評価基本通達による価額との関係

まず，相続税法7条の「時価」は，同法22条の「時価」と同一であるか否かが問題となる。これについては，同じ法律の中の用語であり，本判決の判示するとおり，別異に解すべき理由はなく，同一であると考えるべきである。

そうすると，相続税法7条の「時価」は，同法22条の「時価」と同様，客観的交換価値となろう。

(3)　「著しく低い価額」の要件事実

本判決は，「著しく低い価額」について，前記2「判旨」(1)のとおり，「その対価に経済合理性のないことが明らかな場合をいう」とする。また，前記(1)のブロック・ダイアグラムに書いたとおり，経済合理性があると認められるか否かについての積極的事実と消極的事実を挙げて認定している。

このように相続税法7条の要件のうちの「著しく低いと評価されるものであること」を考えると，「著しく低いと評価されるものであること」との要件は，規範的要件と考えるべきであろう。

(4) 負担付贈与通達の意義

次に，本件のような場合に，負担付贈与通達が適用されるかが問題となる。この通達は，租税回避目的で負担付贈与をした場合には，経済合理性がなく，「著しく低い価額」に当たるとした事実認定についての通達であると考えられる。本件は，前記1の事案の概要とおり，Aの所得税の租税回避となっているものの，X1やX2の贈与税の租税回避ではない。相続税法7条は，時価と比較して「著しく低い価額」で譲り受けた場合の差額部分を贈与税の課税対象とすべきであるとの規定であり，贈与税の租税回避についてのみ適用される規定と考えられる。

負担付贈与通達も，このような相続税法7条の規定の適用に当たっての事実認定の通達であるから，Aの所得税の租税回避の場合には，適用されないというべきである。その意味において，負担付贈与通達の適用範囲は，限定されるだろう（注205）。

注205　志賀櫻「贈与税決定処分取消等請求事件において親族間の路線価による土地売買が低額譲渡には当たらないとされた事例」月刊税務事例39巻12号（財経詳報社，平成19年）30頁

第4章　消 費 税

第1節　消費税の仕入税額控除

第1　仕入税額控除の意義と要件

1　仕入税額控除の意義

国内取引に係る消費税の課税標準は，課税資産の譲渡等の対価の額（課税売上高）である（消費税法28条1項）。課税資産の譲渡等とは，事業として対価を得て行われる資産の譲渡及び貸付け並びに役務の提供のうち，非課税取引以外のものをいう（消費税法2条9号）。

そして，消費税の納付税額は，課税標準である課税売上高から，課税仕入れに対応する消費税額を控除して計算する（消費税法30条1項）。この仕入税額控除は，税負担の累積を防止するための重要な仕組みである。この仕入税額控除は，あくまでも税額控除であり，所得税や法人税におけるような費用・収益対応の考え方はなく，ある課税期間に仕入れた物品やサービスに含まれている税額は，その物品やサービスがその課税期間の売上に対応するかどうかとは関係なく，原則としてその課税期間において控除される。

2　仕入税額控除の要件

消費税の仕入税額控除の要件は，消費税法30条1項と同条7項に規定されている。消費税法30条1項は，「事業者（…）が，国内において行う課税仕入れまたは保税地域から引き取る課税貨物については，次の各号に掲げる場合の区分に応じ当該各号に定める日の属する課税期間の第45条第1項第2号に掲げる課税標準額に対する消費税額（…）から，当該課税期間中に国内において行った課税仕入れに係る消費税額（…）及び当該課税期間における保税地域からの引取りに係る課税貨物（…）につき課された又は課されるべき消費税額（…）の合計額を控除する。」（下線筆者）と規定しており，ここから①課税仕入れ，②課税仕入れに対応する消費税の発生との2つの要件を抽出することができる。

さらに，消費税法30条7項は，「第1項の規定は，事業者が当該課税期間の課税仕入れ等の税額の控除に係る帳簿及び請求書等（…）を保存しない場合には，当該保存がない課税仕入れ又は課税貨物に係る課税仕入れ等の税額については，適用しない。ただし，災害その他やむを得ない事情により，当該保存をすることができなかつたことを当該事業者において証明した場合は，この限りでない。」（下線筆者）と規定している。

ここから，③課税仕入れ等の税額の控除に係る帳簿及び請求書等の保存（平成6年の消費税法の改正前は，帳簿又は請求書等の保存）が要件であることが分かる。

第2　東京地裁平成11年3月30日判決

1　事案の概要

東京地裁平成11年3月30日判決（訟月46巻2号899頁）は，いわゆる「帳簿の後出し」が問題となった事案である。「帳簿の後出し」というのは，消費税の税務調査に当たり正当の理由なく帳簿の提示を拒否した場合，税務署長は，売上げの反面調査を実施して把握した課税売上高に基づき，仕入税額控除については，消費税法30条7項の「帳簿の保存」がないことから零円として更正処分をする事例がみられるが，この場合に，当該更正処分の取消訴訟において，上記税務調査時に「保存」していた帳簿を証拠として提出し，これに基づいて仕入れ税額を控除するよう求める主張・立証のことである。このような争い方は，実務上は，「帳簿の後出し」と呼ばれているもので，当時いくつかの地裁に同種事件が係属していて問題となった事案である。事案の概要は，次のとおりである。

（事例42）

Xは，個人で建設業を営む者であるが，平成2年分ないし平成4年分の消費税の申告内容につき，平成5年8月27日，税務署職員であるA調査官が調査のためX宅に赴いたが，Xは，第三者Bの立会なしには，調査に応じられないとし，帳簿の提示も拒否した。そこで，Y税務署長は，平成6年2月28日，帳簿書類の提示がないため仕入税額控除の適用がないとして，消費税に関する更正処分をした。Xは，異議申立て，審査請求を経て，平成8年7月15日，この更正処分の取消訴訟を提起した。

この場合，Xは，上記取消訴訟において，帳簿を証拠として請求した上仕入れ税額を控除をするよう求めることができるか。

※事実関係は，実際の事案を少し単純化している。

2 判旨

上記東京地裁判決は，「同項（筆者注・消費税法30条7項）に規定する保存とは，法定帳簿が存在し，納税者においてこれを所持しているということだけではなく，法及び令の規定する期間を通じて，定められた場所において，税務職員の質問検査権に基づく適法な調査に応じて，その内容を確認することができるよう提示できる状態，態様で保存を継続していることを意味するものというべきである。」（下線筆者）とした上，仕入税額控除の立証責任につき，「Yは，処分の適法性を基礎付ける消費税の発生根拠事実として，Xである事業者が当該課税期間において国内で行った課税資産の譲渡等により対価を得た事実を主張，立証すべきであり（法4条，5条，28条），これに対して，仕入税額控除を主張するXは，仕入税額控除の積極要件として，当該課税期間中に国内で行った課税仕入れの存在及びこれに対する消費税の発生の各事実を主張，立証すべきこととなり（法30条1項），さらに，仕入税額控除の消極要件である法定帳簿等を『保存しない場合』に該当することは，Yにおいて主張，立証すべき，これに対して，保存できなかったことにやむを得ない事情が存する事実をXが主張，立証すべきものと考えられるのである。」とした。

さらに，上記東京地裁判決は，「Yは，処分の適法性との関係では，法定帳簿等の保存期間のうち課税処分時までのある時点で，適法な調査に応じて提示できる状態，態様での保存がなかった事実を主張，立証すれば足りることになり，通常は，課税処分のための調査又は当該課税処分の時に法定帳簿等の提示がなかった事実を主張，立証すれば，右の意義での『保存』がなかった事実を推認することができることとなる。」とした。

そして，上記東京地裁判決は，上記判断基準を適用して，「A調査官の帳簿等の提示要請は適法な調査に属するものということができ，A調査官がBの立会いの下では調査をすることができないとの立場にあることを認識しながら，Bの立会いに固執したXの対応は，提示を拒絶したものというほかないから，仮に，当時，Xが法定帳簿等を所持，管理していたとしても，適法な調査に応じて，その内容を確認し得るように提示できる状態，態様で保存していない場合に該当するものというべきである。」として，「保存」があったとは認められないとして，本件更正処分を適法とした。

なお，本件は，１審で確定している。

3　検　討

(1)　要件事実

ア．上記東京地裁判決に基づく整理

上記東京地裁判決に基づいて，消費税の仕入税額控除の要件事実を一般的に整理すると，次のとおりとなる(注206)。

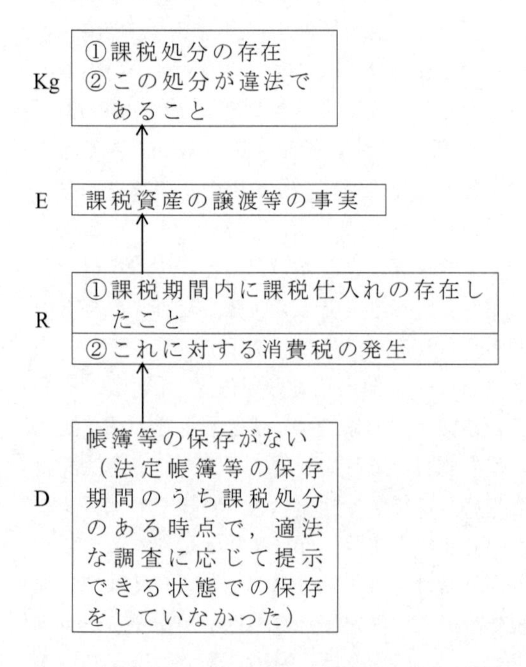

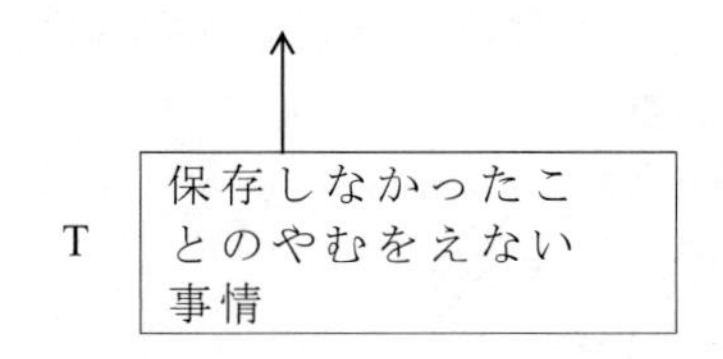

※ なお，本ダイアグラムは，あくまでも要件事実の一般的整理であり，本件の事実関係に即したものではない。

上記東京地裁判決は，仕入税額控除における帳簿の保存は，納税者側が仕入税額控除を求める上での積極的要件ではなく，上記のブロック・ダイアグラムのとおり，課税庁側で，仕入税額控除を否認するための要件であり，「保存がないこと」を立証することにより，仕入税額控除を否認できるとしたのである。「保存がないこと」という事実は，いわゆる消極的事実であり，要件事実論においては，通常は，「ないことの立証は困難である」として，要件事実とするのを避けている事実である。

それにもかかわらず，上記東京地裁判決が，あえて「保存がないこと」が要件事実であるとしたのは，第１に，消費税法30条７項の規定が，

注206　伊藤滋夫教授は，抗弁として，まずは，①課税期間内に，課税の対象となる資産の譲渡又は役務の提供として合計で○○円の対価を得たとの事実に加え，②上記課税期間内に，課税対象となる資産の仕入れ又は役務の提供を受けたのが，合計で△△円以下であったことを主張・立証すべきであり，②に代えて，「納税者が本件更正処分時に帳簿を保存していなかった」との過去の仕入税額控除の立証が困難であることの評価根拠事実を課税庁において主張・立証したときにのみ，②の主張・立証が不要となるとする（同「消費税法30条における仕入税額控除に関する立証責任」判タ1313号（平成22年）８頁以下)。伊藤教授は，消費税において，仕入税額控除は，税額控除とされてはいるものの，付加価値税としての消費税にとって，所得税における必要経費控除と同様に本質的要素であることを根拠とする。消費税の仕入税額控除の制度趣旨をどのように考えるかの根本的な問題であり，伊藤教授のように消費税の仕入税額控除の制度趣旨をとらえれば，上記のような見解もあり得るであろう。しかしながら，消費税の課税対象は，あくまでも課税売上げであって，その意味で租税債権の発生要件ではなく，仕入税額控除は，本来はインボイスのような納税者側の立証を前提としている税の累積を防ぐための制度にすぎないと考えられ，所得税における必要経費控除と同様に考えることはできないと考える。なお，伊藤教授の上記「納税者が本件更正処分時に帳簿を保存していなかった」との主張は，あくまでも物理的に保存がない場合であり，納税者による不提供の場合は含んでおらず，納税者による不提供の場合については，見解を留保している（上記判タ1313号11頁)。

「帳簿及び請求書等（…）を保存する場合には，…適用する。」との規定ではなく，前記第1の2で下線を引いたとおり，「帳簿及び請求書等（…）を保存しない場合には，…適用しない。」というように二重否定の形で規定していて，文言上は，「保存しないこと」が要件であるように読めること，第2に，消費税法30条7項の但書が，「ただし，災害その他やむを得ない事情により，当該保存をすることができなかつたことを当該事業者において証明した場合は，この限りでない。」（下線筆者）と規定し，特に「証明」との用語を用いていることから，この規定は，立証責任を意識した規定であるとし（注207），納税者の方で「やむを得ない事情」を立証した場合には，帳簿等の保存がなくても，仕入税額控除を認めるとの規定であることから，逆算して，上記ブロック・ダイアグラムのとおり，「保存しないこと」が課税庁に立証責任があるとしたものである。

このように整理することにより，どのようなメリットがあるかということであるが，前記2の判旨のとおり，「Yは，処分の適法性との関係では，法定帳簿等の保存期間のうち課税処分時までのある時点で，適法な調査に応じて提示できる状態，態様での保存がなかった事実を主張，立証すれば足りることになり，通常は，課税処分のための調査又は当該課税処分の時に法定帳簿等の提示がなかった事実を主張，立証すれば，右の意義での『保存』がなかった事実を推認することができることとなる。」として，調査時の提示拒否が，「保存がなかったこと」を推認するとした上，「後出し」の主張については，右図のとおり，上記推認に対する反証と位置づけたことである。

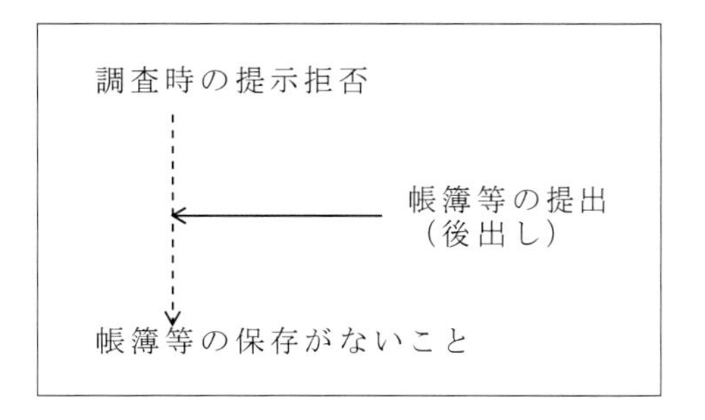

上記東京地裁判決は，このように「保存しないこと」を課税庁側の要件事実ととらえ，また，「保存しないこと」を単なる物理的な保管ではなく，提示可能な状態での保存と解したことにより，調査時の提示拒否の事実の立証上の意味を明らかにし，「後出し」の主張の意味についての立証上の難問を解決したものである。

この東京地裁の判決は，要件事実論を駆使した見事な判決であり，第1編・第2章・第2節の第1の3（26頁）でも述べたとおり，「法律要件分類説の再生」ともいうべき画期的な判決である。筆者も，当時，この「後出し」の問題を解決するために，消費税の仕入税額控除の要件事実を検討していたが，「保存していたこと」を納税者側の再抗弁ととらえると，どうしても，調査時の提示拒否の事実や「後出し」の主張が立証においてどのような意味をもつかを位置づけることができず，苦心していたところである。

上記東京地裁判決が出されたとき，消費税法30条7項の条文を忠実に読んだ上，正に法律要件分類説に従って，「保存しないこと」を要件事実としてとらえるとの発想に触れ，非常に感心した次第である。

今となれば，上記東京地裁判決の整理は当たり前のように思われるかもしれないが，「コロンブスの卵」であり，この発想は当時としては

注207 消費税法には，本文に記載した30条7項のほかにも，7条2項，8条2項，31条1・2項，36条2項，38条2項及び39条2項にも，同様に，「証明」との用語を用い，立証責任を意識した規定があり，同法全体にわたって立証責任が意識されていることがうかがえる。

画期的な考えであったのである。

この東京地裁判決の意義を更に理解するため，同種事件における先行判決である大阪地裁平成10年8月10日判決（判時1661号32頁）に基づく整理を以下みていくこととする。

イ．大阪地裁平成10年8月10日判決に基づく整理

大阪地裁平成10年8月10日判決は，「法（筆者注・消費税法）30条7項は，同条1項の規定を適用しない場合の要件（仕入税額控除の不適用要件）を定めたものではあるが，帳簿又は請求書等の保存は専ら事業者側の事情であるから，その反対解釈として，租税実体法上の仕入税類控除のための要件を定めたものと解すべきであり，本件のような更正処分取消訴訟においては，課税期間内に具体的に課税仕入れがあった事実に加えて，右の課税仕入れに係る同条8，9項所定の記載事項の要件を充たした帳簿又は請求書等を右訴訟の違法判断の基準時である更正処分時まで保存していた事実，又は災害その他やむを得ない事情によりその保存をすることができなかった事実を事業者が主張・立証したときに限り，仕入税額控除をすべきことになると解すべきである。そして，事業者の主張・立証責任に属する右の保存とは，具体的な要件事実としては，少なくとも原則的には，その文言どおり，事業者が，帳簿又は請求書等を所持・保管していたことを意味し，その期間については，法施行令50条1項，租税特別措置法，同法施行令により定められた保存期間の始期（…）からそれぞれ全期間に亘って所持・保管を継続することを意味すると解すべきである。従って，帳簿又は請求書等に該当する書面をそれぞれの保存の始期の後に事業者が取得したとしても，保存の要件を欠くことになるといわざるを得ない。ただし，右の帳簿又は請求書等が右の訴訟に書証として提出されて更正処分時にも存在したことが主張・立証されれば，通常，右の意味の保存の事実が事実上推認される場合が多いものと考えられる。」（下線筆者）とした。

一方で，上記大阪地裁判決は，「これらの各規定（筆者注・消費税法58条等）に照らすと，事業者が課税仕入れに係る帳簿又は請求書等を整理して前記の期間保存することを義務付けられ，しかも，その保存がない場合には仕入税額控除の適用を受けられないとした趣旨は，課税庁が課税仕入れに係る消費税額をこれらの書面から確認するためであり，課税庁としては，税務調査をした際に事業者から帳簿又は請求書等の提示を受けることによってはじめてその内容を認識できるもので，これらの帳簿又は請求書等が直接課税庁の判断資料となり得るのは，更正処分をする前の段階においては税務調査の機会以外あり得ない。また，法62条，68条の規定からは，事業者は，税務調査に協力し，整理して保存している帳簿又は請求書等を課税庁の職員の求めに応じて提示する義務も負っていると解される。そうすると，法が，保存を義務づけ，そのこと自体を税額控除の要件とした趣旨は，専ら課税庁が，その税務調査の際に，帳簿又は請求書等の資料によって更正や賦課決定をするかどうかの判断資料を得ることを想定していると解し得るとの見方もあり得るかもしれない。そして，これを前提にして，被告らの前記主張のようにこれらの書面の提示義務の違反を仕入税額控除の消極要件に結び付けることも，確かに，税務調査の際には納説者の協力が不可欠であると考えられることからも合理性があるというべきである。しかしながら，保存という文言の通常の意味からしても，また，法全体の解釈からしても，税務調査の際に事業者が帳簿又は請求書等の提示を拒否したことを，法30条7項の保存がない場合に該当する，あるいはそれと同視した結果に結び付ける被告らの主張は，もはや法解釈の域を超えるものといわざるを得ない。」としたのである。

この大阪地裁判決に基づいて，要件事実を一般的に整理すると，次図のとおりとなる。

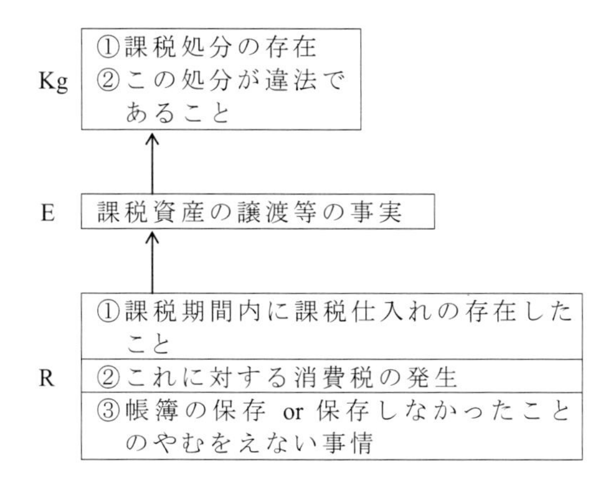

この大阪地裁判決に基づくと，下図のとおり，「後出し」による主張によって調査時にも帳簿等の保存があったことが推認されることとなるが，調査時の提示拒否は，この「帳簿等の保存があること」という要件事実の関係では，何ら意味をもたないこととなるのである。

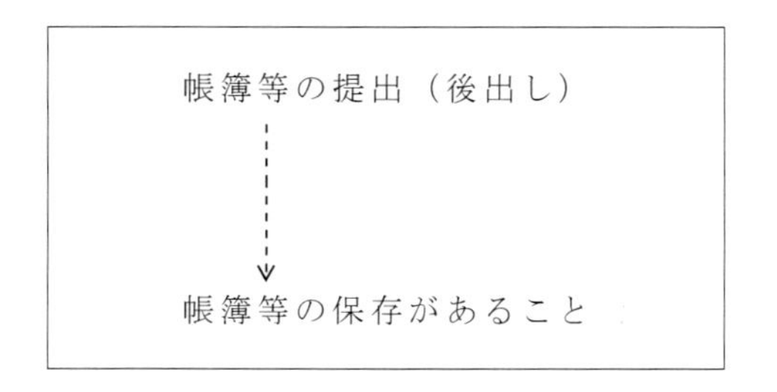

⑵ 「保存」の意義

ところで，仕入税額控除における帳簿の保存の問題は，単に，要件事実の確定や立証責任の分配の問題ではなく，そもそも「保存」とは何かの解釈問題から出発している。この点については，本東京地裁判決後に本東京地裁判決の考え方とほぼ同旨の最高裁判決が出され，判例となっている。すなわち，最高裁平成16年12月16日判決（民集58巻9号2458頁）は，「このように申告納税方式の下では，納税義務者のする申告が事実に基づいて適正に行われることが肝要であり，必要に応じて税務署長等がこの点を確認することができなければならない。そこで，事業者は，帳簿を備え付けてこれにその行った資産の譲渡等に関する事項を記録した上，当該帳簿を保存することを義務付けられており（法58条），国税庁，国税局又は税務署の職員（…）は，必要があるときは，事業者の帳簿書類を検査して申告が適正に行われたかどうかを調査することができるものとされ（法62条），税務職員の検査を拒み，妨げ，又は忌避した者に対しては罰則が定められていて（法68条1号），税務署長が適正に更正処分等を行うことができるようにされている。…法30条7項の規定の反面として，事業者が上記帳簿又は請求書等を保存していない場合には同条1項が適用されないことになるが，このような法的不利益が特に定められたのは，資産の譲渡等が連鎖的に行われる中で，広く，かつ，薄く資産の譲渡等に課税するという消費税により適正な税収を確保するには，上記帳簿又は請求書等という確実な資料を保存させることが必要不可欠であると判断されたためである。」とした上，「事業者が，消費税法施行令50条1項の定めるとおり，法30条7項に規定する帳簿又は請求書等を整理し，これらを所定の期間及び場所において，法62条に基づく税務職員による検査に当たって適時にこれを提示することが可能なように態勢を整えて保存していなかった場合は，法30条7項にいう『事業者が当該課税期間の課税仕入れ等の税額の控除に係る帳簿又は請求書等を保存しない場合』に当たり，事業者が災害その他やむを得ない事情により当該保存をすることができなかったことを証明しない限り（同項ただし書），同条1項の規定は，当該保存がない課税仕入れに係る課税仕入れ等の税額については，適用されないものというべきである。」（下線筆者）と判示している。

この最高裁判決は，消費税法30条7項の帳簿等の「保存」を解釈するに当たり，同条項だけではなく，関係している規定である消費税法58条なども考慮し，これらの文脈でその意味を解釈すべきとしているのである。すなわち，消費税法58条は，「事業者（…）又は特例輸入者は，政令で定めるところにより，帳簿を備え付けてこれにその行つた資産の譲渡等又は課税仕入れ若しくは課税貨物（…）の保税地域からの引取りに関する事項を記録し，かつ，当該帳簿を保存しなければならない。」（下線筆者）と規定しているが，この「保存」とは，提示可能な態勢での保存を意味しており，同法30条７項の「保存しないこと」は，この58条の意味での「保存」がないことであり，したがって，消費税法30条７項の「保存しない」とは，提示可能な態勢での保存でないことと解釈すべきとしているのである。この最高裁判決の考え方を分析すると，下図のとおりとなる。

命題１）
消費税法58条の「保存」とは，提示可能な態勢での保存である。
命題２）
消費税法30条７項の「保存しないこと」は，この58条の意味での「保存」がないことである。
結　論）
故に，消費税法30条７項の「保存しない」とは，提示可能な態勢での保存でないことである。

この最高裁判決は，下図のとおり，消費税法30条７項の「保存」について，物理的な保存のうちの提示可能な態勢での保存を意味すると限定解釈しているのである（注208）。

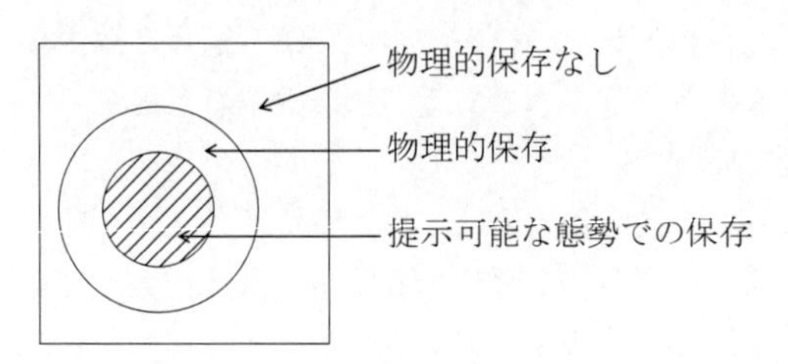

「保存」という用語は，文言だけから判断すると，物理的な保存を意味すると考えられる。そうすると，租税法律主義に基づくと，物理的な保存と解するほかないかが問題となる。租税法律主義のもとでは，確かに類推解釈は許されない。類推解釈を許したのでは，法律の規定なしに課税するのと同じとなるからである。しかし，租税法律主義の基でも拡張解釈や立法趣旨に則った解釈は許される。

問題は，「保存」の意義を，関係している規定である消費税法58条なども考慮し，これらの文脈でその意味を解釈することが租税法律主義に反しないかである。

ここで問題となるのは，このように文脈によって解釈するのが国民の予測可能性を害し，不意打ちとならないかである。申告納税制度の趣旨や仕組み，帳簿の備え付けの意義については国民に広く知られているところであり，帳簿の「保存」が税務職員の調査を前提にしたものと理解するのは，むしろ自然なことであり，国民に対する不意打ちではなく，租税法律主義に反するとはいえないと考える（注209）。

⑶　後出しの主張の可否

「帳簿の後出し」の主張は，消費税の税務調査を無意味ならしめかねないもので，実務上は非常に重大な意味をもっていた。しかし，要件事実論的にいうと，前記⑴イの大阪地裁平成10年８月10日判決の判示するとおり「保存したこと」を要件事実ととらえると，後出しは，有効な主張であり，調査時に「保存していたこと」を推認する事実と考えざるを得ない。これを本東京地裁判決は，「保存していないこと」を要件事実と考えることにより，調査時の提示拒否が「保存していないこと」を推認する事実ととらえた上で，「後出し」をこの推認に対する反証と位置づけたものであり，要件事実論的にみても，紛争の実態に合致した解決である。

注208　高世三郎・最判解民事平成16年度804頁
注209　高世・前掲最判解民事平成16年度807頁

第2節　消費税のみなし仕入率

第1　みなし仕入率の意義と要件

1　みなし仕入率の意義

消費税の課税標準は，第1節の第1の1（180頁）で検討したとおり，課税売上高であるが，消費税の納付すべき税額は，課税標準から仕入税額等を控除して算出する。この仕入税額控除の方法として，消費税法は，実額による控除と概算による控除を認めている。

このうち概算による控除について，消費税法37条1項は，「事業者（…）が，その納税地を所轄する税務署長にその基準期間における課税売上高（…）が5000円以下である課税期間（…）についてこの項の規定の適用を受ける旨を記載した届出書を提出した場合には，当該届出書を提出した日の属する課税期間の翌課税期間（…）以後の課税期間（…）については，第30条から前条までの規定により課税標準額に対する消費税額から控除することができる課税仕入れ等の税額の合計額は，これらの規定にかかわらず，当該事業者の当該課税期間の課税標準額に対する消費税額から当該課税期間における第38条第1項に規定する売上げに係る対価の返還等の金額に係る消費税額の合計額を控除した残額の100分の60に相当する金額（卸売業その他の政令で定める事業を営む事業者にあっては，当該残額に，政令で定めるところにより当該事業の種類ごとに当該事業における課税資産の譲渡等に係る消費税額のうちに課税仕入れ等の税額の通常占める割合を勘案して政令で定める率を乗じて計算した金額）とする。この場合において，当該金額は，当該課税期間における仕入れに係る消費税額とみなす。」（下線筆者）と規定している。これを「簡易課税制度」という。

そして，消費税法施行令57条は，上記政令への委任を受けて，事業の種類により区分し，第1種事業（卸売業）を90%，第2種事業（小売業）を80%，第3種事業（製造業等）を70%，第5種事業（サービス業等）を50%，第4種事業（その他事業）を60%と規定している（同条1及び5項）。

2　みなし仕入率の要件

消費税のみなし仕入率による仕入税額控除の要件は，消費税法37条1項及び同法施行令57条から下記の要件を抽出することができる。

① 当該課税期間の基準期間において課税売上高が5,000万円以下であること

② 当該課税期間の前にみなし仕入率の適用を受ける旨の届出を所轄税務署長にすること

③ 適用を受けようとする仕入率の事業に該当すること

第2　名古屋高裁平成18年2月9日判決

1　事案の概要

名古屋高裁平成18年2月9日判決（訟月53巻9号2645頁）は，歯科技工所の事業が第3種事業（製造業等）に当たるか第5種事業（サービス業等）に当たるかが争われた事件である。納税者は，製造業であり，みなし仕入率が70%であると主張し，税務署長は，サービス業であり，みなし仕入率が50%であるとして更正処分をしたとの事案である。事案の概要は次のとおりである。

（事例43）

X社は，歯科技工所を営む有限会社であるが，自ら原材料等を購入して，歯科医師の指示に従って，歯科補填物を製造し受注先に納入している。X社は，平成11年11月1日から同12年10月31日まで，同年11月1日から同13年10月31日まで，同年11月1日から同14年10月31日までの各課税期間の消費税の申告に当たり，第3種事業（製造業）であり，みなし仕入率が70%であるとして申告した。これに対し，Y税務署長は，

平成15年6月25日，X社の事業は，第5種事業（サービス業）であり，みなし仕入率は，50%であるとして更正処分をした。

X社の事業は，製造業か，サービス業か。

※事実関係は，実際の事案を少し単純化している。

2　判　旨

(1)　1審判決

1審の名古屋地裁平成17年6月29日判決（訟月53巻9号2665頁）は，「租税法中の用語は，当該法令ないし他の国法によって定義が与えられている場合は，これによるべきことは当然であるが，そうでない場合には，原則として，日本語の通常の用語例による意味内容が与えられるべきである」（下線筆者）とした上，「日本語の通常の用語例によれば，消費税法施行令57条5項3号へにいう製造業は，『有機又は無機の物質に物理的，科学的変化を加えて新製品を製造し，これを卸売又は小売する事業』と，他方，同項4号ハにいうサービス業とは，『無形の役務を提供する事業（不動産業，運輸通信業及び飲食店業に該当するものを除く。）』と解するのが相当である」とし，「歯科技工士は，印象採得，咬合採得，試適，装着等，患者と直接接することが禁止され，まして，歯科技工士が患者と対面することも考えられない歯科技工所で営まれる本件事業は，原材料を基に患者の歯に適合するように成形した補てつ物を納入し，これの対価として一定の金員を受け取るという内容であり，有形物を給付の内容とすることが明らかであるから，本件事業が製造業に当たると解するのが相当である。また，患者に対して無体の役務を提供しているとみることは困難であるから，サービス業には当たらない。」として，製造業であるとし，本件更正処分を違法であるとして取り消した。

(2)　控訴審判決

これに対し，上記名古屋高裁判決は，「租税法規の解釈については，当該法令が用いている用語の意味，内容が明確かつ一義的に解釈できるかをまず検討することが必要であることはいうまでもないが，それができない場合には，立法の趣旨目的及び経緯，税負担の公平性，相当性等を総合考慮して検討した上，用語の意味，内容を合理的に解釈すべきである。」（下線筆者）とした上，「製造業」と「サービス業」の用語について，「その意味内容ないし用語例として必ずしも一義的に解釈することが可能なほど明確な概念とまではいえないというべきである。そうすると，本件において，X社の営む歯科技工所の事業（本件事業）が，消費税法施行令57条5項にいう『製造業』又は『サービス業』のいずれに該当するかを判断するにあたっては，消費税法，特に消費税簡易課税制度の目的及び立法経緯，税負担の公平性，相当性等についても検討する必要がある。」とした。

そして，上記名古屋地裁判決は，「本件事業が消費税法施行令57条5項所定の『サービス業』に該当するのか，『製造業』に該当するのかについて判断するに，消費税法の簡易課税制度が，納税事務の簡素化を目的としつつ，税負担の公平性の実現のために改正が重ねられてきた経緯，前記各消費税基本通達が，消費税法施行令における事業の範囲判定の基準として，いずれも日本標準産業分類を掲げているところ，同分類は，本来，統計上の分類の必要から定められたものではあるが，前記のとおり，日本における標準産業を体系的に分類しており，他にこれに代わり得る普遍的で合理的な産業分類基準は見当たらないことなどから簡易課税制度における事業の範囲の判定に当たり，同分類によることの合理性は否定できないこと，本件事業が前記のとおり，歯科医師の指示書に従って，歯科補てつ物を作成し，歯科医師に納品することを業務内容としており，歯科医療行為の一端を担う事業である性質を有すること，また，1企業当たり平均の課税仕入れ（最大見込額）及び構成比に照らしても，みなし仕入率を100分の50とすることには合理性があること及び税負担の公平性，相当性等をも考慮すると，本件事業は，消費税法施行令57条5項4号ハ所定の『第5種事業』中の『サービス業』に該当するものと判断するのが相当である。」（下線筆者）として，1審判決を取り消し，本件更正処分を適法とした。

なお，控訴審判決は，平成18年6月20日に上告棄却・不受理決定となり確定している。

3 検 討

⑴ 要件事実

本件の要件事実は，次のとおりとなる。

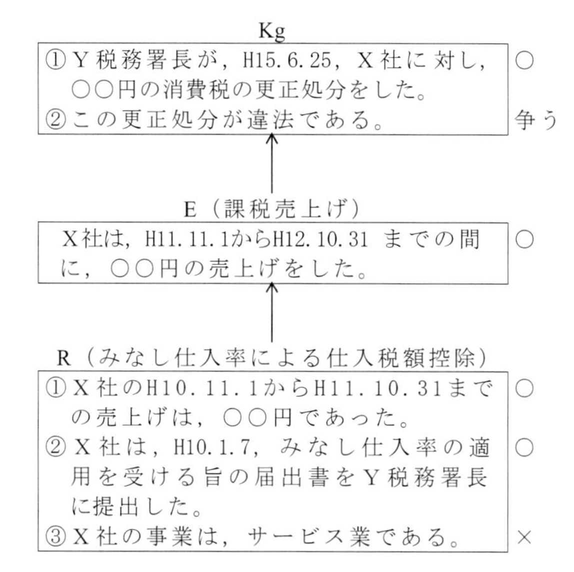

本ブロック・ダイアグラムは，平成11年11月1日から同12年10月31日までの課税期間分についてのものである。

なお，当時は，課税売上高2億円以下についてみなし仕入率の適用が認められていた。また，みなし仕入率の基準期間は対象となる課税期間の前年となる（消費税法37条1項）ことから，R①は前縁の課税売上金額となるのである。

⑵ みなし仕入率における事業区分の判定

租税法において，事業区分は，よくなされている分類である。消費税のみなし仕入率だけではなく，第2章・第1節の第1（100頁）で論じた公益法人の収益事業やタックス・ヘイブン税制における適用除外要件にも同じような事業区分が規定されている。

公益法人の収益事業については，法人税法施行令5条1項10号の「請負業」の意義が問題となり，民法上の借用概念であって民法上の請負契約（同法632条）のみを意味するのかが問題となった。この点は，第2章・第1節の第2の3⑶（102頁）で論じたとおり，公益法人の収益事業において事業区分をしている立法趣旨が問題であり，非課税法人との競争中立性が問題であり，一般に営利として行われている事業であるか否かを判定するための要件であると考えられる。そこで，同施行令5条1項10号の「請負業」は，民法上の借用概念ではなく，事業実態という事実状態を問題とする要件であると考えるべきであると結論したところである。

このようなアプローチで考えた場合，消費税のみなし仕入率において事業区分をしている立法趣旨は，中小企業の場合に実額によって仕入税額を控除するのは，納税に当たって過大な事務負担を強いることになるからである（注210）。このみなし仕入率における事業区分は，①卸売業，②小売業，③製造業，④サービス業，⑤その他事業と非常におおまかな分類であり，このような事業区分に基づき，その売上げにおける仕入れの占める大まかな割合を定めたものである。このような規定の仕方からみて，消費税のみなし仕入率における事業区分が，民法上の借用概念でないことは明らかであり，事業実態という事実状態を問題とする要件であると考えられる。

これを前提に検討すると，1審判決は，日本

注210 尾崎護編『消費税法詳解改訂版』（税務経理協会，平成3年）286頁

語の通常の用語例に基づいて，製造業とは，「有機又は無機の物質に物理的，科学的変化を加えて新製品を製造し，これを卸売又は小売する事業」であるとし，他方，サービス業とは，『無形の役務を提供する事業』であるとしたものである。しかしながら，上記のとおり，消費税のみなし仕入率における事業区分は，世の中にある事業を仕入率の観点から，①卸売業，②小売業，③製造業，④サービス業の４つに大まかな分類をしたものにすぎず，特に「サービス業」には，様々な事業が含まれていることが容易にできることである。そうすると，みなし仕入率の事業区分において「サービス業」との用語は，控訴審判決がいうとおり，一義的に明らかなものとはいえず，立法趣旨によって解決すべきということになろう。

このように１審と控訴審との違いは，「サービス業」の用語が一義的に明らかであるかの見方の違いにあり，１審は，一義的であるとしたのに対し，控訴審は，一義的に明らかではなく，立法趣旨によって解釈すべきであるとしたものであると考えられる。

「サービス業」の用語は日常用語としてみても必ずしも一義的ではなく，また，上記のとおり，消費税のみなし仕入率の事業区分においては，多くの事業を含み得る概念であり，このような意味で，一義的に明らかとまでは言い難く，控訴審判決が相当と考える。

第5章　加 算 税

第1節　過少申告加算税の免除における「正当な理由」

第1　過少申告加算税の免除における「正当な理由」の意義と要件

1　加算税の意義

そもそも加算税は，申告納税制度及び徴収納付制度の定着と発展を図るため，納税義務者が適正な申告及び納付義務の履行を怠った場合に，これに対する行政上の措置として国が賦課徴収する附帯税であり，これによって，租税に関する法の執行を妨げるような行為や事実を防止することを目的とする。

加算税は，①過少申告加算税，②無申告加算税，③不納付加算税，④重加算税の4つからなるが，このうち，過少申告加算税・無申告加算税及びこれらに代わる重加算税の納税義務は，その計算の基礎となる国税の法定申告期限の経過の時に成立し（通則法15条2項13号），不納付加算税及びそれに代わる重加算税の納税義務は，その計算の基礎となる国税の法定納期限の経過の時に成立する（同項14号）。加算税の納付義務は，いずれも，賦課決定によって確定し（同法32条），賦課決定通知書又は納税告知書が発せられた日から起算して1月を経過する日までに納付しなければならない（同法35条3項，36条2項，通則令8条1項）。

加算税は，上記のとおり，「行政上の措置」とされるが，これは，過去の違反行為に対する制裁ではなく，あくまでも，納税義務違反の発生を未然に防止し，適正な申告を確保するためのものであるとの意味である。いわゆる「行政制裁」も，後者の意味で使われているのであり，「行政上の措置」というのと同義である。

このように，加算税を納税義務違反を未然に防止し，適正な申告を確保するための行政上の措置と考えると，憲法39条の二重処罰の対象となる「刑事上の責任」には当たらないこととなり，憲法違反の問題は生じないこととなるのである。

本稿でも，このように，過少申告加算税のみならず重加算税も行政上の措置であるという理解から出発することとする。

2　過少申告加算税の免除における「正当な理由」の意義

まず，過少申告加算税の根拠規定であるが，国税通則法65条1項であり，同項には，「期限内申告書（…）が提出された場合（…）において，修正申告書の提出又は更正があつたときは，当該納税者に対し，その修正申告又は更正に基づき第35条第2項（期限後申告等による納付）の規定により納付すべき税額に100の10の割合を乗じて計算した金額に相当する過少申告加算税を課する。」と規定されている。

このように過少申告の場合に納付税額の10%の過少申告加算税が賦課されることとなるが，このような過少申告加算税を課す根拠は，上記のとおり，適正な申告を確保するための行政上の措置である。この点，後記最高裁平成18年4月20日判決（民集60巻4号1611頁，事例47）も，「過少申告加算税は，過少申告による納税義務違反の事実があれば，原則としてその違反者に対し課されるものであり，これによって，当初から適法に申告し納税した納税者との間の客観的不公平の実質的な是正を図るとともに，過少申告による納税義務違反の発生を防止し，適正な申告納税の実現を図り，もって納税の実を挙げようとする行政上の措置であり，主観的責任の追及という意味での制裁的な要素は重加算税に比して少ないものである。」（下線筆者）と判示するところである。

一方，国税通則法65条4項は，「第1項又は第2項に規定する納付すべき税額の計算の基礎となつた事実のうちにその修正申告又は更正前の税額（…）の計算の基礎とされていなかつたことについて正当な理由があると認められるものがある場合には，これらの項に規定する納付すべき税額からその正当な理由があると認められる事実に基づく税額として政令で定めるところにより計算した金額を控除して，これらの項の規定を適用する。」（下線筆者）と規定し，過少申告であったとしても，過少申告をしたことについて「正当な理由」がある場合には，過少申告加算税が免除されると規定している。

過少申告加算税は，このような「正当な理由」がある場合だけでなく，第2節で後述する「更正があるべきことを予知」しないで修正申告をした場合も免除されるが，「正当な理由」がある場合に免除されるのは，納税者に責めに帰すことができない客観的事由があるからである。

この点，上記最高裁平成18年4月20日判決も上記判示に続けて，「国税通則法65条4項は，修正申告書の提出又は更正に基づき納付すべき税額に対して課される過少申告加算税につき，その納付すべき税額の計算の基礎となった事実のうちにその修正申告又は更正前の税額の計算の基礎とされていなかったことについて正当な理由があると認められるものがある場合には，その事実に対応する部分についてはこれを課さないこととしているが，過少申告加算税の上記の趣旨に照らせば，同項にいう『正当な理由があると認められる』場合とは，真に納税者の責めに帰することのできない客観的な事情があり，上記のような過少申告加算税の趣旨に照らしても，なお，納税者に過少申告加算税を賦課することが不当又は酷になる場合をいうものと解するのが相当である。」（下線筆者）と判示していることである。

3　過少申告加算税の免除における「正当な理由」の要件

過少申告加算税の意義や「正当な理由」がある場合の免除の意義は，前記2のとおりであるが，まず，過少申告加算税の要件は，国税通則法65条1項の規定から，下記のとおりであることが分かる。

①　期限内申告をしたこと

②　この申告に係る課税標準等又は税額等について更正又は修正申告書の提出があったこと

③　これらにより納付すべきこととなる税額があることである。

次に，「正当な理由」がある場合の免除の要件は，同様に，国税通則法65条4項の規定から，下記の2つであることは明らかである。

①　納付すべき税額の計算の基礎となった事実のうちその修正申告又は更正前の税額の計算の基礎とされていなかった事実であること

②　その修正申告又は更正前の税額の計算の基礎とされていなかったことについて「正当な理由」があること

そこで，前記2の「正当な理由」による免除の趣旨にかんがみ，「正当な理由」との要件について具体的に検討することとする。

第2　最高裁平成11年6月10日判決

1　事案の概要

最高裁平成11年6月10日判決（判時1686号50頁）は，年老いた母の財産をめぐる兄弟間の相続争いで相続財産の対象となるか否かが争われていた状況下で，相続財産に含めずに申告した場合に，「正当な理由」があるかが問題となった事案である。事案の概要は，次のとおりである。

（事例44）

Aは，下図のとおり，平成元年12月，B社（Aの長男が代表者）に対し，本件不動産（甲地）について売買を原因とする所有権移転登記をしたが，その後，Aは，平成2年1月，本件不動産を4男Xに単独相続させる旨の遺言をし，B社に対し，上記登記の抹消登記手続を求める訴えを提起した。

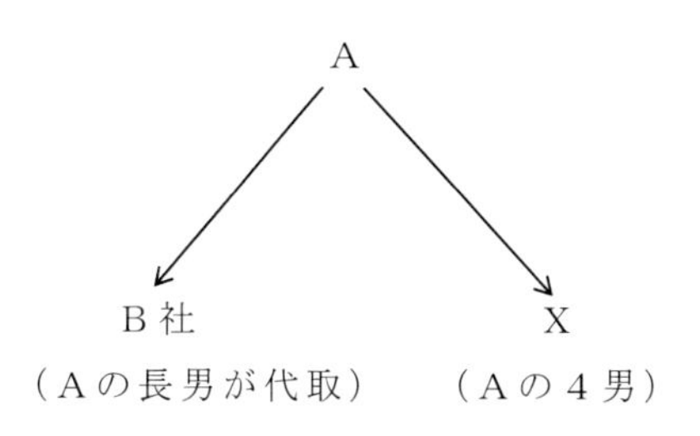

しかし，この訴訟の係属中の平成2年8月に，Aが死亡し，Xがこの訴訟を承継した。Xは，平成3年2月，本件不動産を相続財産に含めずに相続税の申告をするとともに，「本件不動産については係争中であり，遺言書に記載されているがとりあえず相続財産から外して申告し，判決が確定次第申告する」旨を記載した文書を併せて提出した。Xは，平成3年3月，上記訴訟で請求認容の判決を得，これに対し，B社が控訴した。

税務署の係官は，Xから上記訴訟の経過につき説明を受け，Xに対し，本件不動産を，相続税の課税財産に含め修正申告するよう指導し，これに従い，Xは，平成3年12月，修正申告した。これに対し，Y税務署長は，平成4年1月28日，Xに過少申告加算税を賦課する旨の決定処分をした。

なお，上記訴訟において，平成4年11月にいたって，裁判上の和解が成立し，同年12月，錯誤を原因として，本件不動産の移転登記が抹消され，AからXに移転登記がなされた。

Xが本件不動産を相続財産に加えずに申告したのは，通則法65条4項の「正当な理由」があるか。

※事実関係は，実際の事案を少し単純化している。

2　判　旨

⑴　1審判決

1審の東京地裁平成7年3月28日判決（訟月47巻5号1207頁）は，「申告当時適法とみられた申告がその後の変更により納税者の故意過失に基づかないで過少申告となり，申告した税額に不足が生じたごとく，当が申告が真にやむを得ない理由によるものであって，単に，納税者に税法の不知や法令解釈の誤解がある場合には，これに当たらないと解するのが相当である。」とした上，「これを本件についてみると，前記…のとおり，本件不動産は，相続税法2条1項にいう『相続又は遺贈に因り取得した財産』に該当するものと認められるから，Xらはこれを申告すべきであったところ，たとえ，Xらが，本件不動産は，所有権の帰属について別件訴訟で係争中であるから，それを申告すべき義務を負わないものと誤解したとしても，そのような事情は，Xらが法令解釈を誤解したことによるものにすぎず，右事情をもって通則法65条4項にいう『正当な理由』に当たるということはできないというべきである。」として，「正当な理由」はないとした。

控訴審の東京高裁平成7年11月27日判決（訟月47巻5号1222頁）も，これを是認した。そのため，Xが上告した。

⑵　最高裁判決

これに対し，上記最高裁判決は，「相続財産に属する特定の財産を計算の基礎としない相続税の期限内申告書が提出された後に当該財産を計算の基礎とする修正申告書が提出された場合において，当該財産が相続財産に属さないか又は属する可能性が小さいことを客観的に裏付けるに足りる事実を認識して期限内申告書を提出したことを納税者が主張立証したときは，国税通則法65条4項にいう『正当な理由』があるものとして，同項の規定が適用されるものと解すべきである。しかしながら，Xらが本件において『正当な理由』がある根拠として主張立証する事実をもってしては，いまだ本件不動産が相続財産に属さないか又は属する可能性が小さいことを客観的に裏付けるに足りる事実を認識して期限内申告書を提出したことの主張立証として十分とはいえず，これに原審の適法に確定したその余の事実関係を併せ考慮しても，Xらに『正当な理由』があったと認めることはできない。」（下線筆者）として，上記過少申告加算税を課したのは結論として適法であるとした。

3　検　討

(1)　要件事実

本件の要件事実は，下記のとおりとなる。

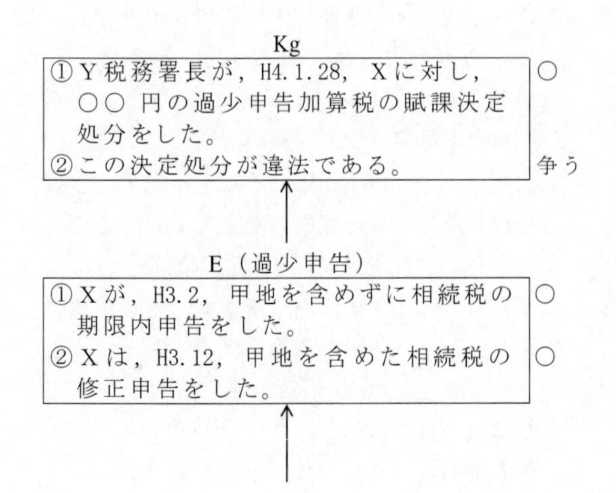

R（正当な理由）

Xが，期限内申告に当たり甲地を含めなかったのは，Xの相続財産に属する可能性が小さいことを客観的に裏付けるに足る具体的事実を認識していたためであった。	×

※再抗弁の下線部分は，本件における具体的事実，例えば，母AがB社に甲地を売却した経緯やAの意思能力の状況がこれに当たる。

(2)　「正当な理由」の意義

まず，過少申告加算税の免除における「正当な理由」の意義が問題となる。この点，前記第1の2のとおり，最高裁平成18年4月20日判決は，「同項（筆者注・通則法65条4項）にいう『正当な理由があると認められる』場合とは，真に納税者の責めに帰することのできない客観的な事情があり，上記のような過少申告加算税の趣旨に照らしても，なお，納税者に過少申告加算税を賦課することが不当又は酷になる場合をいうものと解するのが相当である。」と判示している。

「正当な理由」は，法令上よく用いられる用語であるが，その意義は，これを用いている条文の趣旨によって異なるものと考えられる。

前記第1の2のとおり，過少申告加算税の趣旨は，納税義務違反を未然に防止し，適正な申告を確保するための行政上の措置であり，これに対し，納税者に客観的に責めに帰すべき事由がない場合には，このような措置の対象とすべきでないことから過少申告加算税が免除されるのであり，上記最高裁判決がいうとおり，「正当な理由」とは，「真に納税者の責めに帰することのできない客観的な事情があり，上記のような過少申告加算税の趣旨に照らしても，なお，納税者に過少申告加算税を賦課することが不当又は酷になる場合」に限るというべきであろう。具体的には，①税法の解釈に関して申告当時に公表されていた見解がその後改変されたことに伴い修正申告し又は更正を受けた場合，②災害又は盗難等に関し，申告当時損失とすることを相当としたものが，その後予期しなかった保険金等の支払を受け又は盗難品の返還を受けたため修正申告し又は更正を受けた場合など申告当時適法とみられた申告がその後の事情の変化により，納税者の故意過失に基づかずして過少申告となった場合がこれに当たり，単に過少申告が納税者の税法の不知又は誤解に基づく場合には，これに該当しないというべきである（注211）。

(3)「正当な理由」の立証責任

ア．立証責任の所在

次に，過少申告加算税の免除における「正当な理由」の意義を上記のとおり考えたとして，この「正当な理由」の立証責任が課税庁にあるのか，納税者にあるのかが問題となる。この点，上記最高裁平成11年6月10日判決は，前記2「判旨」のとおり，「当該財産が相続財産に属さないか又は属する可能性が小さいことを客観的に裏付けるに足りる事実を認識して期限内申告書を提出したことを納税者が主張立証したときは，国税通則法65条4項にいう『正当な理由』があるものとして，同項の規定が適用されるものと解すべきである。」（下線筆者）と判示し，納税者に立証責任があるとしている。

「正当な理由」は，過少申告加算税の成立の障害要件であり，納税者にとって有利な法律効果の生じる要件であるので納税者に立証責任があると考えるべきであろう（注212）。

イ．相続財産の帰属に争いがある場合の申告と過少申告加算税

そこで，上記最高裁平成11年6月10日判決において争点となった相続財産の帰属に争いがある場合の相続税の申告に当たっての「正当な理由」の有無が問題となる。

そもそも相続財産の帰属に争いがある場合に，期限内申告においては，これを相続財産の対象に含めずに申告し，後に相続財産の対象となるとして修正申告が提出される場合，その態様としては，次のように分けることができる（注213）。

① 期限内申告時には当該財産が相続財産に属するという外形が全くなかったため，相続人が相続財産に属するとは考えていなかった場合←後に修正申告をしたとき「正当な理由」あり。
② 期限内申告時には当該財産が相続財産に属するか否かが明確でなく，その後に属することが明らかとなった場合←本件
③ 期限内申告時に当該財産が相続財産に属することが明らかであったが申告がされなかった場合←後に修正申告したとき「正当な理由」なし。

上記の場合のうち，①の場合には，「正当な理由」があり，③の場合には，「正当な理由」がないことは明らかであるが，②の場合が問題である。この②の場合が，法令解釈の問題と事実認定の問題の両方に絡んでいるのであり，①の場合に近い場合から③の場合に近い場合まで様々なバリエーションがあり得る。上記最高裁平成11年6月10日判決の事案は，この②の場合である。そこで，このような②の場合に「正当な理由」があるか否かが問題となるが，これについては，次の3つの見解があり得る。

A）厳格説：相続財産に属する可能性があることを認識している限り，相続財産に含めずに申告した場合には，「正当な理由」が認められないとする見解

B）緩和説1：相続財産に属する可能性があ

注211　神戸地判昭58・8・29シュトイエル262号（三晃社，昭和59年）23頁，同旨大阪高判平2・228税資175号976頁，その上告審最判平2・10・25税資181号129頁

注212　金子・租税法第24版1137頁も「正当な理由」の主張・立証責任は，納税者にあるとする。

注213　判例時報1686号（平成11年）50頁の匿名コメント

ることを認識していたとしても，その可能性が小さいことを客観的に裏付けるに足る事実を認識して相続財産に含めずに申告した場合には，「正当な理由」があるとする見解

C）緩和説２：紛争が自己に有利に解決される可能性が大きくない限り，「正当な理由」が認められるとする見解（注214）

※ このＣの見解は，Ｂの見解に対比する形で言い換えると，相続財産に属する可能性があることを認識していたとしても，その可能性が大きくないことを認識して相続財産に含めずに申告した場合には，「正当な理由」があるとする見解と言い換えることができよう。

㋐　原審判決の立場

上記最高裁平成11年６月10日判決の１審の東京地裁平成７年３月28日判決は，「申告当時適法とみられた申告がその後の変更により納税者の故意過失に基づかないで過少申告となり，申告した税額に不足が生じたごとく，当該申告が真にやむを得ない理由によるものであって，単に，納税者に税法の不知や法令解釈の誤解がある場合には，これに当たらないと解するのが相当である。」とした上，「これを本件についてみると，前記…のとおり，本件不動産は，相続税法２条１項にいう『相続又は遺贈に因り取得した財産』に該当するものと認められるから，Ｘらはこれを申告すべきであったところ，たとえ，Ｘらが，本件不動産は，所有権の帰属について別件訴訟で係争中であるから，それを申告すべき義務を負わないものと誤解したとしても，そのような事情は，Ｘらが法令解釈を誤解したことによるものにすぎず，右事情をもって通則法65条４項にいう『正当な理由』に当たるということはできないというべきである。」として「正当な理由」はないとし，控訴審の東京高裁平成７年11月27日判決もこれを是認したのである。すなわち，１審も控訴審も，Ｘにおいて甲地がＸの相続財産に属する可能性があることを認識している限り，その可能性の大小を問わず，申告義務を負わないとの法令解釈の誤解にすぎず，「正当な理由」はないとしたものであり，上記Ａ説に立っていると考えられる。

㋑　最高裁判決の立場

これに対し，上記最高裁判決は，前記２⑵「判旨」のとおり，「当該財産が相続財産に属さないか又は属する可能性が小さいことを客観的に裏付けるに足りる事実を認識して期限内申告書を提出したことを納税者が主張立証したときは，国税通則法65条４項にいう『正当な理由』がある」と判示しており，上記Ｂの見解に立っているものと考えられる。本件で問題となっている上記②の場合は，単なる申告義務の有無についての法令解釈の問題ではなく，申告義務の前提となる事実をどうみるかも絡んでいる問題であり，単なる法令解釈の誤解であるとして，「正当な理由」がないとするのは問題である。

そのような観点でみると，上記最高裁判決は，本件を単なる法令解釈の問題ではなく，事実認定も絡んでいる問題としてとらえている点では相当である。しかしながら，上記最高裁は，Ｘが相続財産に属せず自己に帰属しないことの立証を要求するものであるが，一方で，Ｘは，Ｂ社に対し，相続財産に属するということで訴訟を起こしているのであり，この訴訟におけるＸの主張と矛盾した立証を要求するものである。具体的にいうと，ＸとＢ社との争いは，民法の問題としてとらえると，民法177条の二重譲渡の対抗問題であり，Ｂ社に登記があるが，Ｘは，ＡがＢ社に対する売買契約をした時点で意思能力が欠けていて無効であるとの争いをしているのである。そうであるにもかかわらず，

注214　金子・租税法第24版908頁

AがB社に対する売買契約をした時点で意思能力があった可能性があることをXにおいて認識していたとの立証をしたときに「正当な理由」があるとするのは，Xに矛盾した立証を要求していることとなろう。これは，相続財産の帰属について争いがある場合を事実認定も絡んでいる問題として，「正当な理由」がある場合もあると緩和する立場を採っているといっても，実際上は，納税者に無理な立証を要求するものである。したがって，相続財産の帰属について争いがある場合を事実認定も絡んでいる問題として，「正当な理由」がある場合もあると緩和する立場を採る以上は，C説を採るべきであり，B社に登記があれば，AとB社との売買契約が無効ないし取り消されない限りは，相続財産に属する可能性が大きくないのであるから，Xにおいてそのような事実関係を認識して，相続財産の対象としなかったのであれば，「正当な理由」があるというべきと考える。すなわち，本件においては，上記最高裁判決が認定しているXの認識だけで十分に「正当な理由」があると考えるべきであろう。

第2節　修正申告に対する過少申告加算税の免除における「更正があるべきことを予知」

第1　「更正があるべきことを予知」の意義と要件

1　「更正があるべきことを予知」の意義

第1節で論じたとおり，過少申告加算税は，当初の申告が過少であったとしても申告の対象としなかったことについて「正当な理由」があれば免除される。さらに，国税通則法65条5項は，「第1項の規定は，修正申告書の提出があつた場合において，その提出が，その申告に係る国税についての調査があつたことにより当該国税について更正があるべきことを予知してされたものでないときは，適用しない。」（下線筆者）と規定し，「更正があるべきことを予知」しないで修正申告がされた場合にも過少申告加算税を免除するとしている。

これは，東京地裁昭和56年7月16日判決（行集32巻7号1056頁）が，「そもそも加算税制度の趣旨は，適法な申告をしない者に対し所定の率の加算税を課することによって右のような納税義務違反の発生を防止し，もって申告納税制度の信用を維持しその基礎を擁護するところにある。この加算税制度の趣旨にかんがみれば，前記法条の趣旨は，過少申告がなされた場合には修正申告書の提出があったときでも原則として加算税は賦課されるものであるが，『申告に係る国税についての調査があったことにより当該国税について更正があるべきことを予知』することなく自発的に修正申告を決意し，修正申告書を提出した者に対しては例外的に加算税を賦課しないこととし，もって納税者の自発的な修正申告を歓迎し，これを奨励することを目的とするものというべきである。」（下線筆者）と判示するとおり，納税者の自発的な修正申告を奨励し，これを奨励する趣旨に出たものと考えられる。

2　「更正があるべきことを予知」の要件

過少申告加算税の要件は，第1節の第1の3で述べたとおりである。「更正があるべきことを予知」しないで修正申告がされた場合の免除の要件は，国税通則法65条5項の規定から，下記の3つであることが分かる。

①　修正申告の提出があったこと
②　申告に係る国税について調査があったこと
③　修正申告の提出が上記②の調査により更正があるべきことを予知してされたものでないとき

第2　東京地裁平成14年1月22日判決

1　事案の概要

東京地裁平成14年1月22日判決（訟月50巻6号1802頁）は，ルノアールの絵画の売却に関する脱税事件に関係して，後に脱税事件の被告人となる者が修正申告したが，重加算税の賦課決定処分を受けたとの事案である。すなわち，過少申告加算税に代えて重加算税が賦課された事案であり，この場合にも，国税通則法65条5項の適用はあり，同項の「更正があるべきことを予知」してされたものであるかが問題となった事案である。

事案の概要は，次のとおりである。

（事案45）

Xは，平成元年3月29日，ルノワールの絵画の取引に関する仲介手数料として，2億3,500万円を受け取った。Xは，平成2年3月15日に平成元年分の確定申告をしたが，上記仲介手数料は除外して申告した。

税務署所職員は，平成2年8月に，Xが仲介手数料を受け取る際に小切手を現金化するために使用した仮名口座を発見し調査を開始した。しかし，税務署職員は，絵画取引に関し関係者による脱税があるとの疑いで調査をしていたものの，いまだその口座がXのものであるとの特定にまでは至っていなかった。

Xは，平成3年3月30日に，上記絵画取引に関する新聞記事が出たことなどから，いずれ自己の脱税も発覚すると思い，平成3年4月2日，国税庁長官に面会し，修正申告の申出をして，同年7月4日に修正申告をした。

これに対し，Y税務署長は，平成5年5月30日に平成元年分の申告に対し重加算税の賦課決定処分をした。

上記修正申告の申出は，「更正があるべきことを予知してされたものではないとき」に当たるか。

※事実関係は，実際の事案を少し単純化している。

2　判　旨

上記東京地裁判決は，「本件規定（筆者注・通則法65条5項）の解釈としては，税務職員がその申告に係る国税の課税要件事実についての調査に着手してその申告が不適正であることを発見するに至るかあるいはその端緒となる資料を発見し，これによりその後調査が進行し先の申告が不適正で申告漏れの存することが発覚し更正に至る可能性が生じたと認められる段階に達した後に，納税者がやがて更正に至るべきことを認識した上で修正申告を決意し修正申告書を提出したものでないこと，言い換えれば同事実を認識する以前に自ら進んで修正申告を確定的に決意して修正申告書を提出することを必要とし，かつ，それをもって足りると解すべきである。」（下線筆者）とし，Xが国税庁長官に修正申告の申出をした時点で，税務署職員はXの開設した仮名口座を発見し端緒となる資料を発見しており，更正に至る可能性が生じたと認められる段階に達していたとして，「更正があるべきことを予知してされたものではないとき」に当たらないとして，過少申告加算税の賦課決定は適法であるとした。

なお，本件は，控訴審の東京高裁平成14年9月17日判決（訟月50巻6号1791頁）でも是認され，確定している。

3　検　討

⑴　要件事実

本件の要件事実は，次のとおりである。

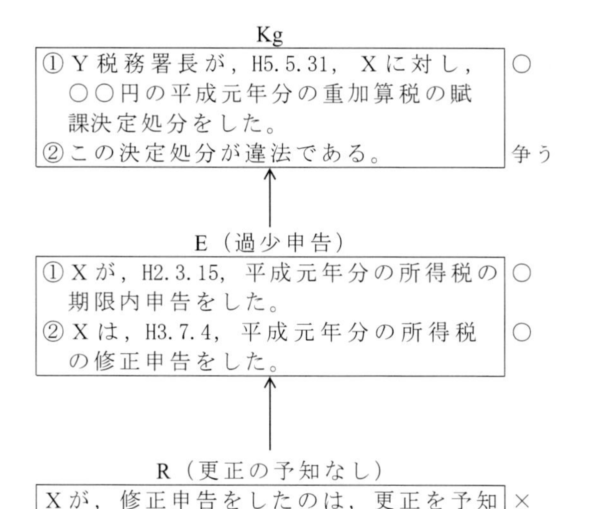

(2)「予知してされたものでないとき」の意義

「更正があるべきことを予知」しないで修正申告がされた場合の免除における「予知してされたものでないとき」の意義が問題となる。これについては，国税の調査のどの段階で修正申告をした場合に，「更正があるべきことを予知」していないと認められるかが問題となり，下図の段階で分析したとき，次の3つの見解に分かれる。

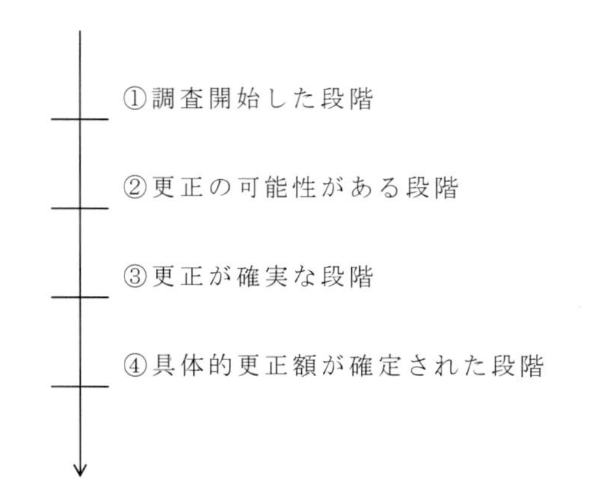

A）調査着手説：およそ調査が開始された段階（(上記図①）の段階）以降の修正申告は，「予知してされたものではないとき」に当たらないとする見解

B）中間説（端緒把握説）

○客観的可能性説：更正に至る可能性が生じたと認められる段階（上記図②の段階）に達した後の修正申告は，「予知してされたものではないとき」に当たらないとする見解（本東京地裁判決）

○客観的確実性説：更正が確実に達した段階（上記図③の段階）以降後の修正申告は，「予知してされたものではないとき」に当たらないとする見解（注215）

C）不足額発見説：具体的不足額が発見された段階（上記図④の段階）に達した後の修正申告は，「予知してされたものではないとき」に当たらないとする見解

これらの見解のうち，A説は，過少申告加算税の免除の範囲が最も制限される見解であるが，国税通則法65条5項が「調査があつたことにより当該国税について更正があるべきことを予知」（下線筆者）と規定し，調査に着手した後の修正申告も「予知してされたものではない」として免除が認められることを規定しており，この文理に反する。

一方，C説は，過少申告加算税の免除の範囲が最も広い見解であるが，国税において具体的更正額が確定された段階で，修正申告をしたとしても，この段階では，更正処分がなされるのは必至であるから，到底，自発的な修正申告とはいえない。それにもかかわらず免除を認めるのでは，前記第1の1で論じた「更正があるべきことを予知」しないで修正申告がされた場合に過少申告加算税を免除する趣旨すなわち納税者の自発的な修正申告を歓迎しこれを奨励する

注215　広島高裁松江支部判平14・9・27（訟月50巻10号3033頁），金子・租税法第24版907頁，品川芳宣『附帯税の事例研究第4版』（財経詳報社，平成24年）178頁

との趣旨に反することとなる。そうすると，B説が相当であるが，B説のうちの客観的確実性説を採るべきと考える。

一方，上記東京地裁判決は，可能性で足りるとする考え方で，客観的確実性説よりも若干免除の範囲を狭める考え方であり，納税者に酷というべきであり，相当でない。ただし，上記東京地裁の事例の場合，国税庁長官に修正申告の申出をした段階で，客観的確実性があったと認定することができる事案であり，結論は正当と考える。

⑶「予知してされたものでないとき」の立証責任

「更正があるべきことを予知」してされた申告に当たるか否かは，過少申告加算税の障害要件であり，納税者に有利な法律効果をもたらす要件であるので，納税者側に立証責任があると考える（注216）。

このように「更正があるべきことを予知」していたか否かは，納税者側に立証責任があると考えるが，前記⑵の客観的確実性説に立つと，国税の調査が客観的に確実な段階に達していたのかが問題となる。そうすると，国税の調査がどの段階に達していたかが問題となり，国側に対し，事実上，国税の内偵捜査の状況などの立証を強いることにもなる。客観的確実性説は，この点が問題であり，裁判で証拠が十分に出されないことが懸念される。この点，高松高裁平成16年１月15日判決（訟月50巻10号3054頁）は，「客観的に行われた調査の内容と構成の予知との関係は，納税者側の事情によって様々なのであるから，調査の内容は，当該修正申告のなされた経緯との相関関係において，どこまで具体的に主張立証するべきかを考えれば足りる。要は，調査と更正予知の関係に関する事実認定の問題であって，すべての事案において課税庁側にまず客観的な調査の具体的な内容を明らかにすることを求めるまでの必要があるわけではない。」と判示し，客観的確実性説に立ちながら，その問題点の解決を図るものであり，注目される。筆者としては，この高松高裁判決の考え方に賛成である。

第３節　重加算税における「隠ぺいし又は仮装」

第１　重加算税における「隠ぺいし又は仮装」の意義と要件

１　重加算税における「隠ぺいし又は仮装」の意義

第１節の第１の１で論じたとおり，加算税は，納税義務違反の発生を未然に防止し，適正な申告を確保するための行政上の措置である。重加算税もこのような加算税の一つであり，上記のような行政上の措置であり，納税義務違反をしたことに対する制裁ではない。それ故，刑事罰である罰金刑との二重処罰とはならないのである。

この点については，最高裁昭和45年９月11日判決（刑集24巻10号1333頁）が，「国税通則法68条に規定する重加算税は，法65条ないし67条に規定する各種の加算税を課すべき納税義務違反が課税要件事実を隠ぺいし，または仮装する方法によって行われた場合に，行政機関の行政手続により違反者に課せられるもので，これによってかかる方法による納税義務違反の発生を防止し，もって徴税の実を挙げようとする趣旨に出た行政上の措置であり，違反者の不正行為の反社会性ないし反道徳性に着目してこれに対する制裁として科せられる刑罰とは趣旨，性質を異にするものと解すべきであって，それゆえ，同一の租税逋脱行為について重加算税のほかに刑罰を科しても憲法39条に違反するものでない

注216　東京地判昭56・７・16行集32巻７号1056頁，金子・租税法第24版907頁注11

ことは，当裁判所大法廷判決の趣旨とするところである（…）。」（下線筆者）と判示するところである。

重加算税は，第1節の第1の1で論じたとおり，①過少申告加算税に代わる重加算税（通則法68条1項），②無申告加算税に代わる重加算税（同条2項），③不納付加算税に代わる重加算税（同条3項）の3種類がある。

2　重加算税における「隠ぺいし又は仮装」の要件

前記1のとおり，重加算税には3種類があるが，これらのうち過少申告加算税に代わる重加算税について，その要件を検討することとする。これについては，国税通則法68条1項が，「第65条第1項（過少申告加算税）の規定に該当する場合（…）において，納税者がその国税の課税標準等又は税額等の計算の基礎となるべき事実の全部又は一部を隠ぺいし，又は仮装し，その隠ぺいし，又は仮装したところに基づき納税申告書を提出していたときは，当該納税者に対し，政令で定めるところにより，過少申告加算税の額の計算の基礎となるべき税額（…）に係る過少申告加算税に代え，当該基礎となるべき税額に100分の35の割合を乗じて計算した金額に相当する重加算税を課する。」（下線筆者）と規定している。この規定から，過少申告加算税に代わる重加算税の要件は，以下のとおりであることが分かる。

① 期限内申告をしたこと
② 更正処分又は修正申告により納付すべきこととなる税額があること
③ 納税者
④ 隠ぺい又は仮装
⑤ ①の申告が④の隠ぺい又は仮装に基づきなされたこと

上記の要件のほか，上記①の期限内申告をした際に同申告が過少であることの認識すなわち過少であることの故意が必要かが問題となる。罰金刑のような刑事上の制裁であれば，そのような違反行為を非難する前提として故意になされたことが要件である（刑法38条1項参照）。しかしながら，前記1で述べたとおり，重加算税はあくまでも行政上の措置であり，必ずしも故意であることが必要となるのではない。国税通則法68条1項は，その文言上，故意を要件とはしておらず，故意は要件ではないと考える。この点，最高裁昭和62年5月8日判決（訟月34巻1号149頁）も，「国税通則法68条に規定する重加算税は，同法65条ないし67条に規定する各種の加算税を課すべき納税義務違反が事実の隠ぺい又は仮装という不正な方法に基づいて行われた場合に，違反者に対して課される行政上の措置であつて，故意に納税義務違反を犯したことに対する制裁ではないから（…），同法68条1項による重加算税を課し得るためには，納税者が故意に課税標準等又は税額等の計算の基礎となる事実の全部又は一部を隠ぺいし，又は仮装し，その隠ぺい，仮装行為を原因として過少申告の結果が発生したものであれば足り，それ以上に，申告に対し，納税者において過少申告を行うことの認識を有していることまでを必要とするものではないと解するのが相当である。」（下線筆者）と判示しているところである。

第2　最高裁平成7年4月28日判決

1　事案の概要

最高裁平成7年4月28日判決（民集49巻4号1193頁）は，架空名義の利用などといった積極的な事前の秘匿行為がない場合でも，「仮装」といえる場合があるとして，いわゆる「殊更の過少申告」の一類型を認めた判例の事案である。

（事例46）

Xは，昭和60年分，同61年分及び同62年分の所得税について，Y税務署長に申告したが，雑所得として申告すべき株式等の売買による所得を申告書に全く記載しなかった。しかし，Xは，取引の名義を架空にしたり，その資金の出納のために隠れた預金口座を設けたりするようなことはしなかった。Xは，上記雑所得を雑所得として申告すべきことを熟知しながら，これを申告して納税するつもりがなく，上記各年分の確定申告書の作成を顧問税理士に依頼した際に，その都度，同税理士から，上記所得の有無について質問を受け，資料の提示を求められていたにもかかわらず，確定的な脱税の意思に基づいて，同税理士に対し，課税要件を満たす所得はない旨答え，株式等の取引に関する資料を全く示さなかった。

Xに対し，重加算税を課すことができるか。

※事実関係は，実際の事案を少し単純化している。

2　判　旨

上記最高裁判決は，「重加算税を課するためには，納税者のした過少申告行為そのものが隠ぺい，仮装に当たるというだけでは足りず，過少申告行為そのものとは別に，隠ぺい，仮装と評価すべき行為が存在し，これに合わせた過少申告がされたことを要するものである。しかし右の重加算税の趣旨にかんがみれば，架空名義の利用や資料の隠匿等の積極的な行為が存在したことまで必要であると解するのは相当でなく，納税者が，当初から所得を過少に申告することを意図し，その意図を外部からもうかがい得る特段の行動をした上，その意図に基づく過少申告をしたような場合には，重加算税の右賦課要件が満たされるものと解すべきである。」（下線筆者）とし，本件の重加算税賦課決定処分を適法であるとした。

3　検　討

(1)　要件事実

本件の要件事実は，下記のとおりである。

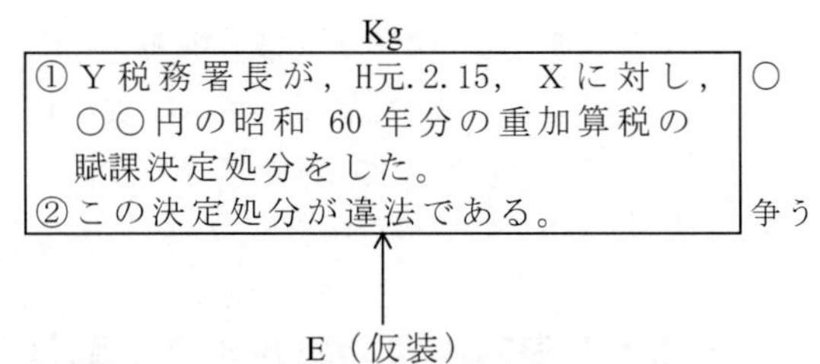

E（仮装）

①Xが，昭和60年分の所得税の申告をした。	×
②Xが，過少に申告する意図で，あえて，顧問税理士に対し，株式等の取引に関する資料を見せなかった。（納税者，仮装）	×
③Xが，上記株式等の取引を除外して，申告した。	○

(2)　「仮装」の意義

国税通則法68条1項の「隠ぺいし，又は仮装し」の意義については，「事実の隠ぺいとは，…売上除外，証拠書類の廃棄等，課税要件に該当する事実の全部又は一部をかくすことをいい，事実の仮装とは，架空仕入・架空契約書の作成・他人名義の利用等，存在しない課税要件事実が存在するように見せかけることをいう。」(注217) とされている。また，国税通則法68条1項は，「その隠ぺいし，又は仮装したところに基づき納税申告書を提出していたときは」（下線筆者）と規定し，文言上は，申告前に仮装又は隠ぺいといった事前の秘匿行為が別途なされている必要があるように読める。

一方，同一の行為に対し，納税者が重加算税を賦課されるとともに，ほ脱犯ということで刑事罰を受けることがあるが，ほ脱犯については，「偽りその他不正の行為により，第120条第1項第3号（…）に規定する所得税の額（…）につ

注217　金子・租税法第24版914頁

き所得税を免れ，又は…所得税の還付を受けた者は，5年以下の懲役若しくは500万円以下の罰金に処し，又はこれを併科する。」（下線筆者）（所得税法238条1項，法人税法159条も同様の規定である。）と規定し，申告前に事前の秘匿行為がなされることまで文言上は要求されていない。そこで，上記ほ脱犯の構成要件の「不正の行為」については，最高裁昭和42年11月8日大法廷判決（刑集21巻9号1197頁）が判示するところであるが，「所論所得税，物品税の逋脱罪の構成要件である詐偽その他不正の行為とは，逋脱の意図をもつて，その手段として税の賦課徴収を不能もしくは著しく困難ならしめるようななんらかの偽計その他の工作を行なうことをいうものと解するのを相当とする。」とされ，無申告であっても，ほ脱の意図に基づいて正規の帳簿に殊更記帳していない場合には，「不正の行為」に当たるとされている。

さらに，いわゆる「つまみ申告」といわれる場合も，最高裁昭和48年3月20日判決（刑集27巻2号138頁）によって，「真実の所得を隠蔽し，それが課税対象となることを回避するため，所得金額をことさらに過少に記載した内容虚偽の所得税確定申告書を税務署長に提出する行為（…）自体，単なる所得不申告の不作為にとどまるものではなく（当裁判所昭和…26年3月23日第二小法廷判決・裁判集刑事42号登載参照），右大法廷判決の判示する『詐偽その他不正の行為』にあたるものと解すべきである。」（下線筆者）とされている。

ア．つまみ申告

このように，ほ脱犯の場合には，つまみ申告のように事前の秘匿行為がない場合も，殊更過少に申告したのであれば，「不正の行為」に当たるとされていることから，これとの均衡上重加算税でもこのような行為も対象とすべきではないかが問題となる。

そこで，最高裁平成6年11月22日判決（訟月41巻11号2887頁）は，つまみ申告の事案において，「Xは，単に真実の所得金額よりも少ない所得金額を記載した確定申告書であることを認識しながらこれを提出したというにとどまらず，本件確定申告の時点において，白色申告のため当時帳簿の備付け等につきこれを義務付ける税法上の規定がなく，真実の所得の調査解明に困難が伴う状況を利用し，真実の所得金額を隠ぺいしようという確定的な意図の下に，必要に応じ事後的にも隠ぺいのための具体的工作を行うことも予定しつつ，前記会計帳簿から明らかに算出しうる所得金額の大部分を脱漏し，所得金額を殊更過少に記載した内容虚偽の確定申告書を提出したことが明らかである。したがって，本件各確定申告は，単なる過少申告行為にとどまるものではなく，国税通則法68条1項にいう税額等の計算の基礎となるべき所得の存在を一部隠ぺいし，その隠ぺいしたところに基づき納税申告書を提出した場合に当たるというべきである（最高裁昭和…48年3月20日第三小法廷判決・刑集27巻2号138頁参照）。」（下線筆者）と判示して，①真実の所得の調査解明に困難が伴う状況を利用し，②真実の所得金額を隠ぺいしようという確定的な意図の下に，③必要に応じ事後的にも隠ぺいのための具体的工作を行うことも予定しつつ過少申告をした場合には，殊更の過少申告ということで，国税通則法68条1項の「隠ぺい又は仮装」に当たると判示した。

イ．殊更の過少申告

これに対し，前記最高裁平成7年4月28日判決は，つまみ申告の事案ではなく，顧問税理士に所得を得ている事実を秘匿したとの事案であり，この場合にも，①過少に申告するとの意図で，②その意図を外部からもうかがい得る特段の行動をして過少申告した場合にも，殊更の過少申告ということで，国税通則法68条1項の「隠ぺい又は仮装」に当たるとしたものである。

国税通則法68条1項が，「その隠ぺいし，又は仮装したところに基づき納税申告書を提出していたときは」（下線筆者）と規定している文言からすると，いささか拡張解釈といわざるを得ないが，納税義務違反の発生を未然に防止し，適正な申告を確保する行政上の措置であるとの趣旨からみると，上記のようなつまみ申告の事案や本件のような事案も含めるべきと考える。もっとも，その限界が問題となるが，上記最高裁平成６年11月22日判決も上記最高裁平成７年４月28日判決のいずれも「過少申告の意図」があることを要求している。「過少申告の意図」とは，単に，前記第１の２で検討した過少申告であることの認識すなわち過少申告の故意ではなく，より強い「意図」を要求するものである。

ウ．小　括

これら２つの判例を整理すると，殊更の過少申告ということで「隠ぺい又は仮装」に当たるのは，次の２つとなると考える。

Ⅰ）　過少申告の意図＋真実の所得の調査解明に困難が伴うとの状況を利用している場合

Ⅱ）　過少申告の意図＋その意図を外部からもうかがい得る特段の行動をした場合

上記Ⅱに当たるのは具体的にはどのような場合であるかは，今後の事例に集積に委ねざるを得ないが，例えば，所得を得たにもかかわらず，その原始資料をあえて散逸させるに任せていた場合，税務調査に対する非協力・虚偽答弁・虚偽の資料の提出などの行為がこれに当たる可能性があろう（注218）。

第４節　重加算税における「納税者」

第１　重加算税における「納税者」の意義と要件

１　重加算税における「納税者」の意義

第３節の第１の２（201頁）で論じたとおり，過少申告加算税に代わる重加算税の要件は，下記のとおりである。

①　期限内申告をしたこと

②　更正処分又は修正申告により納付すべきこととなる税額があること

③　納税者

④　隠ぺい又は仮装

⑤　①の申告が④の隠ぺい又は仮装に基づきなされたこと

納税者の依頼した税理士が「隠ぺい又は仮装」をした場合，上記要件のうちの③の納税者が行ったといえるかが問題となる。

２　重加算税における「納税者」の要件

ある税理士が関与した事件で，納税者が予想しないような方法で「隠ぺい又は仮装」したことから，いくつかの最高裁判決で納税者が行ったといえるかが問題となったのであるが，これらの最高裁判例を整理すると，納税者が行ったといえるための要件は，下記のとおり２つに分解できると考える。

①　納税者が選任した第三者が隠ぺい・仮装をしたこと

②　第三者の行為が納税者本人の行為と同視できること

第２　最高裁平成18年４月20日判決

１　事案の概要

最高裁平成18年４月20日判決（民集60巻４号1611頁）は，ある税理士が関与し，納税者が予想しないような方法で「隠ぺい又は仮装」した一連の事案の一つである。

（事例47）

Ｘは，Ａ税理士から居住用資産の譲渡所得に係る税額がＹ税務署で示された額よりも低額で済むと言われ，同税理士に平成８年分の所得税の申告を委任した。Ａ税理

注218　近藤崇晴・最判解民事平成７年度（上）482頁

士は，Xの住所をN税務署管内に移転した旨の虚偽の通知をした上，取得金額を1億円余りとする虚偽の「お尋ね文書」を提出し，譲渡所得金が0円（譲渡収入9,600万円）とする虚偽の申告書を提出して過少申告をし，Xから受領した納税資金を横領していた。そのことが発覚し，Xが，本件譲渡所得について居住用資産の特例の適用を前提とする修正申告をしたところ，Y税務署長から重加算税の賦課決定処分を受け，さらに，同特例の適用を否定する第2次重加算税の賦課決定処分を受けた。

上記の場合，Xに対し，重加算税を賦課すべきか。

※事実関係は，実際の事案を少し単純化している。

2　判　旨

上記最高裁判決は，まず，「同項（筆者注・通則法68条1項）は，『納税者が・・・隠ぺいし，又は仮装し』と規定し，隠ぺいし，又は仮装する行為（以下「隠ぺい仮装行為」という。）の主体を納税者としているのであって，本来的には，納税者自身による隠ぺい仮装行為の防止を企図したものと解される。しかし，納税者以外の者が隠ぺい仮装行為を行った場合であっても，それが納税者本人の行為と同視することができるときには，形式的にそれが納税者自身の行為でないというだけで重加算税の賦課が許されないとすると，重加算税制度の趣旨及び目的を没却することになる。そして，納税者が税理士に納税申告の手続を委任した場合についていえば，納税者において当該税理士が隠ぺい仮装行為を行うこと若しくは行ったことを認識し，又は容易に認識することができ，法定申告期限までにその是正や過少申告防止の措置を講ずることができたにもかかわらず，納税者においてこれを防止せずに隠ぺい仮装行為が行われ，それに基づいて過少申告がされたときには，当該隠ぺい仮装行為を納税者本人の行為と同視することができ，重加算税を賦課することができると解するのが相当である。他方，当該税理士の選任又は監督につき納税者に何らかの落ち度があるというだけで，当然に当該税理士による隠ぺい仮装行為を納税者本人の行為と同視することができるとはいえない。」（下線筆者）とした。

そして上記最高裁判決は，「前記事実関係によれば，Xは，A税理士に確定申告手続を委任した際，脱税の意図はなく，専門家である同税理士を信頼して適正な申告を依頼したものであり，同税理士が脱税を行っていた事実を知っていたとうかがうこともできないというのである。そして，税理士は，適正な納税申告の実現につき公共的使命を負っており，それに即した公法的規律を受けているのであるから，Xにおいて，そのような税理士資格を有し，長年税務署に勤務していたというA税理士が，税法上許容される節税技術，計算方法等に精通していると信じたとしてもやむを得ないところであり，同税理士がそのような専門技能を駆使することを超えて隠ぺい仮装行為を行うことまでを容易に予測し得たということはできない。また，A税理士による確定申告後，東京国税局による臨場調査を受ける以前に，被上告人が本件確定申告書に虚偽の記載がされていることその他同税理士による隠ぺい仮装行為を認識した事実も認められず，同税理士を信頼して委任した被上告人において，これを容易に認識し得たというべき事情もうかがわれない。他方，税務署職員や長男から税額を800万円程度と言われながらこれが550万円で済むとのA税理士の言葉を信じた点や，本件確定申告書の内容をあらかじめ確認せず，申告書の控えや納付済みの領収証等の確認すらしなかった点など，Xにも落ち度はあるものの，これをもって同税理士による前記隠ぺい仮装行為を被上告人本人の行為と同視することができる事情に当たるとまでは認められないというべきである。」（下線筆者）として，重加算税を賦課することはできないとした。

3　検　討

⑴　要件事実

本件の要件事実は，下記のとおりである。

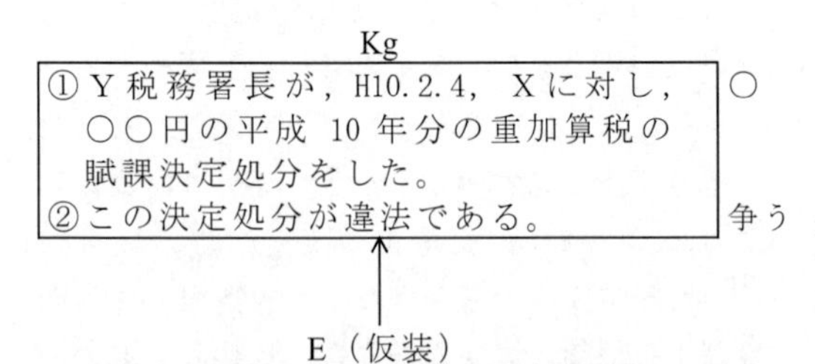

E（仮装）

①Ｘが，平成 10 年分の所得税の申告をした。　○
②Ｘが委任したＡ税理士が，所得税を免れる意図で，Ｘの住所をＮ税務署管内に移転した旨の虚偽の通知をした上，取得金額を１億円余りとする虚偽の「お尋ね文書」を提出し，譲渡所得金が０円（譲渡収入9,600 万円）とする虚偽の申告をした。（仮装）　○
③Ａ税理士の上記行為は，Ｘの行為と同視できる。　×

⑵　第三者による隠ぺい・仮装行為と「納税者」

ア．納税者と意思の連絡がある場合

納税者の依頼した税理士が「隠ぺい又は仮装」をした場合に，これが納税者の行為といえるかについて，ある税理士の行った一連の事件のうちの一つである最高裁平成17年１月17日判決（民集59巻１号28頁）は，「前記事実関係によれば，Ａ税理士は，本件土地の譲渡所得に関し，被上告人に対し，本件土地の買手の紹介料等を経費として記載したメモを示しながら，800万円も税額を減少させて得をすることができる旨の説明をしたが，Ｘは，上記紹介料を実際に出費していなかったし，出費した旨を同税理士に告げたこともなかったにもかかわらず，上記の説明を受けた上で，同税理士に対し，平成２年分の所得税の申告を委任し，税務代理の報酬５万円のほか，1800万円を交付したというのである。そうであるとすれば，Ｘは，Ａ税理士が架空経費の計上などの違法な手段により税額を減少させようと企図していることを了知していたとみることができるから，特段の事情のない限り，被上告人は同税理士が本件土地の譲渡所得につき架空経費を計上するなど事実を隠ぺいし，又は仮装することを容認していたと推認するのが相当である。原審が掲げる上記…の事情だけによって，上記特段の事情があるということはできない。そうすると，被上告人が脱税を意図し，その意図に基づいて行動したとは認められないとした原審の認定には，経験則に違反する違法があるというべきである。そして，本件において，ＸとＡ税理士との間に本件土地の譲渡所得につき事実を隠ぺいし，又は仮装することについて意思の連絡があったと認められるのであれば，本件は，国税通則法68条１項所定の重加算税の賦課の要件を充足するものというべきであるところ，記録によれば，Ａ税理士においても，同税理士が本件土地の譲渡所得につき事実を隠ぺいし，又は仮装することについて，Ｘがこれを容認しているとの認識を有していたことがうかがわれる。そうすると，原審の上記の経験則違反の違法は判決に影響を及ぼすことが明らかである。」（下線筆者）と判示している。これは，納税者が顧問税理士と意思連絡があったと認められる事案であり，この場合には，納税者の行為と同視するのは容易であり，納税者に対し重加算税を賦課すべきということになる。

イ．納税者が予想しない方法による場合

問題は，納税者とその依頼した税理士が納税者の予想しないような方法で「隠ぺい又は仮装」を行った場合である。結局，この場合どのような事実関係をもって納税者の行為と同視できるかの問題であり，見解が分かれているが(注219)，代表的なものを挙げると，次のような

注219　この問題についての見解の詳細は，川神裕・最判解民事平成18年度（上）591頁以下を参照されたい。

見解がある。

A）総合判断説：納税申告を依頼した第三者（代理人）の隠ぺい・仮装行為に対して，納税者がどこまで責任を負うべきかについては，納税者と代理人との関係，当該行為に対する納税者の認識の可能性，納税者の黙認の有無，納税者が払った注意の程度等にてらして，具体的事案ごとに判断すべきとする見解（注220）。

B）有責性必要説：納税者が第三者に申告を委任する場合には，適切に選任し，正しい申告をするよう監督すべき義務があり，納税者がこの選任・監督義務を行った結果，第三者が隠ぺい・仮装行為に及んだ場合に納税者の行為と同視できるとする見解。

前記最高裁平成18年４月20日判決は，Ｂ説に立っていると考えられる。国税通則法68条１項は，「納税者が」としか規定していないのであるから，文言上の制約から，納税者が行ったと同視できる場合に限定せざるを得ず，納税者の帰責性を問題とするほかなく，そのような理由から，筆者もＢ説が相当であると考える。

なお，やはり同じ税理士が関与した事件の一つである最高裁平成18年４月25日判決（民集60巻４号1728頁）は，「これを本件についてみると，前記事実関係によれば，１審原告は，Ａ税理士に本件確定申告手続を委任した際，同税理士が本件不正行為のような不正行為を行うことを認識せず，そのような疑いを抱くこともなく，同税理士が適法に確定申告手続を行うものと信頼して，本件確定申告手続を委任したというのである。そして，税理士は，適正な納税申告の実現につき公共的使命を負っており（税理士法１条参照），それに即した公法的規律を受けているのであるから，１審原告において，そのような税理士資格を有し，国税局に勤務していたというＡ税理士が，税法上許容される節税技術，計算方法等に精通していると信じたとしてもやむを得ないところであり，同税理士がそのような専門技能を駆使することを超えて自ら隠ぺい仮装行為を行うことまでを容易に予測し得たということはできない。また，Ａ税理士による本件確定申告書提出後，東京国税局の査察を受けるまでの間に，１審原告が本件確定申告書に虚偽の記載がされていることその他本件不正行為を認識した事実も認められず，同税理士が適法に確定申告手続を行うものと信頼して委任した１審原告において，本件不正行為を容易に認識し得たというべき事情もうかがわれない。他方，税務相談で教示された金額よりも約180万円も低い金額を示されたにもかかわらずＡ税理士の言葉を安易に信じた点や本件確定申告書の控えの確認すらしなかった点など，１審原告にも落ち度はあるものの，これをもって同税理士の本件不正行為を１審原告本人の行為と同視することができる事情に当たるとまでは認められないというべきである。そうすると，前記事実関係の下では，Ａ税理士の本件不正行為をもって納税者である１審原告本人の行為と同視することはできず，１審原告につき国税通則法68条１項所定の重加算税賦課の要件を満たすものということはできない。」（下線筆者）と判示しているが，これは，やはりＢ説に立った上で，納税者に選任・監督上の義務違反まではないとしたものであると考えられる。

注220　金子・租税法第24版915頁

◆ 結 び

本書を結ぶに当たり，これまで随所で論じてきたことであるが，租税法における解釈のあり方，租税法における契約解釈と通達の重要性についてまとめて述べることとしたい。

1 租税法における解釈のあり方

本書において論じた判例のうち租税法の解釈において特に重要なのは，①最高裁平成27年７月17日判決（事例20），②最高裁平成18年１月24日判決（事例26），③最高裁平成28年２月29日判決（事例36），④最高裁平成17年12月19日判決（事例37），⑤東京地裁平成11年３月30日判決（事例42），⑥最高裁令和４年４月19日判決（事例39）である。

⑴ 借用概念論

まず，借用概念論が問題となる。上記①の最高裁判決は，「LPS 事件」と呼ばれているものであるが，借用概念論と抵触法との関係が問題となった事件である。これについては，最高裁は，内国私法準拠説を柱としつつも，外国私法準拠説をも併用するアプローチを採用した（第２編・第１章・第６節の第３の２「判旨」（78頁）参照）。これに対しては，筆者らは基本的には賛成であるものの，より理論的に考えると，借用概念の場合，我が国の私法上の本質的要素の確定を前提に，①準拠法とされる外国私法上の性質を検討し，②次に，その外国私法上の性質が当該借用概念の本質的要素と同等であるか否かで決定するとの二段階アプローチを採るべきと考える（第２編・第１章・第６節の第３の３⑵ウ（80頁）参照）。筆者らがこのような二段階アプローチを採るべきと考えるのは，外国私法準拠説のみに依拠すると，借用概念の該当性について決定不能に陥るおそれがあるからである。

上記②の最高裁判決は，「オウブンシャ事件」と呼ばれているものであるが，法人税法22条２項の「取引」が民商法から借用概念であり私法上の取引を意味するのか，それとも法人税法上の固有概念であるかが問題となった事件であるが，筆者らは，固有概念説を採る（第２編・第２章・第２節の第１の２（104頁）参照）。

⑵ 立法趣旨による解釈

次に，立法趣旨による解釈が問題となる。上記③の最高裁判決は，「ヤフー事件」と呼ばれているものであるが，法人税法132条の２第１項の「不当」について，濫用基準を採用したものである（第２編・第２章・第９節の第３の２「判旨」（150頁）参照）。これは，平成13年の法人税法改正に当たり，法人税法132条の２が立法された趣旨を尊重して，その趣旨に沿って解釈しているものであり，筆者らは賛成である。

上記④の最高裁判決は，「外税控除事件」と呼ばれているものであり，法人税法69条１項の「納付」の意義を明らかにするものであり，上記⑤の東京地裁判決は，消費税法30条７項の「保存」の意義を明らかにするものであるが，いずれもそれぞれの規定の趣旨に則った解釈をしているものであり，筆者らは賛成である。

筆者らは，租税法の解釈において，当該規定の立法趣旨を探求し，その合理性を検討した上で，合理的なものであれば，その趣旨を尊重して，文言解釈の許される限界の範囲内で可能な限り，その趣旨に沿った解釈をすべきと考えている。上記③ないし⑤の判例は，いずれもそのような筆者らの考えと軌を一にする判例である。

ところで，租税法の解釈においては，各国でplain meaningアプローチが問題となっている。plain meaningアプローチというのは，当該規定が文言上その意味が明白（plain meaning）であれば，その文言上の意味に従って解釈すべきであり，立法趣旨による解釈が許されるのは，文言上その意味が明白でない場合に限られているとするアプローチである（注221）。実は，我が国の裁判実務において，原告側からこのような主張がなされる場合が多いが，課税庁側からなされる場合もある。筆者らも租税法の解釈は，文理解釈から出発すべきことには異論がないが，たとえ文言上その意味が明白であっても，当該規定の立法趣旨を探求し，それが合理的であるあるかの検討が必要であると考えている。

我が国の判例を検討すると，「ホステス源泉事件」と呼ばれている最高裁平成22年３月２日判決（民集64巻２号420頁）は，文言が明白であってもなおその立法趣旨を検討した判例であるが（注222），競馬の払戻金の所得区分についての最高裁平成27年３月10日判決（刑集69巻２号434頁）は，所得税法34条１項の「営利を目的とする継続的行為」の文言にこだわり，なぜこのような行為が一時所得でないとされているのかの立法趣旨の検討が不十分と考える（注223）。plain meaningアプローチについては，租税法律主義との関係で様々な考えがあるとは思うが，筆者らとしては，このようなplain meaningアプローチを克服すべきであると考えている。

2　租税法における契約解釈の重要性

本書において論じた判例のうち契約解釈が特に問題となったのは，①東京高裁平成11年６月21日判決（事例13），②最高裁平成18年１月24日判決（事例32）である。

上記①の東京高裁判決は，いわゆる「私法上の法律構成による否認」論が問題となった事件であり，上記②の最高裁判決は，「フィルムリース事件」と呼ばれているが，「私法上の法律構成による否認」や法人税法31条１項の「減価償却資産」についての解釈が問題となった事件である。筆者らとしては，現在でも，契約の解釈にあっては，契約書の文言だけではなく，契約両当事者の共通の意思が重要であり，租税法適用の前提となる契約解釈にいても，このようなアプローチが重要と考えている（第２編・第１章・第３節の第２の３⑵（52頁）参照）。この点は，様々な議論があり，上記最高裁平成18年１月24日判決においても，肯定も否定もされていない。

しかし，筆者らとしては，契約解釈とは異なるアプローチであるが，前記１⑵の立法趣旨による解釈と密接に関係した議論として，当該規定を立法趣旨により解釈した場合，その趣旨に沿った事実があるか否かを検討するとのアプローチが重要と考えている。その理解では，上記最高裁平成18年１月24日判決は，法人税法31条１項において「事業の用に供していること」を要件とした上，減価償却費が損金となる趣旨は，そのような資産が収益を生み出す源泉となるからであるとした上，このような趣旨に合致する事実の有無を検討

注221　今村隆「租税法における解釈のあり方」日本法学84巻４号（日本大学，平成31年）407～409頁

注222　今村・前掲日本法学84巻４号406頁

注223　今村・前掲日本法学84巻４号405頁

しているものであり，英国でいわれている Arrowtown テストと同様のアプローチと考えている（第２編・第２章・第５節の第２の３⑶（135頁）参照）。このような目的的解釈における事実認定のアプローチは，上記最高裁平成28年２月29日判決でも採られているアプローチであり（第２編・第２章・第９節の第３の３⑶（152頁）参照），重要と考えている。

3　租税法における通達の重要性

本書において論じた判例のうち通達の合理性等が特に問題となったのは，①最高裁令和２年３月24日判決（事例15），②東京地裁平成27年２月26日判決（事例28），③東京高裁平成27年12月17日判決（事例40），④最高裁令和4年4月19日判決（事例39）である。

上記①の最高裁判決は，所得税基本通達59-６の合理性等が問題となり，上記②の東京地裁判決は，法人税基本通達９-２-28の合理性等が問題となり，上記③の東京高裁判決は，財産評価基本通達３の合理性が問題となった事件である。通達は，本来は，国税当局内部での上司の部下に対する命令であり，国民を拘束するものではない。しかしながら，通達の多くは公表され，納税者もこのような通達を参考にして課税権を検討する場合が多く，実務上重要な役割を果たしている。のみならず，上記③の東京高裁判決は，財産評価基本通達について，従来の裁判例よりも裁判規範性を強く認めたと考えられ注目される（第２編・第３章・第２節の第２の３⑵（174頁）参照）。他方で，上記④の最高裁判決では，通達が直接の裁判規範性を有することを否定している。財産評価通達は，あくまでも平等原則を介することによって外部効果を有することになるといえよう（第２編・第３章・第１節の第３の３⑶）。

訴訟においても，通達は重要であり，課税庁側は，課税処分をするに当たり問題となった通達の合理性を主張・立証して，その当てはめを問題とすることが多く，要件事実論の観点でも，このような主張に沿った要件事実の検討が必要となる。その際，通達の文言だけではなく，その趣旨を検討することが重要と考えている。

4　租税法における要件事実論の意義

冒頭の「はじめに」において，租税法において要件事実論は，争点整理という意味で有用だけでなく，解釈ツール機能も有していると述べた。要件事実論は，それぞれの規定の要件を明確に抽出するだけではなく，その裁判上の意味をも検討するものであり，その過程において，当該要件を規定している立法趣旨を検討することとなり，その意味で解釈ツール機能を有していると考えている。筆者らとしては，本書を通じてそのような要件事実論の有用性を理解していただければ幸いである。

最後に，本書の改訂に当たっては，税務大学校における専攻科研修での「要件事実論・事実認定論」の講義での経験や税務大学校関係者との議論を参考にしたものであり，ここに感謝の意を表することとしたい。

【判例一覧】

《著者紹介》

今村　隆（いまむら　たかし）　下記加藤担当以外

【略歴】

昭和 51 年 3 月　東京大学法学部卒業

昭和 54 年 4 月　検事任官（東京地検検事）

法務省訟務局付検事，同省訟務局参事官を経て

平成 10 年 4 月　法務省訟務局租税訟務課長

平成 15 年 3 月　検事退官

その後，駿河台大学教授，同大学法科大学院教授，日本大学大学院法務研究科教授を経て

現在　日本大学大学院法務研究科客員教授，税務大学校客員教授，弁護士

【著書】

① 『租税争訟改訂版』（共編著，青林書院，平成 21 年 2 月）

② 『租税回避と濫用法理』（大蔵財務協会，平成 27 年 4 月）

③ 『現代税制の現状と課題・租税回避否認規定編』（新日本法規，平成 29 年 10 月）

④ 『課税権配分ルールのメカニズム』（中央経済社，令和 2 年 10 月）

⑤ 『移転価格税制のメカニズム』（共著，中央経済社，令和 5 年 8 月）

加藤　友佳　（かとう　ゆか）　第 2 編第 1 章第 8 節及び第 3 章担当

【略歴】

平成 25 年　一橋大学 大学院法学研究科修了　博士（法学）

平成 26 年　岡山商科大学法学部講師

その後，同大学法学部准教授，東北学院大学法学部准教授を経て

現在　明治大学経営学部専任准教授

【著書】

『多様化する家族と租税法』（中央経済社，令和 3 年 3 月）

課税訴訟における要件事実論
〔4訂版〕

令和6年4月5日印刷
令和6年4月12日発行

著　　者　今村　　隆
　　　　　加藤友佳
発 行 所　公益社団法人 日本租税研究協会
　　　　　東京都千代田区丸の内3－3－1
　　　　　新東京ビル2階241区
　　　　　TEL　03(6206)3945
　　　　　FAX　03(6206)3947
　　　　　E-mail：j-tax-as@soken.or.jp
印 刷 所　日本印刷株式会社
　　　　　TEL　03(5911)8660